第十巻　社会のなかの美術——展示空間の拡張

中原佑介美術批評選集

現代企画室＋BankART1929

クレス・オルデンバーグ《計画されたモニュメント》1965年
紙に木炭と水彩　40.6 x 30.5 cm　ニューヨーク近代美術館蔵

クリスチャン・ボルタンスキー《リネン》2000年
大地の芸術祭 越後妻有アートトリエンナーレ 2000 参加作品
photo: ANZAÏ

目次

本巻は、社会における美術のあり方を論じたテキストを中心に、変容する現代芸術と観客の関係、展覧会という制度や都市空間と芸術の問題、さらに二〇〇〇年代に中原が深く関わった「大地の芸術祭　越後妻有アートトリエンナーレ」について論じたテキストをまとめた。

凡例

・それぞれの論文は初出を底本とし、表記も底本に倣った。ただし、書籍への再録も適宜参照し、註の補充、書籍収録にあたって必要な修正などは再録に倣った。
・脚註は、中原による原註を（n）、本選集編纂にあたっての編註を（編n）で示した。原註の書誌は表記を統一し、適宜補足した。編註は、引用されている文献の書誌と展覧会などの概要（会期、会場）を中心に記載した。翻訳書について、美術関連の本は原書の書誌も可能な限り補った。その他については、翻訳書の表記にしたがって原書を記載した。
・カッコやダーシなどの約物は統一した。
・引用文中の［　］は著者（中原）による補足を示す。
・本文と原註中の［　］は本選集編集部による補足を示す。
・出典は雑誌掲載論文については論文名、雑誌名、巻号数、発行年、書籍については編著者名、書名、出版社、発行年の順で整理した。
・人名と外来語の日本語表記については、最新のものを採用した。
・明らかな誤字脱字は訂正した。
・掲載した図版の出典は巻末にまとめた。

第一章　社会のなかの美術

日宣美の問題

理想と夢の仕事場　制約から解放されて出発

日本宣伝美術会が毎年一回、公募形式によって開催している「日宣美展」について、かつてわたしは次のようなことを書いた。

「この展覧会では、作家はスポンサーの制約からは解放される。したがって、作家が日ごろ主張したいものを、商品をかりて最大限に表現しようと試みる。それはいわば宣伝デザイナーの「理想」であり「夢」といっていいだろう」[編1]。

ただし、これは「日宣美展」の具体的な現状を分析して帰納した結論ではなく、「スポンサーの制約から解放される」という事実を出発点にして、そこから「日宣美展」を「商業デザイナーの「理想」であり「夢」である」仕事の発表の場所というようなかんがえをみちびきだしたのである。したがって、これは結論でなく、前提として提出されたものだった。そして、こうした前提にたって、わたしは「日宣美展」に「実験的意欲の稀薄さ」がみられると批判したのである。

ところで、わたしが「日宣美展」の特質とみなしたこのようなみかたは、かなり

初出『電通報』第七五〇号（一九五八年六月六日）、第四面／『電通報』第七五一号（一九五八年六月九日）、第四面。（上）（下）の二回に分けて発表された文章。

編1　中原佑介「〈展覧会週評〉宣伝デザイナーの夢――日宣美展」『読売新聞』一九五六年八月一〇日夕刊、第三面

一般的なものらしい。たとえば『調査と技術』誌にかかれた「日宣美展」評(編2)の冒頭で、大岡信もこう述べている。

「第一線商業デザイナーが、スポンサーの制約を離れ、日頃やってみたいと思っていた仕事を発表する——日宣美展の興味はまずそこにある」。そして大岡信はこうした観点から「創造的な主体性を」という論評をおこなった。

スポンサー・フリー　現実の中で一貫した精神

しかし、いまかんがえてみると本来は「日宣美展」評のエピローグであるべき「デザイナーの自由な発表の場所」ということがらをいきなりプロローグとして据えたことには、いくぶんの誤解があったのではないかという気がしてならない。それは、むろん「日宣美展」に「実験的精神が稀薄」だから、わたしが、自分の推しだした前提に疑問をもちはじめたという理由からではない。「日宣美展」をデザイナーの「理想」であり、「夢」だなどといわせた、あの「スポンサー・フリー」という事実にたいして、過大評価もしくは誤解があったのではないかとかんがえたからなのである。

つまり、一言にしてつくせば、「スポンサー・フリー」をデザイナーをとりまく外的な状況としてのみとらえるのは正しくないのだろうということである。日ごろの仕事は「スポンサー・フリー」でなく、「日宣美展」では「スポンサー・フリー」だから、といったところで何もうまれてこないだろう。商業デザイナーにとってのクリエイティブな、あるいは前衛的仕事としてかんがえられるものは、この資本主義社会の種々の制約のなかで、どこまで「スポンサー・フリー」の精神に徹するか

編2　大岡信「創造的な主体性を（第六回日宣美展評）」『電通調査と技術』第四二号（一九五六年一〇月）、一八―二三頁

ということにかかっているようにおもう。つまり「スポンサー・フリー」というのは、あくまでデザイナーの内部の問題だったのである。

したがって、もともと「スポンサー・フリー」の精神を廃棄した妥協的なデザイナーが、「日宣美展」で「日ごろやってみたいという仕事」をするといったところで、そういうことのありうる筈がないわけだ。「日宣美展」にデザイナーの「理想」や「夢」をみたのは、「スポンサー・フリー」ということを、外的な状況に還元してしまったことによる、わたしの「空想」であり「幻影」だったかもしれないのである。「理想」や「夢」でなく、デザイナーは現実のなかにあって、つねに「スポンサー・フリー」の精神を一貫していることが必要だと思う。

審査制による公募　対社会的に大きな意味

「スポンサー・フリー」の精神をデザイナーの根源的なありかただとすれば、「日宣美展」にたいするみかたも当然かわってこなければならない。日宣美というのはいうまでもなく、ひとつの組織であり、はじめにも書いたように「日宣美展」というのは公募形式をとっているため、会員の出品に加えて、一般公募作品が審査制によって選ばれる。画壇のほうでは公募団体といっても多数あるが、デザイン関係の公募団体といえば日本宣伝美術会ただひとつといっていいため、非常に特殊にみえるが、この公募システムということは強調しておいていいだろう。もっとも、日宣美の会則をみるとその「目的・事業」という項目に「本会は宣伝のためのデザインを高めこれを社会的、文化的に前進させ、デザイナーの立場と生活を守りその向上をはかることを目的とする」とあり、この目的を達成するために六種類あまりの事業が列記されていて、しかも、その最後に「展覧会、講演、講習、その他必要な事業を行う」とあって、「日宣美展」が日宣美最大の目的ではないようにみえるが、対社会的にみれば、これがもっともおおきな意味をもっていることはいうまでもない。

不審に思うこと

ところで、こうしたシステムをもった日宣美は、先にのべた「スポンサー・フリー」の精神をどのようなかたちで組織化しようとしているかというのが、わたしの最大の関心だ。たとえば「デザイナーはかく考える」という対談[編3]で、一般出品者のレベルがぐんと向上したのにたいして、会員のなかには一般出品者の実力より低い人が、会を代表する作家に依存してやってるような感じのひともありますね、という新井静一郎の問にたいし、日宣美会員の大橋正が「去年、それが内外ともにやかましい問題となって、一ぺん会をぶちこわして淘汰したらという話も出たんです。発足当時職能的というんですか、あまねく集めた、それから公募システムをとり、きびしく会員を制限したためにギャップができている。とにかくこれにはどうもわれわれにはいい知恵が浮かばないんです。結局会員の自覚と努力にまつほか手がないんですから……」と答えているのを読んで、わたしは大橋正が問題を会員の自覚と努力に解消してしまい、「宣伝のためのデザイン」を高めこれを社会的、文化的に前進させ」るという会の規則に照らして解決しようとしないことを不審におもった。「スポンサー・フリー」の精神は、当然こうした組織の民主的運営をも一貫すべき

編3　大橋正、新井静一郎談「デザイナーはかく考える」『電通報』第七二六号(一九五八年三月二〇日)、第四面

ものだとおもうからである。ともかく、日宣美をなんとかして維持してゆこうというのでは当初の目的の所在をみうしなわせてしまうものではあるまいか。とくに日宣美が、デザイン界の日展だなどというあまり香しくない批判がかわされるとしたらなおさらのことである。

組織の点で矛盾

画壇でその弊害をしばしば論じられているが、公募形式というのは、必然的に会員を偶像化してしまう。わたしが芸術の分野で、組織に意義をみとめるのは芸術運動体としての団体だけであり、そうでなければ、純然たる職能団体でしかないとおもう。したがって、日宣美がはじめ職能的なものとして出発しながら、他方で公募形式を維持しようとするのは、もともと矛盾するものを結びつけようとすることであり、そうした矛盾のうみだす問題は、会員の自覚でなく組織の問題として提出しなければ、解答のでてきようがないのではあるまいか。芸術運動としての組織は、いうまでもなく「スポンサー・フリー」の精神を根底におくものである。

したがって、わたしの議論は、むろん、傍目八目的になるが、日宣美はその会則「本会は宣伝に関係するデザイナーの全国的団体であるが、職能による友好と共存との上にかたくつながるばかりでなくデザインを高める共同の目的と自覚とを持つ作家の団体として組織される」という原則に徹して、そうした主旨にそってデザイナーを組織し、一方でそれと別にデザイナーの芸術運動としての組織が数多く勃発したほうが望ましいようにおもわれる。しかも、社会的のみならず、芸術にとっても転換期である現在、デザイナーがデザインの職人的なあつまりに固定化するのでなく、芸術の種々のジャンルと交流することによって、デザインもまた現代芸術の追求というマクロスコピックな観点にたたなければならない以上、それは必然的な方向のような気がする。こうしたマクロスコピックな観点にたつということは、例の「スポンサー・フリー」の精神の土壌でもあるわけである。

病根にはメスを

現在、日宣美の会員は約三〇〇名ということだが、そのなかで実際に活動しているのは約一割ぐらいということだ。しかも、むろんのことだが、日宣美と関係なくすぐれた仕事を続けている作家もおおい。それらのひとが単にデザイナーであるばかりでなく、画家であり、写真家であったりするのも偶然のことではないだろう。「日宣美展」が「スポンサー・フリー」という状況のなかで、かえって反「スポンサー・フリー」の精神を醸成するものであるとすれば、本末顚倒ということになる。そしてまた日宣美会員というのがデザイナーとしての通行証明書のようになれば、日宣美は、会としての目的を放棄したことになるだろう。

日宣美のデザイン界におけるありかた、公募システムによる矛盾、会員と一般出品者の作品の問題など、最近、日宣美の内部で問題がつみかさなっているということだが、わたしは外部からその対社会的な反響、わが国におけるデザインの向上という観点にたって、わたしのかんがえをのべたに過ぎない。しかし、病根はちいさいうちにつぶしてしまったほうがいいにきまっている。そして、そのさいそのメスになるものは、あくまで「デザインを高め、これを社会的、文化的に前進させせ」るという会の目的をいかに効果的に組織化させるかということだとおもう。みずからつくった組織にがんじがらめになって、目的を放棄するのは愚であると同時に、非難にあたいするだろう。いうまでもなく、そのとき「スポンサー・フリー」の精神も消失しているからである。

芸術のすすめ

これぞ大画家への道

Oの形の口をして
秋じゃ　秋じゃ　と歌うなり
　　堀口大學「秋のピエロ」

N君へ——

お手紙拝見しました。来年あたり、公募団体へ出品しようかと思ってはいるものの、昨今、美術の秋の花形である公募展を指して美術団体無用論がかまびすしく、世の美術時評子がいかにも困惑し果てたという表情で、つまらん、つまらんと口を揃えて書いているのをみると、出すべきか、出さざるべきか、これが問題だという心境になっているとのこと、まことに同情にたえません。

小生も口を揃えたひとりですが、世の中にはこういう馬鹿正直な時評家ばかりがいるわけではない。『美術手帖』の一〇月号をみたら「美術団体改造案」なる、ボヤキ型批評をせせら笑うようなきわめて「建設的意見」を提案している時評子もいました。(編1)美術団体などとお高くとまらず、いっそのこと株式会社にしてしまえというのがそれです。もっともこんなことを聞くと、君などいよいよユーウツになってし

芸術のすすめ
これぞ大画家への道

初出『日本読書新聞』第一一二三号（一九六一年九月二五日）、第四面

編1　「〈手帖通信　焦点〉美術団体改造案」『美術手帖』第一九四号（一九六一年一〇月）、八一頁

まうかもしれません。
しかし、N君。小生は実をいうとこの秋を飾る団体展をひそかに畏敬しているのであります。というのは、将来、大画家たらんとしている君などにとって、これほど教訓に富んだ催しもないと思うからです。そこで、今日は返事にかえて、その二、三を君だけにこっそり伝授しましょう。出すべきか、出さざるべきかなどと悩むのは、まだ大画家としての素質に欠けるところありと申さねばなりますまい。おおいに思想改造をすべきです。

一、画壇でデモクラシー精神など発揮すべからず

二科会の始まる前に岡本太郎が同会を脱退したことは御存知と思います。いろいろの理由があろうとは思いますが、そのひとつに、東郷青児理事長選出に際して、民主主義的なルールが破壊されたという話もあるそうです。恐らく、君のことだから、芸術の純粋のために決然とタモトをわかった太郎画伯のほうに同感するところがあるかもしれませんが、その真似をしていたら、悩むどころか絵など描けなくなることうけあい。

数年前、徳川夢声との「問答有用」で青児画伯が、画壇で成功するヒケツを披露していましたが、[編2]純粋であろうとなかろうとこちらのほうを服用したほうがよろしい。まず、出来るだけワケのワカラナイ絵を描くことです。

青児画伯も若い頃ワカラナイ絵を描いて評判になり、そのままトントンと今日の大

編2　徳川夢声、東郷青児談「徳川夢声連載対談　問答有用（三九四）」『週刊朝日』第六三巻四七号（一九五八年一一月二日）、二八―三三頁

芸術家になったとのこと。ワカるといって黙殺されるより、ワカらないといっそ騒がれるほうが得策なこと、これは申すまでもない。これが「芸術」でなく「処世術」だなどと思うようではいけません。何故なら団体を指してつい世の習慣に従って芸術団体などと書きましたが、ほんとうは処世術団体というべきであります。弱肉強食の処世術の世界で、純粋とかデモクラシーの通用しないこと、これは当然ではありませんか。すべからく、不純かつ唯我独尊、独裁精神でゆけば、一団体を手玉にとれることなど簡単です。

二、団体展に観客がくる間はその団体展は堕落していると知るべし

団体展の客の入りがぐっと落ちたといわれて久しい。しかし、皆無というわけではない。大画伯のとりまき、縁故、知人、つまり一族郎党はちゃんと御挨拶にいらっしゃるという仕組みになっています。せんだって、小生が上野に出かけたときにも、若き女性の集団が一画伯をとりまき、その高遠な絵画の解説をポーッとして聞いているのを目撃しましたっけ。

この師弟愛だか郎党愛のほほえましさを否定したり、ケチをつけたりするヒネクレ根性は、いささかも持ち合わせませんが、しかし、まあ、美術界のジャンヌ・ダルクたるべく起った団体が、こういう家族的フンイキに包まれてここに観客ありなどとヤニ下っているのは、未だに観客が皆無だと、団体の権威が地に落ちた証しになるなどと思っているからに違いありません。

もし、みにくる人がひとりもいなくなったら、閉会休業というわけでしょうか。展覧会があるから人がくるのか、会を維持するために人を呼ぶのか、そこまでセンサクする気持はありませんが、N君、観客が大入りだと展覧会は成功だなどという神話を信じてはいけません。むしろ、ひとが一人でもくる間は、ああ俺の絵はまだ卑俗なサービス精神の毒薬が脱けきれていないなあと、自省すべきであります。

門を閉ざしたら押しあけ、バリケードをめぐらしたら、それを破ってでも展覧会をみにくるならともかく、呼びこみ屋よろしくいらっしゃい、いらっしゃいと呼んで、ああ、みにくる人が多いなどと安心するのは、これはつまり堕落現象です。唯我独尊主義にとって虫けらの如き観客など何するものぞの気ハク、これであります。

三、自分以外の画家は、すべて自分よりすぐれていると信ずべし

団体展をみまわして、チェッ、みんな愚作じゃないかと、たとえ思ったとしても、それはあくまで思うだけにして、うわべは、なんて皆上手なんだろうとお世辞をいうことです。というのは、若手は老画伯諸先生にへつらい、老画伯諸先生は若い画家をチヤホヤし、お互いにもちつもたれつというのが、団体のモラルだからです。しかし、自分より年とっているとか若いというのは定かでないこともありますから、要は自分以外の作家はすべて、いい仕事だなあと思っていれば、決して間違うことはないわけです。

ついでにいえば、そうとでも考えなきゃ、そのいい仕事の模倣もできますまい。なまじ、美術は独創的であらねばならぬなどと、寝ても覚めてもオリジナリティ、オリジナリティと口走ったりせず、模倣できるものは、徹底して模倣すること。すると、審査員諸氏のなかには、オノレの影響力の甚大さに改めて心うたれ、一族郎党のために心中ひそかに快なりと叫ぶ画伯がいないとも限らない。

しかし、N君、安心してよろしい。その場合でもこれは、なかなか個性的ひらめきがあるなどと賞讃されこそすれ、模倣だからつまらんなどと捨てられることは決してないだろうと思います。それに、どんな大画家も、偉大なる先達の模倣という時期を通ったことがありますから、いささかも卑下するには及ばない。

四、常に時代の最前線を歩いていると錯覚すべし

美術団体というけど、有名人があつまって余暇に描いた絵を披露する例の「チャーチル会」と、どこかちがうのかなあなどという懐疑心がおきたらおしまいです。オレの作品は時代おくれかしらとか、オレの作品は月並みだろうかなどと、牛の反スウのように考えこむのは愚かです。絵の内容なんかどうでもよろしい。常に時代の最前線を歩いているというこの自負だけが肝心である。

もし、それを指して、身の程しらずの空威張りだなどという人士がいたら、ああ、かれは最前線に立っていないからワカらないんだなあと、同情するぐらいの余裕が

必要です。機械のようにそれをくり返していると、段々、ふん、あれが時代の先尖をゆく、つまりアヴァンギャルドというものらしいとひとびとを納得させることができます。一度、アヴァンギャルドになればしめたもの、ぐっと畏敬の念がたかまること受け合いです。

五、この「芸術のすすめ」をひとに漏らすべからず

理由は簡単。これを読めば、続々と大画家が生まれ、そのあげくN君、君の競争相手がふえて、君がやりにくくなるからです。健闘を祈ります。小生、芸術の秋はこれくらいにして、食欲の秋へくら変えしたくなりました。なにしろ団体展をみると、くたびれ損しますからね。さようなら。

「ロバの尻尾」論

昨年の一二月一日、モスクワのビリューチン・スタジオで開かれていた抽象絵画の展覧会に立ち寄ったフルシチョフ首相は、作品を一巡した後、「このような芸術は、ソビエトの国民に縁のないものであって、国民は受け容れない。芸術家と自称し、人間の手で描いたのか、ロバの尻尾でぬりたくったのかわからないような作品をつくる連中は、このことをよく反省すべきだ」と語ったという。フルシチョフのいわゆる「抽象絵画＝ロバの尻尾論」といわれて喧伝されている発言がこれである。ジャーナリズムの伝えるところによれば、この発言が発火点となったかの如く、美術界ばかりでなく、文学界、音楽界をひっくるめて「形式主義批判」のキャンペーンがくり拡げられているということである。絵画についていえば、フルシチョフは同じ一二月一日、モスクワ中央展覧館での美術家同盟モスクワ支部三〇周年記念展におけるワスネツォフ、ニコノフ、ファルクらの作品を指し、「絵画は人間を高揚し、勇気づけ、気高い功績に結びつけるものでなければならないのに、これらの作品はそういう社会的任務を果しているか」と発言している。そして、結語として、美術家同盟が取りあげるべきでない作品まで許容している現状について批判した。

フルシチョフの名指した作品のうち、写真で見ることのできたのは、ワスネツォ

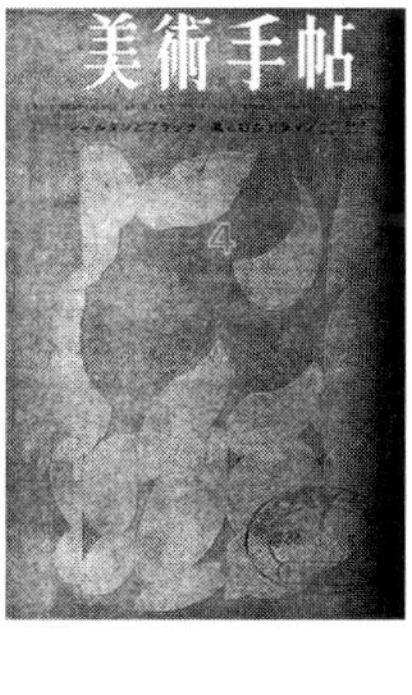

初出『美術手帖』第二一九号（一九六三年四月）、一二八―一三二頁

フ、ニコノフ、ファルクの作品の一部だけであり、ビリューチン・スタジオの抽象絵画については、それがどれほど「ロバの尻尾」を想わせるのか、推測する手がかりがない。三年前の七月、アメリカの『ライフ』誌が作家アレクサンダー・マーシャックのソビエト旅行の際の取材というふれこみで、「芸術家のかくれた反逆の実例」というサブタイトルのついた「誰のみたこともないロシア美術」という特集をやったことがある。(編1) 反ソ・キャンペーンという政治臭の強いものだったが、そこにソビエトの若い画家がスタジオで秘かに描いているという「抽象絵画」のいくつかが紹介されていた。ズヴェレフ、ワシリーエフ、クラスノベヴツェフ、エゴルシナなど、そのうちワシリーエフは美術家同盟のメンバーでもあり、さらに二年前の全ソ美術展のカタログをみたら、「風景画」を出品している。『ライフ』に掲載されていたのは、ラリオーノフかドローネーを想わせるような同心円の群れが夜のネオンのように浮かび上っているものであった。ビリューチン・スタジオには、あるいはアクション・ペインティングふうの作品でもあり、フルシチョフに「ロバの尻尾」を連想させたのであろうか。

こういうことをちょっと考えてみたのは、フルシチョフの発言だけを取りだし、それを具象と抽象の対立という問題に一般化し、具象肯定、抽象否定という形式論議に置き換えることは当を得まいと思ったからである。たとえば、フルシチョフ発言につづく党中央委員会書記イリーチョフの、政府首脳と文学者、芸術家、映画、演劇、ラジオ、テレビ、ジャーナリズムの関係者との会合での報告、あるいは、『リテラトゥールナヤ・ガゼータ(文学新聞)』編集長チャコフスキーの発言、『プラウダ』

編1 "The art of Russia ..... that nobody sees," *Life* vol. 29, no. 1 (July 4, 1960), pp. 40-51.

の「ブルジョア美学とのたたかい」という論説を読むと、「形式主義批判」は芸術の分野から政治の分野にひき移されているのを感じないわけにゆかないからである。

イリーチョフはいう。「抽象主義芸術には、いささかの正常な感覚もみられない、あるものはただ病的な倒錯、西欧ブルジョワジーの腐敗した形式主義芸術のあわれむべき模倣である」。「社会主義イデオロギーとブルジョア・イデオロギーの間には、いかなる平和共存もないし、あり得ない」。チャコフスキーはいう。「形式主義にたてこもる芸術家は、党と国民が個人崇拝の影響に反対してすすめているたたかいから誤った結論をひきだしているに過ぎない。かれ等は国民がかちとったものである共産主義建設の名において発揮されているイニシアチブの自由や、創造的活動の自由を、アナーキーで個人主義的なデタラメなふるまいをやれる自由とか、ブルジョア芸術の最悪の例を無分別にとりあげる自由として受け取っているのだ」。

つまり、社会主義リアリズムに反する一切のものは、反社会主義イデオローグのあらわれだというところに批判の骨子がある。この点については、一九三五年の形式主義批判の論旨といささかのちがいもない。たとえば、社会主義アブストラクトなどというものは、その本質において形容矛盾であり、社会主義のイデオロギーと社会主義リアリズムを結びつける線には、どのような余計な介在物もあり得ないというわけである。槍玉にあげられたひとりワスネツォフは『プラウダ』に反論を投書し、かれを含めた若い画家は社会主義を信じるものだが、社会主義リアリズムという政治的保障の上にあぐらをかいた連中を認めるわけにゆかず、むしろ芸術家としての自覚こそが重要だという意味のことを書いている。しかし、ワスネツォフのこの長文の反論もどことなくすっきりしない。もっとも「形式主義批判」は党と政府対芸術家というかたちだけでない。社会主義リアリズムを自称する画家からも集中的に発せられている。

有名なヨガンソンは、抽象絵画の連中は、卑劣な俗物の道徳的な下劣さかげんをあらわしているのだと罵倒しているほどである。「ロバの尻尾論」を口火とするキャンペーンは、たまたま抽象絵画を反社会主義リアリズムの「典型」としているとみられよう。つまり、その根底には芸術家の果すべき役割というような意味あいがこめられているのである。

こんど、またまた批判の対象となった作家のエレンブルグが、かつて社会主義リアリズムは形式の問題でなく世界観の問題だと述べたことがある。エレンブルグにとってはかつての三〇年代に社会主義リアリズムが教条化され、芸術を固渇した機械めいたものにしてしまったことに対する批判を意図しての発言であったのであろう。しかし、このエレンブルグの発言にしても、たとえばイリーチョフの社会主義はイデオロギーの問題だという声明と、奇妙に一致してしまうのである。

いったい、この「形式主義批判」はなにか新しい問題を提起しているかといえば、ぼくにはたいへん疑問である。たとえば、イリーチョフが単純に西側ブルジョワジーの腐敗した形式主義芸術というとき、かれはいったい芸術家をどういうものとして把えているのかという疑問がわく。たとえば、資本主義社会とも社会主義社会とも超越した芸術家というものがあり、西側の抽象画家は腐敗したイデオロギーに毒されており、ソビエトでは正しいイデオロギーに目ざめるべきだというのであろうか。こういう論議のたびに、ぼくは芸術家という問題が単なる表現の内容とイデオロギーということだけに置き換えられてしまう素朴さを感じるのである。つまり、こういう論法でゆくとすると、イリーチョフのいう西側の芸術家も社会主義リアリズムでゆくなら、そのおかれている状況のあらゆる悪から脱けだしたことになる。しかし、果してそうか。はなはだ卑近な例になるが、たとえば抽象より具象のほうが、なるほど大衆に「わかる」かもしれないが、またわれわれの社会では「うまく」やってゆけることも事実である。いったいいずれが現状肯定なのか、簡単に十把ひとからげにしてはいえまい。

いささか図式めくが、そもそものフルシチョフの「ロバの尻尾論」そのものが、まず芸術家というものが現にあるのであり、問題はその芸術家のイデオロギー、態度、道徳観にあるという発想にささえられている。どういう社会にあっても、芸術家という同じ人種があるのであり、作品内容だけに本質的差異があるなら、かえって、芸術家は社会とかおかれている状況にあくせくしなくてよろしいという逆説をうむ。いわゆる東欧圏で「ロバの尻尾」的作品の少なくないのはポーランドということになるだろうが、ぼくはかえってその作家のいく人かのほうに、まだ芸術家は完全に自由な人間ではないという認識のあることを感じるのである。つまり、こういう芸術家の問題をほうりだしたまま、芸術と大衆ということを機械的にもち出しても、本質的な論議にはなるまい。

「ロバの尻尾」論を深よみしすぎたことになるだろうか。しかし、たとえばジャクソン・ポロックはアクション・ペインティングによって、内面的な自由が近代の幻影と化していることを超えようとしたのであった。それはチャコフスキーのいう「形式主義芸術への自由」というオプチミズムからではあるまい。むしろ、幻影の自由に絶望したからであった。

「形式主義批判」が形式的におこなわれることは不毛をもたらすだけであろう。

戦争と美術についての断章

1

ピカソの《ゲルニカ》は逆説的な絵画である。この大作は周知のように、一九三六年のパリ万博の際、スペイン共和国から壁画制作を依頼されていたピカソが、四月二六日、バスク地方の町ゲルニカに対するナチス空軍の無差別爆撃の報を知り、それに抗議すべく数日ならずして描き始められたものである。しかし、《ゲルニカ》にはジョン・バージャーがいうように、「町もなく、飛行機もなく、爆発もなく、事件の起きた日付け、年数、国名、スペインの地方のどこかを知らせる何ものもない。糾弾さるべき敵もいない。ヒロイズムもない」（「ピカソの成功と失敗」[編1]）。大きな画面から、ゲルニカの悲劇に関する記録的なものを描きだそうにも、文字通り皆無の絵画というほかはない。事件の具体性をまったくとどめない絵画である。

それにもかかわらず、《ゲルニカ》は今世紀のうんだ記念碑的「戦争画」とみなされている。「ゴヤ以来、「戦争の恐怖」を描いた画家の絶えたことはないが、成功したためしがなかった。唯一の例外は、ピカソの《ゲルニカ》である」。たとえば、戦争画論といっていいあるエッセイで、こう指摘したのはサルトルである（「特権を持

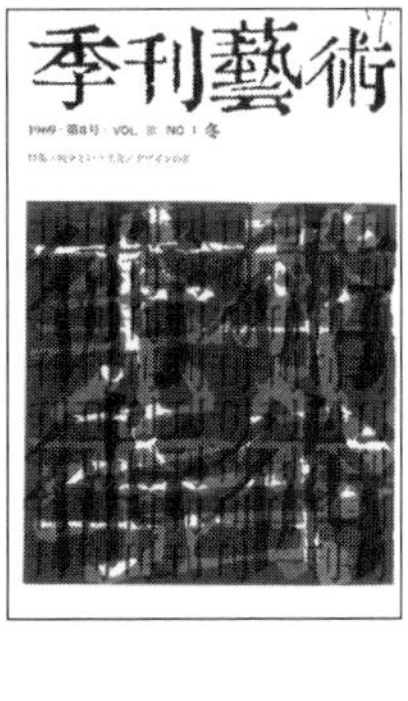

初出『季刊藝術』第八号（一九六九年一月）、四四―五〇頁。特集「戦争という文化」に発表された文章。

編1　John Berger, *The success and failure of Picasso*, Penguin Books, 1965. J・バージャー『ピカソ――その成功と失敗』奥村三舟訳、雄渾社、一九六六年［引用は中原の訳による］

たぬ画家」矢内原伊作訳(編2)による)。サルトルに限らない。《ゲルニカ》がゴヤの《戦争の災禍》につぐ不朽の戦争記録画だというのは通念とさえなっている。つまり、《ゲルニカ》は具体的な記録性をまったくもたない戦争の悲惨についての記録画なのである。

《ゲルニカ》に見られるこうした逆説的性格は、ゴヤ以来の戦争画の特徴が戦争の悲惨に対する告発という点にあることを物語っている。古来、戦争を描いた絵画は少なくない。もしそれを「戦争画」と総称するなら、「戦争画」は美術の重要な一分野をなしてきたといえる。しかし、その「戦争画」の性格は、時代を超えて同じだというわけではない。近代以降の「戦争画」はプロテストという性格を正面に押しだしている。戦争を具体的に描かない「戦争画」のうまれる理由である。

それでは、《ゲルニカ》がどうして例外であり得たのか。逆にいえば、「戦争の恐怖」を描いた多くの画家が成功しなかったのは何故か。それについてサルトルはこのようにいう。「その画家の心に怒りがあったことは疑いないが、その怒りは絵筆のなかにおりて来ない」からだ。というのも、「戦争の恐怖」を描き、戦争の悪にプロテストしようとすると、画家はどうしても「道徳」か「美」かという二者択一に陥ち込まざるを得なくなる。プロテストという正義に駆られた画家は、その「道徳」的意図のために絵画をないがしろにしてしまうし、他方、絵画の「美」に専念しようとすると、「戦争の恐怖」のアピールという内容を損なってしまうことになる。つまり、いずれの場合にも「裏切り」となるのである。したがって、「戦争の恐怖」を描いて成功するのは、偶然にもこの二者択一の矛盾から逃れることができた

編2 「特権をもたぬ画家」矢内原伊作訳、『サルトル全集第三十巻　シチュアシオンⅣ』人文書院、一九六四年、三〇九―三二七頁

場合か、それを超えた場合でしかあり得ない。サルトルのこのエッセイは、じつはフランスのある非形象画家の「戦争」をモチーフとした絵画を論じたものだが、サルトルはこの画家に後者の場合を見、唯一の例外という《ゲルニカ》を前者の場合と見るのである。

「道徳」と「美」の二者択一というのは、いかにもサルトルらしい表現である。私は「美」をこのように大上段にもってくることに困惑するほうだが、サルトルの見解の意味するところは理解できる。すると、サルトルの表現にしたがうなら、《ゲルニカ》は道徳的であり、同時に美的でもあるということになる。そういう例外的な現象がうまれたのは、画家の「道徳」的意図と「美」的意図が一致した結果としなければならない。ピカソはどのように幸運であったのか。

「それというのも、第二次大戦前の重要な時期だったスペイン戦争がはじまったのは、この画家の生活とこの絵画がその決定的な時期に達した時だったからである。絵筆の否定的な力は《具象的なもの》を揺さぶり、その組織的破壊に道をひらきつつあった。その頃はまだ形象が保たれていた。なぜなら、形象を崩壊させる運動そのものが探求の目的だったからである。この暴力は自分をかくしたり変形したりする必要がなかった。それは人間自身の爆弾による人間の破壊と同一化していたからである。つまり探求の過程が反抗の独特な意味になり、虐殺の告発になったのだ。同じ社会的力が画家をして両方の秩序の否定たらしめたのであり、同じ社会的力がファシスムによる破壊と『ゲルニカ』を遠くから準備したのである」。

これはこれで、ひとつの興味ある「ゲルニカ論」である。しかし、《ゲルニカ》は

ピカソ《ゲルニカ》一九三六年

サルトルのいうように「道徳」と「美」という「相容れない諸要素を一つに結びつけた」ものだろうか。むしろ、ピカソは《ゲルニカ》においてその両者を統一しようとしなかったと見るべきだと思う。「道徳」的意図と「美」的意図は平行し、たまたま接触したというにすぎなかったのである。

《ゲルニカ》は、ゲルニカの悲劇そのものを記録的に描いたものではなかった。そこに描かれている牛や馬、母と子、叫ぶ女などは、既に数年来ピカソの描いてきたものである。「ゲルニカの悲劇」は、それらを《ゲルニカ》という大作に集大成させたに過ぎない。私はピカソにプロテストの意図がなかったといっているのではない。集大成させたのはまさにプロテストという意図であり、ピカソ自身「ゲルニカの悲劇」に対していちはやく抗議声明を発してもいる。しかし、その「道徳」的意図は、ピカソの絵画になにもつけ加える必要をもたらさなかったということである。

こういういい方は、次のような疑問を招くかもしれない。それでは結局、画家の正義感とか「道徳」だけが決め手であって、絵画はどうあってもいいことにならないのか。しかし、私はそこに記録性がなければならないと思う。《ゲルニカ》の物語っているのは、その描かれた内容に、具体的な記録性がないということであった。それなら、それはおよそ時間を超越した絵画かといえば、そうではない。記録性についての手がかりはちゃんとある。ひとつは、それが戦争の具体的な悲劇に触発されて描かれたという事実であり、もうひとつは、歪曲され解体されつつある形象という、表現形式に見られる時代の刻印である。スタイルのなかに歴史がしのびこんでいる。

《ゲルニカ》を描いて一五年の後、一九五一年にピカソは《朝鮮の虐殺》を描いた。ゴヤの《五月三日の処刑》を下敷きにしたとみられるこの絵画は成功しなかった(因みに、マネの《マキシミリアンの銃殺》も似た構図の作品である)。何故なら、この絵画はその表現形式にもはや時代の刻印を感じさせなかったからである。そこに描かれているのは、戦争の悲惨についてのほとんど概念的とすらいえるメッセージに過ぎない。極論すれば、それは絵画であることを必要としないものであった。

スタイルにしのびこんだ歴史性、それが「戦争画」に記録性をあたえるのである。戦争を描かない《ゲルニカ》の記録性という逆説は、こうして成立している。この事実は、描かれている内容そのものにはるかに記録性を感じさせるようなもうひとつの絵画についても示されている。それは《ゲルニカ》と同じ年、メキシコのシケイロスの描いた《叫びのこだま》である。《叫びのこだま》もまたスペイン戦争に触発されて描かれたものであった。崩壊した建物の瓦礫の山の土に、泣き叫ぶ一人の子供が坐っている。そして、その同じ顔だけがクローズ・アップされ、重ね合わせられて描かれている。戦争のもたらした一情景ということを思わさせる点では、これは《ゲルニカ》とは歴然と異なる。しかし、日付も場所もないということでは、《ゲルニカ》とまったく同様曖昧な絵画である。にもかかわらず、これは《ゲルニカ》とは違うスタイルだが、そしてある意味では《ゲルニカ》よりももっと強烈に時代の刻印を感じさせるのである。

始めに引用したバージャーは、この絵画がニュース映画に示唆を受けたのではないかと推測しているが、この絵画にダブって見えるのはまさにニュース映画である。

シケイロス《叫びのこだま》一九三七年

その非絵画的性格が、情景そのものの非絵画性を物語る。この絵画のもつ記録性は、描かれている光景に示されているというより、ニュース映画のもつ記録性に負っているといったほうがふさわしい。つまり、それはスタイルのなかにあるのだ。

第二次大戦後のスペインの画家ヘノベスは、特異な戦争記録画を描いている。それは、爆撃機を見て逃げ惑う群集であり、兵士による一斉掃射の恐怖で散りぢりに逃げてゆく群集である。豆粒のような群集のディテイルは、むろん描かれているわけではない。にもかかわらず、その表情すらありありと想像させるのである。ヘノベスはこうした光景をほとんどモノクロームに近い色調で描いている。ヘノベスの描いているのは、第二次大戦にあちこちで見ることのできた恐怖の光景であろう。「群集」を主人公としたその絵画は、否応なく大量殺戮を想起させずにおかない。しかし、この大量虐殺のイメージを描き得たのは、画家が空中写真や望遠写真という新しい視覚を採用したそのスタイルに基づいている。この独特なスタイルが、一九三六年ではない時代の刻印と戦争の性格を如実に伝えるのである。

ピカソにアレゴリカルな手法で《朝鮮の虐殺》を描かせたと同じ光景を、ヘノベスは望遠写真の映画のクローズ・アップの手法を混ぜ合わせながら《叫び》として描いた。いずれもプロテストとしての性格を失わないが、しかし、ヘノベスの絵画はもはやプロテストということも感じさせないのである。ここには悲劇を単に被害者の眼で描くといった態度も見当らない。むしろ、逃げ惑う群集を描くヘノベスの視点は、爆撃機の照準器、銃の照準に合わせられ、加害者のそれと合致させられている。ボードレールではないが、これは「死刑囚であり、同時に執行人」であるよ

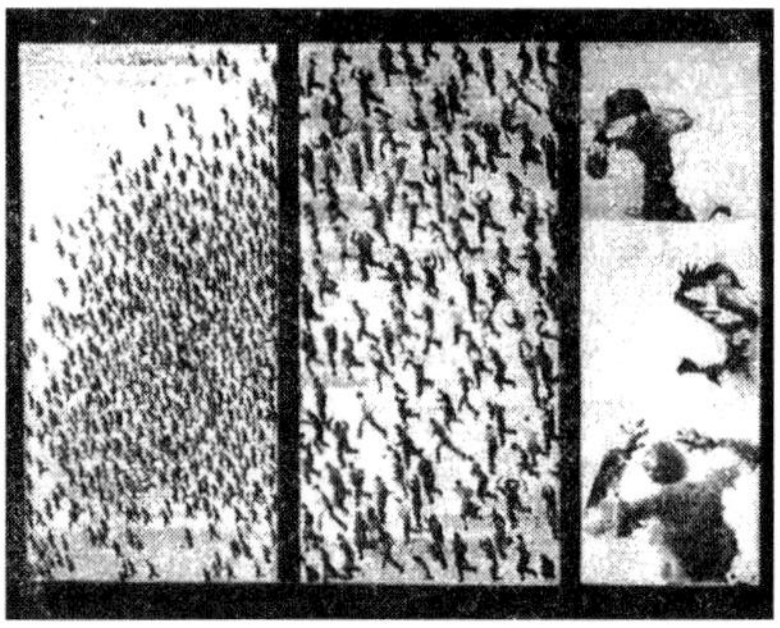
ヘノベス《叫び》一九六七年

うな視点なのだ。こういう視点もまた、そのスタイルとなってあらわれるのである。日付や場所に照応する何ものももたないヘノベスの絵画は、こうして記録性を獲得しているのである。

2

表現形式に時代の刻印を刻みこもうとしなければ、「戦争画」はプロテストという心情の吐露に終わるほかはない。そこからうまれるのは、一種のセンチメンタリズムである。戦後のフランスには、「時代の証人」を名乗るビュッフェら一群の若い画家が登場したが、具象と抽象の折衷様式を探る彼らは、そのスタイルのなかに歴史を見ようとしなかった。その結果、はなはだ「道徳」的な絵画を描いたのである。それらはひたすら心情的であり、記録性に乏しかった。「戦争の恐怖」を描いて成功することの難しさは、サルトルのいうように「道徳」と「美」の二者択一にあるというより、「プロテスト」と「記録性」を両立させるという点にある。「道徳」か「美」かという問題は、画家の側にあるのではなく、むしろ、見るものの側にあるというべきだろう。われわれは、一枚の「戦争画」を前にしたとき、「道徳」と「美」を機械的に区分するわけではないが、それでも、その「道徳」的側面に関心を注ぐ場合と、「美」的側面に比重をかけて見る場合とがある。それは歴史という状況に左右される。前者の場合には、戦争の告発を意図した凡庸な絵画といえども、無意味ではない。それは、その裏返しに、「戦争の讃歌」を唱う凡庸な戦争画が効力を発揮するのと、まったく同様である。そのことはまたたとえば、《ゲルニカ》を指して、形式的には問題があるが、その意図は評価しなければならないという意見と、アカデミックに陥り易い主題だが、造型的な新しさにおいてすばらしいという意見のあることにもあらわされている。サルトルのいうのは、むしろ、こういうかたちでの二者択一にほかなるまい。かつての戦争中、わが国で描かれたいわゆる「戦争画」に対する批判が戦後起こったとき、画壇の戦争協力という道義的責任が追及されたのも、その「道徳」的側面にのみ関心が注がれたからである。

絵画の内容に記録性を盛り込むことの難しさは、二つの世界大戦を体験した今世紀の人間にとって、あるひとつの光景が戦争全体の残酷さを象徴するように選びだすことが容易ではないという事実に基づいている。アウシュヴィッツやヒロシマは、その想像を絶した残酷さで忘れられないが、その恐怖を描くことは一枚の絵画をもってなし得るところではあるまい。むしろ、断片的であれ写真やフィルムがその客観的な記録において、それを如実に示してしまうのである。そこでしばしば、われわれは、その成果はともあれ、その恐怖を描こうとした画家の「道徳」的意図を絵画そのものと置き変えてしまうということになりかねないのである。

プロテストは当然プロパガンダという一面をもつ。とりわけ戦争下にあって、戦争の悲惨を告発する絵画はプロパガンダとしての一面を強く浮かび上らせる。パリ万博の際、《ゲルニカ》と並んで、ミロもスペイン館に大壁画《刈り入れ人》を制作した。右手に鎌を持ち、左こぶしを振り上げているこの大作は、《ゲルニカ》同様、フランコ政権に対するプロテストの表現である。これがプロパガンダでもあるのは、ミロが似た構図で《スペインを救え》というポスターを制作していることからもうかがわれる。

しかし、第二次大戦後の「戦争画」はプロパガンダというよりは、むしろ反省的な性格を強めるのである。それは何よりも、戦争によってあらわになる人間存在の悪と残酷さを凝視するというのが特徴であろう。プロテストは、この悪と残酷を見ないことに対して向けられている。ヘノベスの絵画のほとんど非人間的ともいえる冷たい描写は、そういう意味でのプロテストなのである。

パリの解放された翌年、フォートリエの発表した《人質》の連作は、スタイルは異なるけれども、この反省的なプロテストによって際立った絵画であった。絵具のかたまりを押しつぶしたようなこの非形象絵画は、それまでの絵画のスタイルを抹殺するというそのスタイルにおいて時代を明確に刻印し、同時に、画面から人間的な要素を一掃することによって、非人間的なものを凝視させた。もちろん、ここにも具体的な記録性は見当らない。そのようなスタイル、そのような絵画そのものが戦争の残忍さの記録となっていたのである。日付けや年数は、その画肌のなかにひそんでいるといわねばならない。

年数は前後するが、もうひとつの例をあげたい。それはアメリカのシーガルの彫刻である。シーガルはじっさいの人間そのものから型を採り、それに石膏を流し込んで、ごくありきたりな日常生活で目撃される人間の姿態を再現している作家である。それは、バスの運転手であり、入浴する女であり、談笑しているひとびとといったものだ。しかし、これらの石膏像は人間から直接型採ったということで、逆に空

シーガル《死刑執行》一九六七年

ろであり非人間的なものを痛切に感じさせる。そこには、現代生活にみられる慢性化した死と残酷の恐怖のようなものが反映しているだろう。《死刑執行》は、このシーガルが一九六六年に制作した作品である。それは明らかにヴェトナム戦争に触発されたものである。

足首を縛られて逆さ吊りにされた死体、地面に転った三つの死体が石膏によってつくられている。もちろん、じっさいの死体から型採ったわけではなく、生きた人間を用いたものである。しかし、シーガルのその独特な手法ほど、この場面を凝視させるにふさわしい手法はないといえるほどである。石膏による人体像のもつ空ろさと非人間性が、この情景を決定づけている。そこには、シーガルの心情の介入する余地はまったくない。「道徳」的意図はあるにしても、それは「美」的意図とはまったく関係がないといっていい。そして、この場合にも、記録性を示すのはシーガルのスタイルにおいてなのである。

こういうほとんど客観的とさえいえる表現型式ということになれば、「戦争画」あるいは戦争に触発された作品だけが、それを保有しているわけではない。それは、第二次大戦後の美術の趨勢といっていいものである。そして、「戦争画」もまたその趨勢のなかにあるというよりは、先程いった反省的プロテストがさまざまな度合いをとりながら一般化しているということのあらわれと見るべきであろう。「戦争画」は「戦争画」というかたちでそれを濃縮するのである。

現在、われわれは「戦争画」を通して、戦争の光景を想像したりはしない。しかし、日本であれヨーロッパであれ、遠い過去の「戦争画」に対しては、その描かれた内容の記録性を通して、戦争の光景を想像する。たとえば、日本の「合戦絵巻」はそのパノラミックな描写によって、ありし日の戦争を想像させるに充分である。《平治物語絵巻》でも《蒙古襲来絵詞》でも、その点では変りがない。むろん、それらの戦争でも戦争の恐怖ということはあった筈である。しかし、それらの「戦争画」はプロテストでもなければ、死と残酷の凝視でもない。もっとも、その淡々とした描写の故に、そこには感傷が介入しておらず、そのため、たとえばヘノベスの絵画と一脈相通じるところがないといえないでもない。われわれがそれらをのどかだと見るのは、飛行機も爆弾も機関銃もないのどかな戦争だと思う先入観のせいかもしれない。

われわれにとって戦争の残酷さは、抽象的なものではなく、われわれの時代の戦争に根ざしている。つまり、それは、アウシュヴィッツやヒロシマで象徴されるようなものである。死と残酷ということでは、戦争は常にそれを眼の前につきつけるけれども、その凝視の探さはどの時代の戦争においても、平等だというわけではないだろう。そのために、遠い過去の「戦争画」をのどかに眺めるのか、それとも、それはわれわれと無縁なできごとだからそうなのか。あるいは、そのいずれでもあるのかもしれない。

合戦絵巻がパノラミックであるように、ヨーロッパの「戦争画」もパノラミックであった。それは戦争画が歴史画であり、あるいは歴史画としての記録画であったからである。たとえば、ブリューゲルの《サウルの自殺》(一五六二年)は、強い感銘をあたえる戦争を描いた歴史画だが、この途方もない大きな鳥瞰のなかに数え切れない兵士をびっしりと描き込んだ作品は、パノラミックな性格を示して余すところがない。同様の性質は、アルトドルファーの《アルベラの戦闘》《一五二六年》にも鮮やかに示されている。後者は、アレキサンダー大帝とペルシャ王ダリュウスの闘いを描いたものであり、前者は、旧約聖書に記されているイスラエル人の敗北を主題にしている。いずれも歴史画である。それらは、戦闘の一場面のみならず、戦争そのものの全貌を物語っているようにさえ思われる。

比較的年代の近い戦争の記録ということをはっきりと意識し、それを絵画にしようとした例は、ダ・ヴィンチの《アンギァリの合戦》であろう。一六世紀の初頭に着手された壁画は未完のまま終わり、ダ・ヴィンチの習作デッサンが断片的に残されているだけだが、その断片から《アンギァリの合戦》が、どのようなスタイルで描かれようとしたかを推測できる。ダ・ヴィンチの自然に対する態度と同様、それは徹底した写実である。ダ・ヴィンチは、馬や戦士による砂塵について、砲煙について、勝者や敗者の表情について、血しぶきについて、その手記にまったく冷酷な観察者のような眼でメモしている。これが完成して残されていれば、われわれは不思議な冷たさを湛えた戦争画をもったことになったかもしれない。もちろん、空想してみるだけである。

しかし、いずれにしても、これらは画家の生きている時代の戦争ではなかった。いわば歴史としての戦争である。パノラミックという視点はそこからうまれている。画家は歴史上の戦争に対して、それを見渡すように描いたのである。しかし、どう転んでみてもこのように戦争画を描き得る視点というものを、われわれはもはやもっていない。描かれる戦争は、歴史としての戦争ではないからである。傍観する者は戦争を描かず、傍観しない者は、戦争をパノラミックに見るような視点には立てない。

かつての戦争中のわが国の戦争画は、その「道徳」的意図でなく、絵画的意図ということで見るなら、画家が現にその渦中に巻き込まれている戦争を、「歴史画」として描こうとしたところに問題があったといわねばなるまい。そのような絵画的意図は、「聖戦」は既にして「歴史」であるという思想と結びついていた。戦争遂行は歴史的大偉業であり、画家はしたがって戦争を歴史として描く必要がある。その場合の「道徳」的意図とは、こうした発想を意味していただろう。初期の藤田嗣治の戦争画は、この現在を「歴史画」として描こうとして無残な失敗を示したのである。しかし、後年のたとえば《アッツ島の玉砕》が初期のそれと異なった性格を感じさせるのは、ただ主題に基づくだけではなく、パノラミック以上のものを示さざるを得なくなった状況を反映しているからである。「戦争画」はパノラマであることを喪失し、次第にその一場面を描くようになる。ヒロイズムによるにせよ何にせよ、戦争を鳥瞰する視点は次第に失われてゆく。それは、戦争と画家の距離が接近し、戦争の問題が内面化してゆくことと関連している。戦争が一篇の物語でなく、画家の「道徳」的意図とかかわるようになったのは、戦争が革命と結びつき、いまここでの問題となったことを挙げねばならない。ドラクロワやジェリコーにとって、戦争を描くことは革命と切り離せなかった。彼らの絵画にはプロテストとヒロイズムが混在している。ローマン主義とはいうまでもなく内面化した絵画である。しかし、ローマン主義によって戦争画が変わったのではなく、戦争を描くことが内面化したことと、ローマン主義とは同じことだったのである。私が、スタイルのなかに時代の刻印が刻みこまれているというのは、そのことである。

ゴヤはこうした戦争画の変貌を、もっともよく示した画家であった。彼が《戦争の災禍》を描いたとき、戦争がパノラマでなくなったことが、はっきりと示されたのであった。《五月三日の処刑》は、その描かれた内容において記録的であるが、《戦争の災禍》は、記録性を超えて人間の悪と残酷の深奥を覗き込ませる。つまり、戦争画が人間存在の問題と結びつけられるに至ったのである。ゴヤは年代的にいうと、ドラクロワやジェリコーより早い画家である。そして、彼らの絵画の違いの一因として、スペインとフランスの歴史的状況の違いも挙げなければならない。そのことがまた、ゴヤの絵画が「悪魔的」であり、ドラクロワの絵画に一種のヒロイズムのあることの源泉となっていることは疑えないからである。

しかし、サルトルではないが、その後の戦争画は、ドラクロワでなくゴヤの血脈を引きついでいる。たとえ、戦争そのものに正義があろうとも、それは人間の死と残酷に直面させずにはおかないからである。ローマン主義にみられたヒロイズムは無縁のものとなった。何故なら、ヒロイズムにはなお「歴史」としての戦争の残滓を感じさせるのである。日本の「戦争画」は「歴史画」としての戦争画であることによって、ヒロイズムを盛り込んだ。藤田はその心情において、ゴヤでなくドラクロワに近かったといわねばならない。ヒロイズムは戦争についての弁説である。

「戦争画」は戦争のうんだ美術である。かつてそれは「歴史画」であり、今では歴史画ではない。後世の人間は、ピカソの《ゲルニカ》をも、二〇世紀の「歴史画」として位置づけるかもしれない。しかし、それはそこに描かれている内容においてでなく、《ゲルニカ》という絵画そのものによってであろう。フォートリエやヘノベスの絵画にしても、そういう絵画からうみだされたという事実そのものに第二次大戦の「記録」を見るだろうと思う。別段、後世といわなくてもいい。われわれは、絵画の内容でなく、そうした絵画そのものに、戦争の刻印を見るのである。戦争を直接描かない絵画は、こうして戦争画となり得る。「戦争の恐怖」は主題でなく、絵画そのものに決定的な刻印を刻みつけるのである。そこに現代の戦争と美術の関係が集約されている。

タブローとパノラマ、二つの視座

市民社会と世界空間の発見

私が今日お話しするのは、若桑先生がお話しになったマニエリスムからバロック(編1)のあとを受けて、主として一八世紀の末から一九世紀の後半の時代になるかと思います。

ヨーロッパの一九世紀は、いろいろな社会的、経済的、文化的な要因が加わってのことですが、人間の視覚に関係したメディアとして、二つの新しい形式をもつことになります。いずれもよく知られたことですが、一つは一八二〇年代から三〇年代のいわゆる写真術の発明、もう一つは世紀末の一八九七年、リュミエール兄弟によって行なわれた映画の登場です。この二つは、写真がなければ動く写真である映画もありえなかった、という意味できわめて密接に関連している。いずれにしても、一九世紀に映像メディアが新しい展開を示したことは間違いありません。写真にしても映画にしても、その表現技術が絵画とまったく違うのは当然で、要するに絵具も筆もカンヴァスも使わないという点だけでも、素朴な意味でたいへんな新しさがありました。

ところが、ヨーロッパでは一八世紀の末から一八七〇年代ころにかけて、視覚に関してそれまでなかった新しいメディアの形式が流行します。それがここでお話し

初出『遠近法の精神史——人間の眼は空間をどうとらえてきたか』平凡社、一九九二年、二二三—二七一頁

編1　若桑みどり「ルネサンス的空間の崩壊——マニエリスムとバロックへの道」『遠近法の精神史』平凡社、一九九二年、一四九—二二二頁。なお同書は、公開連続講座「人間の目は空間をどうとらえてきたか」（全六回、一九九〇年四月—六月、マドラコミュニケーションズ主催）の講義内容をまとめたもの。各回の講師は佐藤忠良（第一回、一九九〇年四月一二日）、中村雄二郎（第二回、四月二六日）、小山清男（第三回、五月八日）、若桑みどり（第四回、五月二二日）、中原佑介（第五回、六月五日）、神吉敬三（第六回、六月二〇日）。

しようというパノラマです。当時のパノラマは、技術的には油彩の絵画の拡張といってもいいもので、写真や映画のように絵画とまったく違う技術原理に立った方式ではない。にもかかわらず、額縁に入った絵画とはかなり性格が違っていて、観客がパノラマを見る関係は、タブローを前にして絵画を見る関係とは非常に異なった性格をもちます。

というと、相当わかってしまっていることをお話ししているようですが、パノラマという形式については、ヨーロッパでもまだ本格的な調査や研究は進んでいないようです。最近になってようやくパノラマの実態と性格について興味が強くなってはいるが、まだ詳しい専門的研究の数は多くありません。そのなかで、一九八九年の暮に翻訳が出た『ロンドンの見世物』[編2]という本があります。R・D・オールティックという人が書いた二分冊の大きな本で、一九世紀なかごろのロンドンやエディンバラの見世物の状況を知るには、現在われわれが読むことのできるもっとも詳しい本だと思います。また、日本の事情については、橋爪紳也さんという都市計画を専門にされている方が書いた『明治の迷宮都市』という本があって、このなかの一章を割いて、明治時代に東京、大阪、京都で造られたパノラマ館をとりあげています。[編3]日本のパノラマ事情についてはこれが参考になると思います。

写真とパノラマ

さて、最初に写真についてふれましたが、写真技術が本格的に開発されるのは

編2　R・D・オールティック『ロンドンの見世物　I』浜名恵美［ほか］訳、国書刊行会、一九八九年
Richard D. Altick, *The shows of London: a panorama history of exhibition, 1600-1862*, The Belknap Press of Harvard University Press, 1978.

編3　橋爪紳也「パノラマ館考」『明治の迷宮都市――東京・大阪の遊楽空間』平凡社、一九九〇年、一一九―一四八頁

一八二〇年代の終わりから三〇年代半ばにかけて、主としてパリとロンドンが舞台になります。写真の歴史を読むと、必ず名前が出てくる人物が三人います。二人はフランス人で、ジョセフ・ニセフォール・ニエプスとルイ・ジャック・マンデ・ダゲール、一人はイギリス人で、ウィリアム・ヘンリー・フォックス・タルボットの三人です。ダゲールはもとは画家で、ニエプスは技術者であり、版画の製版を仕事にしていました。タルボットは物理学、数学、それに人文科学も修めた学者という経歴をもっています。このうち、今日の主題にもっとも深く関係するのはダゲールです。ダゲールは、ダゲレオタイプという写真術そのものを象徴する初期の感光技術を完成させた人ですが、もともとは舞台装置の職人で、舞台の背景を描く画家でした。当時の演劇では、背景の風景や街などを、いわば写真的に本物そっくりに描く技術がたいへん発達していました。ダゲールはリアルに背景を描く技術にすぐれていて、けっこう評判になり、パリのオペラ座の舞台なども描いていたようです。

ここでパノラマについて簡単に説明しますと、一応、観客のまわりを三六〇度ぐるりと円形に取り巻いた超広角の絵画と定義していいと思います。これが完成したのはフランスではなくロンドンです。その後、瞬くうちにヨーロッパの各都市に流行して、パリはもちろん、ベルリン、ローマから遠くペテルブルグやモスクワまでパノラマの見世物ができる。そのうちに、パノラマよりやや遅れて、ジオラマというのもできます。これも理屈は簡単なもので、布に絵を描き、ある部分は半透明にしておく。この絵の前から光をあてると、絵がはっきり見えることは当然ですが、同時にうしろからも光を当てると、半透明の部分から光が滲み出てくるように見え

図1　ニエプス《グラの家の窓から撮った景色》一八二六年

図2　ダゲール《パリの光景》一八三九年

るというからくりです。これが当時としてはたいへん幻想的で、おおいに流行します。

ダゲールは舞台背景を描くうちに、このジオラマに目をつけて、手を出します。一八二〇年代のはじめころと思われます。パノラマもジオラマも本物そっくりのリアルさこそが魅力ですから、下手くそな絵ではものの用に立たないことはもちろんです。ダゲールも、それまではふつうの画家と同様に、記憶された風景を遠近法に従って描いていたはずですが、もっと正確に、迫真的に描く方法はないものかと考えはじめた。つまり、絵具や筆を使わずにリアルな絵を実現できないかというわけです。これが彼が写真技術の開発に乗り出す出発点となります。

よく知られているように、写真術の発明というのはカメラの開発ではなく、現在でいうフィルムに映像を固定する技術の発見でした。ピンホールカメラの原理はルネサンス以前から知られていたし、レンズの働きも十分わかっていた。問題は、カメラオブスキュラと呼ばれていた暗箱内に結んだ映像を、ガラスやフィルムに塗った化学物質に感光させ、それをいかにして固定するかでした。この問題を、ニエプスは、ダゲールとは別個に、別なルートで考えていました。ニエプスはダゲールより二四歳年長で、版画家の息子がいました。息子に絵を描かせ、それを石版印刷で印刷して売る。ところが、その息子が戦争のため徴兵されると、自分で絵を描けないニエプスはたちまち商売があがったりになってしまった。もともと発明マニアだった彼は、絵を描かないで直接風景を写しとる方法はないかと思いつきます。ここでいう版画は、日本の浮世絵のような木版画でなく、古くからある銅版画です。こ

図3　タルボット《静物》一八四〇年

図4　ダゲールによるジオラマ《廃墟のゴシック寺院から見た雪景》一八二六年

彼は銅版画に使うアスファルトニスが光化学反応によってわずかな感光性をもつことを発見し、一八二〇年前後に、どうにか写真らしい映像を得ます。これが歴史上最初の写真で、ヘリオグラフィー、太陽による印刷と呼ばれるものです［図1］。

ニエプスが不完全ながら映像の固定に成功したことを、ダゲールはパリの光学機械商を通じて知り、秘密裡に共同研究を申し込みます。この共同研究は四年ほど続き、一八三三年にニエプスは死にますが、ダゲールはその後も研究を続け、一八三六年に湿式の銀版印画を得ることに成功します。これがダゲレオタイプといわれる写真術です［図2］。もう一人の人物、イギリスのタルボットは、独自に別の方式で研究を行ない、今日のネガ・ポジ法の原形を発明して、これをカロタイプと名づけます［図3］。写真術はこのころから驚くべき速度で発達、普及しますが、今日の話は写真の歴史ではないのでこれ以上深くはふれません。この三人に共通していたのは、それぞれはじめの動機は違い、ニュアンスの差はあるにせよ、手を使わずに絵画をいかに正確に描くか、たとえば風景というような対象を、それまでと違った方法で絵画以上に正確な像として得ることができないか、という願望から出発して写真術に到達したことです。

ジオラマ　徹底した写実性

このような正確さへの欲求——風景なら風景をできるだけリアルな画像として得たいという願望は、少なくとも一八世紀の絵画にはそれほど強く存在しなかったこ

図5　デヴィッド・ロバーツによるジオラマ《エジプト脱出》一八二九年

図6　ジオラマ《火災》一八〇一年

とです。当時のフランス絵画には、ドミニク・アングルのように古典主義的な忠実な写実がいくらでもありましたが、その場合も人体を正確に描くことそのものが目的ではなかった。ヨーロッパ絵画では写実主義的な考えかたが伝統的に重要な要素でしたが、同じ写実といってもウエイトの置きかたは時代によって変わってきています。二〇世紀に入るとこの思想に決定的な変革が起きますが、一八世紀の末から一九世紀末にかけて、もののかたちを人間の感情などを交えずに正確に描く、画家に正確さの極限まで求めるというのが、ヨーロッパ絵画の一つの主潮を成していきます。しかし、絵画ではそれには限界がある。それを突破しようという欲求が、写真というメディアに象徴的に現われています。

この正確さへの欲求は、一方では自然科学の急速な発展、展開と呼応して、ものごとを正確に観察する思想と関連していますが、他方では、絵画を鑑賞、享受する人びとに生じた変化と対応しています。つまり、そのすぐ前までの段階では、王侯貴族、あるいは聖職者などが、宮殿、邸宅、聖堂のなかで楽しむにすぎなかったものが、フランス革命以後、特に一八三〇年の七月革命以後の社会変化によって、今日でいう大衆を含めてごく一般の人びとが絵画に接するようになる。絵を買うことはできないが、絵を見る機会が増えてくる。フランスの美術展覧会は、王政時代には二年に一度、あるいは年一回、ルーヴル宮のサロン・カレで開かれるにすぎませんでした。いわゆる官展のはしりですが、これが多少頻度を増すとともに、絵画の観客層に一般大衆も参加してくるようになる。要するに大衆化するわけですが、これらの大衆が好んだのが、本物そっくりに描かれた正確な絵でした。

図7　ジオラマ《火山の噴火》

図8　ジオラマ《モスクワ風景》

こうして大衆が絵画にふれ、自分たちの趣味に目覚めて、その趣味に合わせた要求をもつようになります。彼らが見たがったのは、まるで本物の風景や都市が目の前に拡がっているような絵でした。パノラマは、おそらくそのような欲求に対応して生まれたと考えられます。いわば、今日でいう大衆文化のはしりといってもいいと思います。では、そのパノラマないしジオラマは、実際にはどのような絵であったか。前に述べたように、時代的な順序からいえばパノラマのほうがジオラマよりも先行しますが、ここでは資料の都合でまずジオラマから見てみたいと思います。

図4はジオラマの原画で、ロンドンに造られたダゲールのジオラマ館に展示されたものです。一八二六年にダゲール自身が描いた《廃嘘のゴシック寺院から見た雪景》という絵で、ジオラマのごく初期のものです。ジオラマは、機械装置を使って光の操作をして見せるものなので、実際のジオラマとスライドや印刷の画像とでは与えられる印象はだいぶ違うはずです。また、パノラマはきわめて大きな画面でないと臨場感が出ませんが、ジオラマの場合は一種ののぞきですから、サイズはそれほど大きな必要はありません。この絵の場合にサイズは横一・二メートル、高さ一メートル程度のもので、さほど大きなものでないことがおわかりいただけると思います。

この絵の廃墟の左手のアーチ越しに雪景色が見えますが、これに前面からと同時に背面からも照明を与えると、前景が相対的に暗くなり、遠景がぼーっと明るく見える。それだけで、ずいぶんリアルな感じがしたと当時の記録にあります。ジオラマの絵は、こうしたどこかエキゾチックな風景、しかも歴史を感じさせる時代的ロ

図9 ジオラマ《難破船》

マンチシズムといった主題が好んで用いられたようです。照明といっても、当時はもちろん電灯はないから、自然光を制御して強めたり弱めたりして効果を出す。のちにはガス灯を使うようになるが、これが火災の原因になり、火事で焼失したジオラマの店がたくさんあったといわれます。

このような手法は、ある物語性あるいは事件性を導入することでいっそう迫真力を増します。図5もジオラマの原画で、横一・三、縦一メートルほどの絵ですが、遠近法的にはるか彼方まで空間が延びているように見えます。これはダゲールではなく、英国の画家デヴィッド・ロバーツが描いたものですが、これを実際に見ると、風景が立体的に遠方まで拡がり、いかにも実物らしい感じが出るように工夫するわけです。ユダヤ史で有名なエジプト脱出の場面ですが、手法としてはルネサンス以来の遠近法を非常に誇張して描いている。しかもそこに照明を工夫して、さらに現実性を高めると同時に、幻想性やドラマ性もつけ加えるという方向に発展します。

人工照明のガス灯のために火災が頻発したといいましたが、火事というのは光が非常に印象的なところから、火災のシーンがしばしばジオラマに現われます。図6は一八〇〇年代のジオラマですが、一八三四年にロンドンの国会議事堂が火災で炎上するという事件が起こります。ターナーには、炎上する議事堂をテムズ川の対岸から描いた絵がありますが、当時の人びとには火災は社会的事件としても大きなインパクトであったわけで、ジオラマにはこういう時事性も現われてきます。火というものが印象的に扱われる例としては、図7の火山の噴火のような場面も登場します。

図10　ターナー《ヴェネツィア風景》一八一九年

図11　コンスタブル《司祭の庭から見たソールズベリー大聖堂》一八二三年

このようにジオラマ、またあとで出てくるパノラマの絵にはある特徴が存在します。図8もジオラマですが、これらに共通するのはできるかぎりリアルに描くということで、それに迫真性をもたせるためにあらゆる手段を使う。いわゆるくそリアリズムというのを、徹底して行なうわけです。図9は嵐の海で船が遭難する場面ですが、怒濤と空、雲などを誇張してリアルに描き、さらに技巧的になると、背後から光をあてて点滅します。すると、雷鳴と電光まで見えるような気がする。当時の人びとは、実際の光景ではないと承知していても、なおかつ本当らしさというものに好奇心を燃やして、金を払って見物に行った。一般の庶民だけでなく、こういう絵とは表面上なんの関係もない画家たちも、これを見に行ってけっこうおもしろがっていたという事実があります。

一九世紀の前半は、フランスではジャック・ルイ・ダヴィッド、テオドール・ジェリコー、ウジェーヌ・ドラクロワなどのロマン派、英国ではジョセフ・ターナー、ジョン・コンスタブルなどのイギリス写実主義の画家が活躍していた時代です。このころに、たとえばターナーが描いたヴェネツィア風景の絵［図10］を見ると、写実主義とはいってもジオラマの絵の写実とはまったく違うことが明らかです。ただし、モチーフはきわめて共通しているところがある。遠くまで海があり空がある空間、しかし、このままではまったくジオラマにはならない。これにどう照明を操作してみても、眼前に本物のヴェネツィア風景が拡がっているという錯覚を与えることはできません。そこにジオラマとタブローの決定的な違いがあります。

ターナーと並ぶ同時代のコンスタブルの《司祭の庭から見たソールズベリー大聖

図12 ジオラマ《インカの遺跡》

図13 ポータブル・ジオラマ

堂》［図11］を見ると、構図のとり方は基本的にジオラマと共通しているところがあります。つまり、前面に大きく暗い木立を描き、背景に雲のある空が拡がって、そこにゴシックの大聖堂が立っている。これをもしジオラマ風に描いてバックから光をあてると、シルエットと明暗の対比など、はじめに見たダゲールの廃墟のジオラマと同様の効果を与えることができます。まだ断定されるまでに至ってはいませんが、ターナーにもコンスタブルにも、パノラマ館やその上映について多少言及した記録があって、とにかく彼らが興味をもってそれを見ていたと推定してもいいようです。コンスタブルは光と明暗の対比につねに気を配ってこの種の風景画を描いています。しかし、構図は共通するところはあっても、このタブローに照明の操作をしてもジオラマとして通用するわけにはゆかない。

ジオラマに出てくる風景には一つの顕著な特徴があって、エキゾチックであればあるほどよいということがそれです。簡単に行ってみることのできる風景はわざわざ金を払って見るだけの価値がない。図12のインカの遺跡の絵はその典型的な例です。一九世紀は旅行がまだ一般化していない時代で、ヨーロッパ内の情報でも今日に比べれば伝播の速度が格段に遅い。それでも一方では、世界各地の旅行記などがさかんに出版される。そういうなかで、旅行に行けない一般大衆のなかには、遠い異国の風景や事件をこの目で見たいという欲求が芽生えてきます。このような欲求、いわば代理体験を満たすのに応えたのがジオラマだったといえます。火災や船の遭難などにしても、こうした劇的な事件をできるだけリアルに見たいという欲求があって、それに応えたことが、ジオラマに大衆が引き寄せられ、支持された最大の

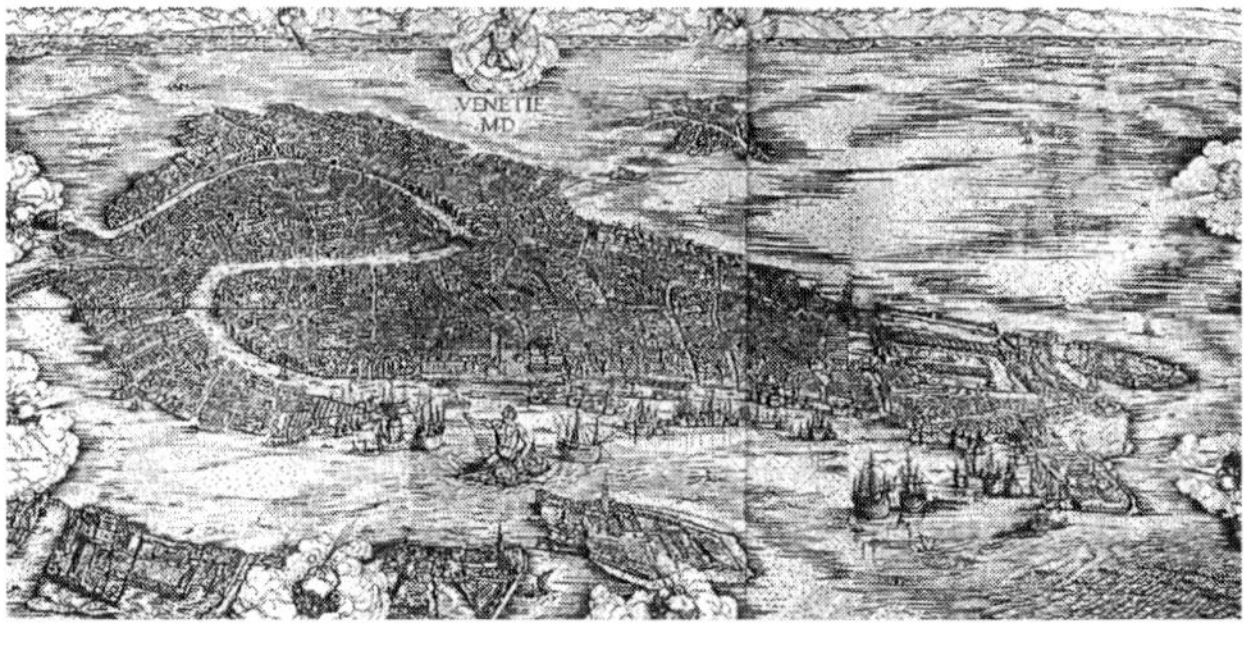

図14　ヤコポ・デ・バルバリ《ヴェネツィア景観図》一五〇〇年

理由でした。

ジオラマ熱が高まると、小屋を造って興業する大きなジオラマだけでなく、それを家庭のなかまで引き込もうということになります。図13は簡易でもち運びのできるポータブル・ジオラマの装置で、これも一九世紀に作られてけっこう普及したといわれます。

パノラマの誕生

時代的には順序が逆になりますが、ジオラマに先行して流行したパノラマとはどんなものであったか。

パノラマは前に述べたように、技法的には描かれた絵ですが、ふつうの絵画が一定の大きさをもった平面であるのに対して、三六〇度の曲面をもつ大画面に描かれているという特徴があります。その中央に立って、ぐるりと周囲を見渡して見るという絵です。パリのオランジュリー美術館には、有名なモネの睡蓮の間があって、楕円形の壁面のぐるりを壁画が取り巻いているのをご存じの方が多いと思います。パノラマ館はあれを見世物として徹底的に大規模にしたものと思えばだいだい想像できます。

このような、できるだけ広い視野に立ってものを見たいという気持ちは、人間の潜在的な願望の一つであるらしく、はるか以前から絵画のなかにしばしば現われます。図14は一五世紀にヤコポ・デ・バルバリという人が描いたヴェネツィアの景観

図15　ブリューゲル《子どもの遊び》一五六〇年

図16　ピサロ《パリ、イタリア人通り、晴れた朝》一八九七年

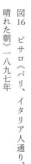

図で、ヴェネツィア全市を俯瞰して描いています。ヴェネツィアはアドリア海に浮かぶ平坦地ですから、飛行機でもなければこのように描くことは想像による以外にはできない。実際には置くことができないきわめて不思議な視点から、想像に頼って一つの都市を精密に描いている。風景を一部分ではなく、できるだけ広く全体として見たい、という欲望がここにはあります。日本にも《洛中洛外図》というのがありますから、この欲望は東西を問わないのかもしれない。パノラマの根底にあったのは、実はこれだと思うのです。これは額縁絵画、タブローにはできない芸当です。

このように高いところに架空の視点を置いて地上を見ることは、一六、一七世紀のヨーロッパ各地の景観図の版画によく見られます。大航海時代を経て世界が拡大すると同時に、測量と地図製作の技術が発展します。つまり、この景観図の視点を真上にとると地図になります。そのような技術的発展とも関係すると思われますが、各主要都市の都市図がさかんに描かれる。その多くが同様に空中の架空の場所に視点を設定して描かれている。これは人間の不思議な欲望であり、想像力だと思います。

ちなみに、遠近法というのはヨーロッパが発明した絵画技法ですが、このように斜め上方から大景観を描くのは、ある意味でたいへんむずかしいことです。地面がとんでもなく遠方まで拡がり、建物などがなくなると、遠近法が効かなくなってしまう。そのためかどうか、視点を非常に上方にとって、広い風景を俯瞰するという構図は、西欧絵画では頻繁に使われるアングルではなく、むしろ特殊といっていい

図17　カイユボット《上から眺めた街》一八八〇年

図18　ドローネー《パリの勝利》一九二九年

でしょう。ふつうは人間サイズの視高から眺望するのが一般です。しかし、ピーテル・ブリューゲルの有名な《子どもの遊び》[図15]では、手前の高い窓かなにかに視点を設定して、俯瞰して描いています。ブリューゲルには、《イカルスの墜落》や《雪中の猟人》のように視点を多少とも高くとった絵がしばしばあり、その点でもユニークな視点をもった人といえます。

ブリューゲルは一六世紀の人ですが、印象派の初期のカミーユ・ピサロの《パリ、イタリア人通り、晴れた朝》[図16]は、アパートの相当高い窓から俯瞰したパリの街を描いている。印象派の画家の多くは人間の視高から風景を描くのが一般ですが、ピサロのほかにもう一人、ギュスターヴ・カイユボットという印象派の画家は、もっと極端に視点を上げて、空も何も見えない道路だけを見下ろすという絵[図17]を描きます。二〇世紀に入ると、のちにキュビスムの画家といわれるようになったロベール・ドローネーの描いたパリの街[図18]では、完全な俯瞰図になり空も地平線もまったく画面に出てこなくなる。このような俯瞰した視野の構図は、西欧絵画のなかで主流ではないが一つの系譜を作っていることに注意していいと思います。

当然のことですが、視点が高くなるにつれて風景はしだいに真下になってくる。航空写真の方法です。これを最初にやったのは実際にも写真の側で、フェリックス・ナダールという写真家が気球に乗ってパリを上空から撮影することに成功します[図19]。このように、人間がなるべく広く世界を見たいという欲望に応えるには、視野を拡大するために視点を上方に上げて俯瞰あるいは鳥瞰するという方法がある。しかし、それはパノラマには直接結びつかなかった。パノラマと直結したのは、図

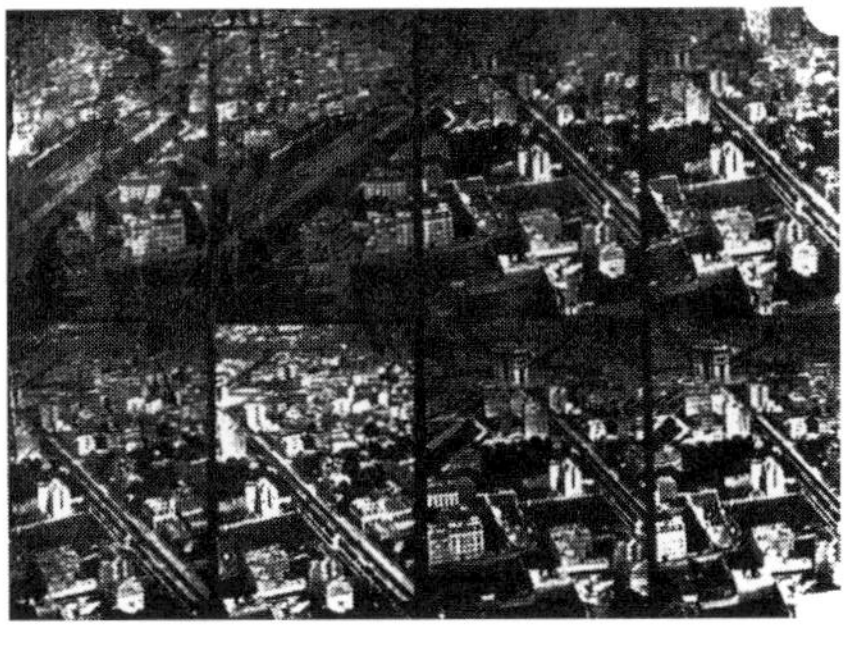
図19　ナダール《気球から見たパリ》一八五八年

20のように左右をできるだけ拡げるという方法です。昔の銭湯でよく見かけた富士山かなにかの絵を思い出しますが、これはまだ平板なふつうの絵で、パノラマにはなっていません。

図21は一八世紀末の英国の貴族、ナイジェル・グレスリー卿という人が、自宅の部屋の壁面に描かせた絵です。つまり、室内にいて周囲の自然が見えるような気分を味わおうというわけです。この絵が描かれた邸宅はその後火災で消失し、この壁だけが残ったのを、現在はロンドンのヴィクトリア・アンド・アルバート美術館に保存してあります。室内の壁面全部を使って自然の風景などで埋めてしまうという方法は、ルネサンスからバロックを通じて、王侯貴族の宮殿でよく使われた装飾で、それ自体は新しいものでも珍しいものでもありません。ただし、この種の壁画は部屋に四隅や入口をもっているから、コーナーの部分で絵が不連続になってしまう。いわば額縁絵画を壁の一隅に掛けるかわりに、壁そのものを絵にしてしまったわけで、パノラマに近いものといっていいでしょう。

さて、パノラマはイギリスで始まりますが、その創始者は複数の人がしだいに工夫を重ねたのではなく、ただ一人の人物の思いつきでした。画家としてはおそらくどの英国美術史にも出てきませんが、ロバート・バーカーという絵描きが、はじめて三六〇度の円形の絵を描きはじめました［図22］。この発想はたぶん、すぐれた芸術家による独創というようなものではなく、当時の一般大衆が絵画に接する機会が増え、それに伴ってできるだけ本物に近い絵を見たいという時代的な要求があった。バーカーは、それでは平面ではなく、三六〇度ぐるりと観客を包囲してしまうよう

図20《ディクストン・メイナー周辺》一七二五—三五年

図21　ナイジェル・グレスリー卿邸の壁画、一七九三年

な風景画を描いてやれば受けるだろう、と、そんなつもりで思いついたのではないかと思います。

しかし、こんな特殊な絵は、小さな円筒の内部に描いてもまったく見世物としての迫力はありません。それを見せるには特別な構造の建築物が必要であり、これが一九世紀の初めにバーカーが作ったパノラマ館として実現します。図23はパノラマ館の構造を断面図として示した版画で、実物は残っていないがだいたいの仕組みはこれでわかります。これは円筒形の相当大きな建物で、中心に上下二か所の展望台があります。このまわりをぐるりと囲んだ円形の壁面に、上下二景の切れ目のない三六〇度の風景画が描かれています。したがってこの場合には、観客は上下二つのパノラマを見ることができます。絵が上下に並んでいるのがわかっては台無しなので、二層の展望台からは他方の絵は見えないように工夫する。絵のどこかに切れ目があっては困るので、パノラマ自体は完全に連続した円筒形とし、出入り口は階段や地下道で中央に誘導する。また、あまり近いと絵だということがわかるから、展望台とパノラマの間には相当な距離、この場合には展望台の端から絵まで九メートルほどの距離を置く。そのようなさまざまな工夫を凝らした特殊な建物です。

パノラマの流行と発展

バーカーという人はエディンバラの出身で、もともと画家でしたが、一七八〇年代に突然、三六〇度の絵を思いつきます。なぜそんなことを思いついたかについて

図22　ロバート・バーカーによるロンドンのパノラマ、一七九二年

は、さまざまな臆測がありますが、ある日、息子と高い山の頂上の天文台に登り、文字通り三六〇度の眺望を楽しんでいるうち、この風景を人工的に作って見せたらおもしろいのではないかと考え、さっそくそれをやってみたという説があります。

これは、話としては簡単ですが、絵画技法的にはたいへんむずかしい問題がある。ルネサンス以降、遠近法を用いてタブロー絵画を描くという技法にはさまざまな変遷があり、明暗法とかいろいろな技法が加わってきましたが、一八世紀末のこの時点では、基本的には遠近法とその他の技法をミックスして描くのが一般的です。遠近法では、小山先生からお話があったように消失点を一点決めてやらなければならない。タブローではこれは簡単ですが、三六〇度の絵ではそれができません。実際に描いてみるとわかりますが、タブローでは消失点を決定し地平線を引くと、相当広い風景でもほとんど近似的に直線になる。しかし、三六〇度ぐるりと取り巻く円形となると、正面のある範囲内ではこれが成立しても、そこから外れたところでは曲線になってズレてきます。

バーカーも絵描きですから、ずいぶん苦労して、なんとかこのズレをごまかして円筒形の絵を仕上げた。さらにそれを収める建物も工夫して、この一連のからくりに対して一七九三年にパテントをとります。こうしてロンドン市内のレスター・スクエアというところに初のパノラマ館ができる。これが大変な人気を得て、はじめに述べたようにパリに輸出され、ヨーロッパ中の大都市に流行する。図24はエディンバラにできたパノラマ館の見える当時の風俗画で、左端の円筒形で旗の立っている建物に、看板のＰＡＮＯＲＡという文字が読めます。ロンドンにはその後もう

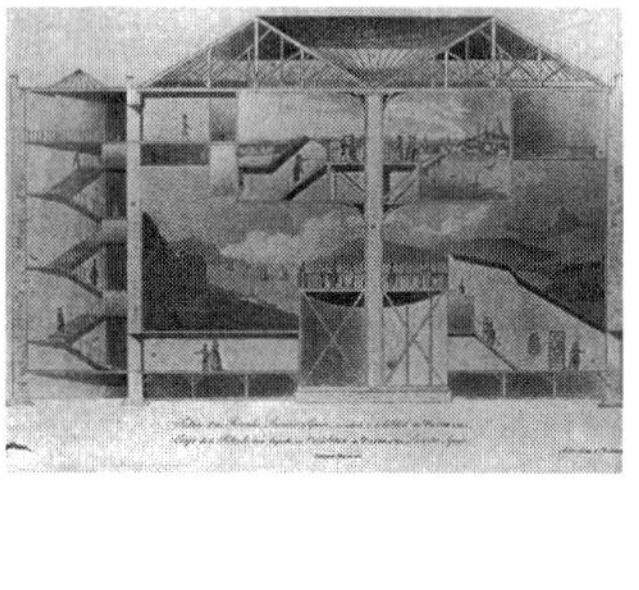

図23　レスター・スクエアのパノラマ館断面図、一八〇一年

図24　パノラマ館のある風景、一八四三年

一つコロセアムというパノラマ館［図25］ができますが、驚いたことに、そこでは上部の展望台に客を運ぶのに水圧式のエレベーターを使ったようです。実際に人間を運ぶエレベーターとしては、おそらく世界で第一号で、その目的はパノラマを見せるだけのためだったわけです。

ついでですが、パノラマという言葉は、「すべて」を意味するpanと、「風景」を示すギリシャ語のhóramaの合成語で、「全景」という意味です。人工光が取り入れられるのはだいぶあとのジオラマの時代になってからで、当初はすべて上部から採光した自然光です。したがって、夕方や夜は休業で、日中ほどほどに光が入る間しか見ることができない。

図26から図29までは、当時人気のあったパノラマの絵を版画にしたものです。この種の絵の実物は、芸術作品と違ってほとんど残っていない。人気が落ち、商売にならなくなると容赦なく取り壊されたり、塗り重ねられたり、あるいは火事で消失するのもあったと思います。ここに示したのはすべて版画の模写ですが、こうして横に開いてしまうと、なんのことはない、おそろしく横長のタブローを見ているのと同じで、パノラマの実感はありません。また、これで見るかぎり、中央ではつながっているが左右両端を合わせると不連続なので、これでもまだ部分的で、実際はもっと横長だったと推定されます。実際には非常に大きな絵で、ぐるりと周囲を囲み、見物人は中央に立って見渡していたわけです。今日のわれわれが見たとすれば、やはり絵じゃないかという印象をもつと思いますが、写真のなかった当時の人にとっては衝撃的な見世物だった。記録を読むと、絵の彼方の教会の鐘の音や、街路

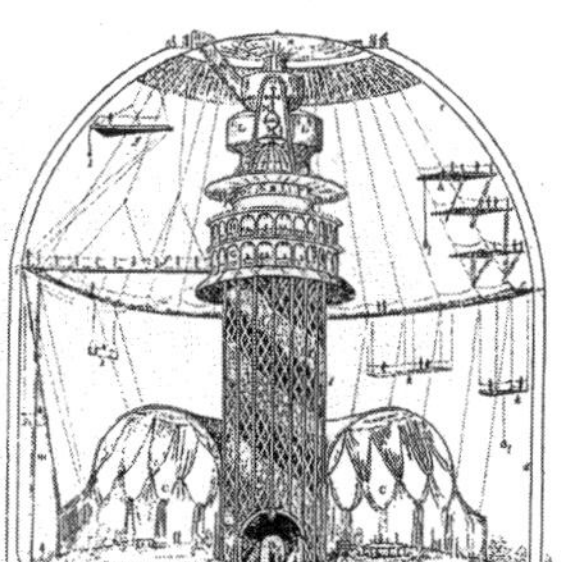

図25　コロセアム断面図、一八二九年

図26　ヘンリー・アストン・バーカーによるパノラマ《ジブラルタル海峡、悪魔の舌》一八〇四年

を歩いている人の足音が聞こえたという錯覚を感じるほど迫真約な印象が語られている。いま読むと、少しオーバーじゃないかと思うほどの感激、興奮ぶりを示す記録があります。

図26はロバート・バーカーの息子ヘンリー・アストン・バーカーが描いたパノラマのほんの一部で、遠近法的に極端に誇張して描いているのがわかります。いくら大きな絵でも、画面では上も下もあるところで打ち切らざるを得ないが、実際の風景では足もとから天頂までつながっているわけですから、なんとかごまかさなくてはならない。そこで、展望台にわざわざ庇をつけて、上下の絵のない部分は隠してしまう。その種のさまざまな工夫をして、迫真感を出そうとしたことが記録から窺えます。図27は山岳地帯のパノラマで、バーカーが最初にパノラマ画を思い立ったのはこういう場面だったのではないかと思わせる絵です。空気遠近法を使って、遠くの山はぼかすなど、技巧的に丁寧に仕上げているのがわかります。

図28はドイツ人の画家によるパノラマ画です。パノラマの主題はほとんどが風景ですが、のちに出てくるジオラマと違って、エキゾチックな知らない土地を見たいのではなく、自分の住んでいるところを一望のもとに見たいという特徴をもちます。それをパノラマが提供するわけですが、こういう絵は当然のことながら、何度も見ると飽きて見に行かなくなる。これが、パノラマが衰退する大きな原因でした。一度は見ても、金を払って何度も見る人はいないから、同じものを長く掛けておくことはできない。時期を見てつぎつぎに画家に新しい絵を注文し、客を呼ばなくてはならないという矛盾をいつももっていました。

図27　パノラマ《山岳地帯》一八一〇年

図29は、ロンドンのテムズ川を中心にしたパノラマ画の一部です。ロンドンの市民が毎日見慣れている都市の全景を見たい、しかも通常ではとうてい得られない高いところから見渡してみたいという不思議な欲望が、これでもよくわかると思います。この絵でも、街路のそれぞれ、家屋の形態などが驚くほど精細に描かれている。見物のお客さんがよく知っている街ですから、ごまかして描くわけにいかない。パノラマ画を描くには、タブロー画とまったく違ったそうした苦労がつきまとっていたのだろうと思います。

前に述べたように、バーカーが最初のパノラマ館を造ったほぼ三〇年後、一八二九年に、リージェント・パークにコロセアムというパノラマ館が建てられます。これは非常に手の込んだパノラマの専門館で、その内部の様子が版画となって残っています［図30］。これはドーム状の建物で、中央に水圧式のエレベーターがあり、頂上の展望台に立つとロンドンの全市を一望に眺められるというわけです。この絵の左に立っているのが展望台で、その下に拡がっているのは実際のロンドンの街ではなく、描かれた三六〇度のパノラマ画です。右下の二つの尖塔は石造のデコレーションで、実際にセント・ポールのてっぺんから見下ろした感じを出そうとしている。展望台の内部もたいへん豪華で、コロセアムの一階にはジオラマや模型による異国の風景などを展示して、要するに見世物としてできるかぎりの関心を魅くための趣向を凝らしてある。初期のバーカーのものに比べても後発企業のメリットは明らかで、さまざまなサービスが加わり、絵も格段に精密で、当時としては非常な成功を収めたようです。

図28　ドイツの画家によるパノラマ、一八四六年

これを考案したのはトマス・ホーナーという画家で、彼はどこからロンドンを見渡そうかと考えたあげく、セント・ポール寺院の尖塔の最先端に登って、そこで数千枚のデッサンを描き、それを別の画家の手でまとめて一つのパノラマ画に仕上げました。記録によると、風の強い日は振り落とされそうになるので、身体をロープで縛りつけて描いたという命がけの仕事だったようです。

考えてみると、現在でも東京タワーの展望台とか、遊覧飛行のように、自分たちの住む街を一望したいという欲望は変わっていません。まして、一九世紀初期の庶民にとっては、セント・ポールのてっぺんという異常な視点からの展望は、金を払って見るだけの価値があった。また、ロンドンの街がどのような姿で、テムズ川がどのように蛇行しているかというような、地上を歩いているのではわからない一種の地理教育の役割を果たしたと指摘する人もいます。

パノラマの消滅とその残映

さて、以上のようにパノラマは一時隆盛を極めますが、ロンドンではパノラマ館もコロセアムも、一八六〇年代になると両方とも消滅してしまいます。もちろん、ヨーロッパの各地ではしばらく残存していますが、一九世紀の終わりまでには、パノラマはヨーロッパ全土からほとんど全部姿を消してしまう。したがって、全部通算しても一世紀に満たない流行だったことになります。一つの流行が一〇〇年間続いたというのは、考えようによっては長いともいえますが、ジオラマも同様の運命

図29　テムズ川を中心としたロンドンのパノラマ、一八三一年

をたどります。理由は、すべての流行と同じく、一巡したあとは飽きられて顧みられなくなったことに尽きます。

しかし、ここで考えてみたいのは、パノラマもジオラマもその本体は絵画であったということです。しかも、当時の民衆には非常な魅力をもって迎えられるだけの大衆性をもっていたにもかかわらず、歴史のなかに完全に埋没してしまった。タブローは今日まで厳然と生き残っていますが、正統的な美術史のなかでは、パノラマのことはまったくふれられることはありません。一八世紀末から一九世紀前半にはスペインにゴヤという巨人が出現し、同時代のイギリスにはターナー、コンスタブル、ウィリアム・ブレイク、フランスではアングルやカミーユ・コローやジャン＝フランソワ・ミレー、ロマン派のテオドール・ジェリコー、ドラクロワ、一世代下って印象派のエドゥアール・マネ、クロード・モネなどが大きくとりあげられて、世紀末を越すことになる。しかしそこには、バーカーやホーナーはもちろん、パノラマという現象が存在したこと自体ふれられることはありません。ダゲールも、写真の創始者としては登場するが、彼が絵を描いていたことも、ジオラマを造ったこともまったく出てこない。つまり、一九世紀の一時期、たしかに多くの民衆を熱狂させたが、そのまま忘れ去られたのがこのパノラマという形式だったと思います。

パノラマが残した大きな問題については最後にふれたいと思いますが、これまで見てきたようなパノラマの形式に限っても、その後の絵画にいろいろな影響を残しました。パノラマの形式を端的にいえば、できるかぎり視角の広い絵画を極端に示したものといえます。

図30　コロセアム内部、一八二九年

図31　クールベ《オルナンの埋葬》一八四九—五〇年

たとえば、図31は一八四九年にギュスターヴ・クールベが描いた《オルナンの埋葬》です。クールベは一九世紀のなかごろに活躍し、いわゆるリアリズムという言葉を自ら使って、社会性のきわめて強い作品によって大きな影響を与えた人です。空想や神話など、一切のイリュージョンを排除する。この絵も、彼の故郷のオルナンでのごくありふれた埋葬の情景を描いたものです。したがって、ここにはナポレオンのような英雄も有名人もまったく出てこない。それにもかかわらず、この絵は縦三・一四、横六・六三メートルという大画面で、しかも横幅が驚くほど長い。有名な彼の代表作《画家のアトリエ》も同様の大画面です。こんな大きな絵は、よほど大きな部屋でずっとうしろに引けば全体が見えますが、ふつうは部分部分をつぎつぎに追っていくような見方をします。描くときにも、部分から部分につなげていくようにつねに意識して描く。このような絵画の描きかたは、クールベが実際に影響されたかどうかは別として、パノラマのようなものが生まれ、爆発的に流行し、そして消えていったという事実、パノラマによって作り出された人間のものの見方、に関係がないとはいえないと思います。

一九世紀末にポール・ゴーギャンが描いた《我々はどこから来たのか　我々は何者か　我々はどこへ行くのか》［図32］も、横幅三・七六メートルの大画面です。この絵は、中央部にモチーフの中心があって、その左右はつけ足しという構成ではなく、各部分が同等なウエイトをもってイメージが展開するような絵の作りかたをしています。ゴーギャンは写実主義を拒否した人で、もちろんパノラマ的写実などは一切頭になかったはずです。しかし、パノラマ館で人びとがパノラマを見る見方

図32　ゴーギャン《我々はどこから来たのか　我々は何者か　我々はどこへ行くのか》一八九七年

──つまり三六〇度の画面をぐるりと回りながら、立ち止まって視野に入るだけずつ切り取って見ていく見方を思い合わせると、その意味でこの絵はパノラマ式、パノラミックな絵だということができます。

同様なことはヴィンセント・ヴァン・ゴッホの遺作となった《烏の群れ飛ぶ麦畑》[図33]についても感じます。これは横一メートルの比較的小さな画面ですが、縦横の比率が一対二の横長です。ただ横長というだけでなく、烏が群舞し風が乱れ吹く、どこか不吉な予感を感じさせる麦畑がどこまでも拡がっていることを想像させるからだろうと思います。時代的にはずっと新しい一八九〇年の絵ですが、こういうパースペクティヴは、パノラマとどこか通じるものがあるような気がします。

アンリ・ルソーの《夢》[図34]は二〇世紀に入って一九一〇年に描かれますが、これにはいままでと違ったパノラミックな性格があります。彼は熱帯に行ったことはなく、空想でこの絵を描いたのですが、この絵の特徴はポイントがないということです。一枚の木の葉に至るまで克明に描いているので、なにがこの絵の中心になっているかという焦点が出てこない。前に述べたように、三六〇度絵画であるパノラマには焦点がありません。ある一点が中心で、風景がそこから展開しているというポイントがない。逆にいえば、ぐるっと視点を移動させれば、どこでも焦点になりうるという点で、この絵にはパノラマとの共通点を感じます。

絵画の構成、形式という側面で、一九世紀におけるパノラマ的な関連を見てきたわけですが、第二の側面として、風景画としてのパノラマについても多少ふれておきたいと思います。

図33 ゴッホ《烏の群れ飛ぶ麦畑》一八九〇年

さきにターナーとコンスタブルの風景画を見ましたが、風景に情緒や情感をもち込んで、作家それぞれのやり方で風景を写実的に捉えるということは、一九世紀という時代全体の風潮であったといえます。その風潮が極端に現われたのがパノラマだったという見方もできるわけです。

フランスでは、一八四〇年代後半に、テオドール・ルソーをリーダーとして、ミレーなど一群の画家たちがフォンテーヌブローの村バルビゾンに集まり、一種の美術村を作ります。彼らに共通していたのは、バルビゾン界隈の田園風景を主題として絵を描いたということです[図35]。バルビゾン派といわれるのがそれで、一般に詩情派といわれますが、むしろ淡々と田園の風景と農民の生活を描いている。彼らの底にあったものも、一九世紀における写実的な風景画への欲求を感じとり、それに対する画家の回答という点で成立したものと考えます。彼らの絵には、その時代的な特徴がよく出ています。

風景画というのは、商業ブルジョワジーがいちはやく栄えたオランダを別として、特にフランスでは絵画としてのランキングがもっとも低いものでした。第一位は歴史画、第二位は肖像画で、風景画と静物画はヒエラルキーの最下位に置かれていました。それが一九世紀に入って、風景画に対する興味と嗜好が急速に高まってきます。バルビゾン派はイギリスのコンスタブルなどの影響を受けていたようですが、そこにはパノラマ画の風景の流行と共通する時代的な好みが反映していると考えざるをえません。それがなければ、画家がいくら頑張っても風景画は注目されなかったわけで、その意味でバルビゾン派の絵は一つの時代的典型として注目に値すると

図34　アンリ・ルソー《夢》一九一〇年

図35　ミレー《落ち穂拾い》一八五七年

思います。ただし、「タブローとパノラマ、二つの視座」という今日の主題に即していえば、タブローの場合には、どこかに絵のもっとも重要な点を想定しています。それは、一見焦点が見えにくいゴーギャンやルソーの場合にも同様で、逆に、パノラマではそれが基本的に成立しないということになります。

こうして風景画が市民権を得るようになると、やがて画家が絵具箱とカンヴァスをかついで戸外に出かけ、好きな場所にイーゼルを立ててタブローを描くようになります。図36は印象派の先駆者で、海辺の風景を好んで描いたウジェーヌ・ブーダンの絵で、この現象はこのころから始まります。彼のこの絵でも、すでに写実主義の綿密な描写に代わって輪郭がぼんやりとし、まもなく登場する印象派絵画を予告しています。

パノラマ、ジオラマはこうして終焉を迎えましたが、その最後にどんなものが現われたかに、ついでにふれておきます。

これは、簡単にいえば動くパノラマ、動くジオラマでした。要するに、われわれがよく知っている絵巻物風の長い絵を、順々にひっぱって手繰り出すと、目の前に風景が移っていくように見える、というわけです。三六〇度のパノラマでは、人間は一点に立って首をぐるっと回しましたが、今度は人が道や川に沿って歩いていくと、周囲の風景が移ってつぎつぎに新しい風景が展開します。

図37はその一種で、筒型の容器に巻き物が入っていて、それを手繰り出していく。幅は一〇センチメートルからせいぜい三〇センチメートル程度ですが、長さは五メートルくらいのもある。これがパノラマの最後の形態で、動くという要素が入っ

図36　ブーダン《トルーヴィルでの海水浴》一八六九年

図37　筒型のパノラマ

てくるから、いくらか映画に近いともいえます。これにもさまざまな題材があります。

図38はインドのデリーでの、象に乗った王様の行列の行進を、五メートルもある長い絵巻に仕立てたものです。大英帝国の絶頂期、植民地支配がもっとも進んだ時代を反映しているといえます。図39は、ベルリンの繁華街リンデンシュトラッセの町並みを題材にした動くパノラマです。長さは三メートル程度で、繰り出していくにつれて建物や風景がつぎつぎに現われるという趣向です。図は長い巻き物の一場面だけですが、このような絵を水彩で着色し、いろいろなデザインで売り出したと思われます。この形式のパノラマは、非常に大きなものを作り、小屋掛で観客を呼ぶこともやりました［図40］。左右にロールがあって一方に巻き進むと絵が動きます。動くパノラマ、ムーヴィング・パノラマといわれ、いわば列車の窓から動く風景を見ているような見世物でしたが、これはあまりはやることもなく、これを最後に見世物としてのパノラマは一九世紀になると完全に消滅します。

ロンドンでは、一九八九年、たまたま「パノラマニア」というパノラマの資料を集めた展覧会が開催されました。(編4) 残っているものはかなり出品されましたが、実物の原寸大のパノラマの絵そのものはほとんどありません。古いものは容赦なく潰して、つぎつぎに描き替えられ、塗りつぶされた結果だと思います。したがって、一九世紀当時のパノラマは、あらためて再現しないかぎり見ることはできない。しかし、テクノロジーというものは、けっこうパノラマの魅力を忘れていないようです。いまわれわれは、博覧会などで三六〇度スクリーンの映像をよく見せられます。

図38　パノラマ《アクバル二世の行進》一八一五年

あれは現代におけるパノラマのリバイバルであって、写真フィルムが絵にとって代わったにすぎません。冒頭で述べたように、ダゲールはジオラマの絵にさらに迫真的なリアルさを与えるために写真術に目をつけたわけですが、その夢が一五〇年を隔てて現代の博覧会場で実現しているともいえます。

パノラマが意味するもの

一九世紀の開始とともに現われ、世紀の終わりとともに消滅したパノラマという現象についてお話ししてきたわけですが、たびたび述べたように、パノラマは美術史のみならず、文化史そのものから脱落した社会現象でした。パノラマもジオラマも絵ではあっても、正統的な美術史の目からすれば芸術の名には値せず、ゲテモノにすぎません。最初に述べた『ロンドンの見世物』という本を読むと、絵画だけでなく、彫刻でも当時のロンドンで蠟人形館が大流行したことがわかります。いまに残る「マダム・タッソーの蠟人形館」がそれです。また、実際、ずいぶんいかがわしいものや文字どおりのゲテモノも横行したらしいことがわかります。

たしかに、パノラマの絵は当時の専門の画家や美術愛好者を魅了することはなく、ある場合は顰蹙を買ったかもしれない。しかし、一時の流行とはいっても、一世紀に及んでヨーロッパ全土に浸透し、一般民衆に強烈なインパクトを与えたこともまた事実です。その意味では、パノラマ絵画はふつうの美術史上の大芸術家以上に一九世紀を象徴する、もっとも一九世紀らしい絵画であったということも可能です。

図39 パノラマ《リンデンシュトラッセの町並み》一八二〇年

この講座は、人間の目と世界空間との関係を考えるもので、特に芸術家の目とは規定していません。社会的な存在の大きさということからいえば、タブローと同じように、あるいはそれとの関連において、その意味を正当に評価するのが公平というものだと思います。

　それでは、パノラマが象徴した「一九世紀らしさ」とは、いったいなんだったのか？

　きわめて多くのことがいえるし、多くの要因があると思いますが、ここではやはり、一八世紀に起こった二つの事件、すなわちフランス革命と産業革命という世界史的事件から出発した二つの「近代」を指摘するにとどめたいと思います。一つは大衆社会もしくは大衆文化というものがかたちをなし、力を蓄えつつある時代であったということ、もう一つはテクノロジーとそれに支えられた生産体系が飛躍的に発展し、芸術家といえどもそこで組み替えられた社会的枠組みの外に超然としていることは不可能になったということです。

図40　小屋掛のパノラマ

編4　Panoramania!: The Art and Entertainment of the 'All-embracing' View, Barbican Art Gallery, 1988. 11. 3.–1989. 1. 15.

ヒトは洞窟の奥に何を見たのか

洞窟画には境界がない

A 「ヒトはなぜ絵を描くのか?」という考察の旅は、ラスコーの洞窟の見学に始まり、アルタミラの洞窟の見学で一段落となったわけですが、ここで旅の決算書ともいうべき総まとめをしてほしいと思うのですが。

B 「ヒトはなぜ絵を描くのか?」というテーマについてのレポートを提出せよということですね。「ますますわからないことが増えた」というのが正直なところですが、そういってお終いにしてしまうと実も蓋もないので、それではいったい「どういうことがわからないのか」ということを中心にまとめて、それをレポートに替えたいと思います。

先史時代の洞窟画というと、我われがそれを見るのはまず写真や複製によってですね。そして洞窟に描かれている動物のかたちや色を知る。現在ではビデオやCDなどによってもそれを見ることができるようになりました。最近の写真は精度が高いので、対象の起伏などもかなり感じ取ることが可能です。といっても、たとえばアルタミラの洞窟で岩肌の凹凸を使って描かれたバイソンの立体感というのは、それを写真からすべて感じ取ることはできません。

初出『草月』第二四三号(一九九九年四月)、六三―六九頁。連載「ヒトはなぜ絵を描くのか?」(『草月』第二二八号、一九九六年一〇月から第二四二号、一九九九年二月まで連載)の結びとして発表した文章。のちに中原佑介編著『ヒトはなぜ絵を描くのか』(フィルムアート社、二〇〇一年)に再録された。

A　その立体感がわからないと洞窟画については語れないということですか？

B　いや、写真では伝えにくい要素があるということです。しかし洞窟画の形態や彩色の分類、分析は写真があってこそ可能になったといって過言ではありません。ルロワ＝グーランは構造主義的な視点から形態の分析をやりましたが、コンピュータで多くの資料を扱えば分析は飛躍的に向上するでしょう。

　しかし今、写真を持ちだしていおうとしたのは別のことです。それは洞窟画の写真は洞窟画を断片的に切り取ってしか伝えることができないという限界についてです。額縁絵画は額縁という境界で囲まれた絵画なので、それを撮った写真はその絵画全体を示しているといっていいでしょう。しかし、洞窟画には境界というものがない。写真は境界をつくってしまうのですね。

A　しかし、我われも洞窟画は額縁絵画でないことは百も承知なので、写真で困るということはないと思いますが。

B　いや、写真はどうしてもそこに写っているイメージに視線を集中させるので、そのイメージの外側など考えなくていいものなのです。しかし、洞窟画には境界がない、これは大事なことだと思うのですね。いうまでもなく、洞窟は自然がうみだしたものであって、宮殿や寺院のような人工物ではありません。人工物の空間はこの部分は何、あの部分は何というように分節化されています。というよりそのようにつくられているわけです。しかし、洞窟には元来そういう構造的な分節はないわけです。

A　洞窟内が分節されていないというのはその通りです。洞窟は自然の中の穴ですからね。洞窟の壁とか天井といったりするけれども、それはあくまで人工建造物の比喩としてですね。たとえばラスコーの洞窟画を見ると、洞窟の側面から上方にわたってそれをひとつながりの面として、そこに動物が大きく描かれています。あれは「天井に描かれている」、「壁に描かれている」とはいえないわけです。

闇の空間に描いた理由

B　わからないことの始まりはここです。描かれている動物の形態や彩色の分類、分析はその解釈が多様であっても、洞窟画学として成立させることができます。それにたいして、我らが祖先のクロマニヨンは、洞窟の中という連続的な空間で、描く場所をどのようにして選別したのでしょうか。洞窟の中ならどこだっていいというようになっているなら話は別です。しかし、洞窟画はあきらかに描かれた場所が選別されていることを示しています。どこでもいいというのでは決してないように見えるからです。

A　ルネサンス以降、額縁絵画が成立すると、絵は持ち運びが可能となって、その絵はどこどこの場所に設置されなければならないという制約が消滅してしまいました。しかし、絵の始まりである洞窟画は特定の場所と分ち難く結びついているということですか。

B　「ヒトはなぜ絵を描くのか?」というそもそものテーマですが、この「なぜ」は「どこに」ということと切り離せなかったという気がするのですね。

まずこういう事実があります。それは洞窟画の描かれた洞窟は、クロマニヨンに

ラスコー洞窟内部。狭い入り口を抜けたところにドーム型の部屋が広がる。櫓を組まないかぎり届かないような高い場所に、バイソンやシカ、ウシなどが描かれている。

とって日常の生活空間ではなかったということです。旧石器時代のヒトは洞窟を心理的に分節化しました。生活空間としての洞窟と、そうではない空間としての洞窟というようにです。生活空間としての洞窟は入り口から遠くなく、太陽の光もさしこむ可能性をもっている。しかし、非生活空間としてのそれは太陽の光のとどかない世界です。ラスコーにしてもアルタミラにしても、絵のあるところはまったく光のさしこまない洞窟の奥です。

A　とすると、生活空間としての洞窟と非生活空間としての洞窟をわけた根拠のひとつは、明るいところと暗いところということになりますか。

B　それについては、あとでさらに触れたいと思うのですが、ここでまたわからないことが生じます。なぜ絵をわざわざ光のさしこまない闇の空間を選んで描いたのか。これは絵というものについての我われの通念の逆をゆくことであって、現在、真っ暗闇の空間を選んで描こうという美術家がいるでしょうか。むろん、クロマニヨンは素朴な照明器具を使って描いたわけですが、しかし、わざわざ照明器具を工夫してまで陽光から隔絶された闇の空間で描いたのは、かれらにとってはその空間でなければ絵の存在理由がなかったと考えるほかありません。

A　先程の指摘によれば、その暗闇の洞窟の中ですが、それもどこでもいいというのではなく、さらに描かれた場所が選別されているということでしたね。つまり非生活空間としての洞窟の中をさらに描く場所と描かない場所というように分節している。それはたとえば洞窟の中の岩肌の形状によるといったようなことは考えられないのですか。

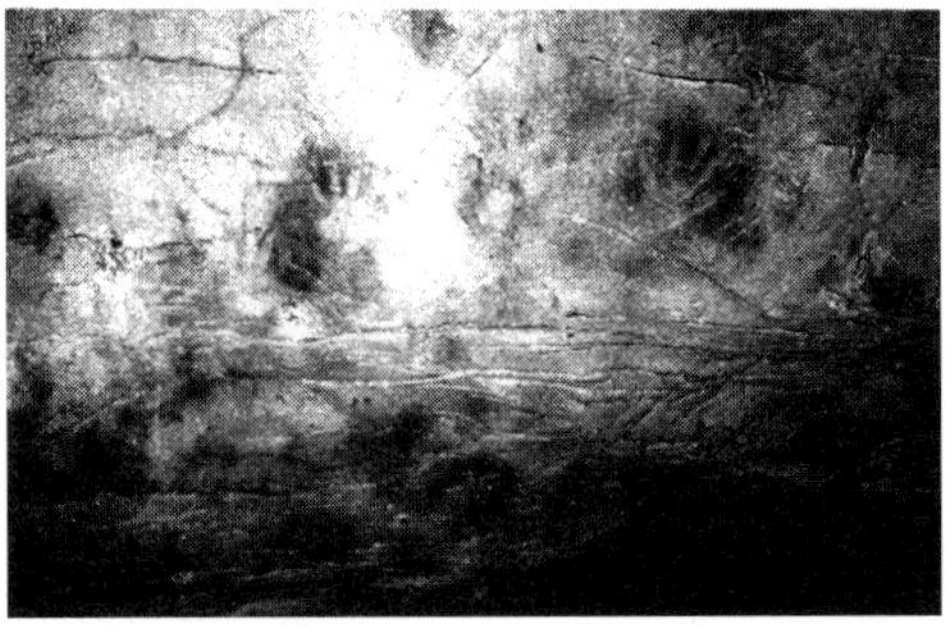

スペイン・カスティーリョ洞窟内に残る手形。壁の低いところに、赤い顔料で吹き付けられたようにある。

B　岩肌の形状と絵の分布の相関関係を調べたひとがいるのかどうか詳《つまび》らかにしませんが、フランスとスペインのいくつかの洞窟を見た範囲では相関関係はありそうに思えないですね。場所を選ばせたのはクロマニヨンの心理的な要因ではないでしょうか。多分、シャーマンが決めたのではないかなと思うのです。

ところで、その場所の選択ですが、これまた現代人である我われの常識からすると、どうやって描いたのだろうかと思われるような場所に描かれていることが多い。これもわからないことのひとつです。しかしまあシャーマンがここだといえば、どんな形状の場所でも描かなければならなかったというのだとすると、一応納得できないでもないけれどもね。

たとえば、先史時代のシスティーナの天井画ともいわれているアルタミラの上面の岩肌に描かれている洞窟画は、大人が立てないほどの低さだったといいますが（現在は地面を削って立って見ることができるようになっている）、そういうところへどうやって描いたのでしょうか。寝そべって描いたのでしょうか。逆にあの高い天井のラスコーではわざわざ櫓《やぐら》を組んで描いたのでしょうか。あるいは、スペインのカスティーリョ洞窟では、我われもしゃがんで見なければならない程低いところに手形がありました。なぜ、そういった難しい場所に描いたのか。簡単にいえば、クロマニヨンの集団にとって、その場所が特別の意味をもっていたということになるのでしょうけれども。

B　わからない、わからないを連発してきましたが、このわからないというのには理由があると思うのですね。それは現代の我われの通念、あるいは常識を根拠にしているということです。

　たとえば、洞窟画は描かれた場所が選別されているということについては、先程話にでましたけれども、今の我われは絵はどこへでも移動できるものだということを常識としています。それから見ると、洞窟画の場所の選別はなんとも理解しがたい。いや、額縁絵画でなく壁画というのがあって、あれは移動させることはできないという意見があるかもしれません。しかし、技術的には今では壁画も移動が可能です。たとえば、メキシコ・シティのあるホテルのロビーのために描かれたディエゴ・リベラ[1]の壁画《アラメダ公園の日曜の午後の夢》（一九四七）は、メキシコ大地震でホテルが倒壊した際無傷だったので、まるごと移動させて、今はその壁画のためのディエゴ・リベラ壁画美術館に収まっています。つまり、ホテルでもどこでもいいというわけです。

A　洞窟が非生活空間ということでは、それは現在の美術館と共通するところがあるのではないですか。洞窟は旧石器時代の美術館だった。ジョルジュ・バタイユは洞窟画を芸術の始まりといっていますが、そういう見方をすれば、洞窟画のある洞窟は美術館の始まりといってもいいように思いますね。

B　なるほど、一理ある見方です。しかし、ここでも我われの常識がその見方に抵抗を示します。美術館の始まりとするなら、少なくとも太陽の光のさしこむような

1　ディエゴ・リベラ
メキシコの画家。一八八六―一九五七。パリでピカソ、ブラック、クレーらと知り合い、キュビスムの洗礼を受ける。イタリア・ルネサンスの大壁画を見て、メキシコ革命後帰国し、活発な壁画運動をオロスコ、シケイロスとともに展開、メキシコの新しい潮流を起こした。

洞窟に描けばいいのに、どうして陽光を避けるように洞窟を奥へ奥へと入っていって描いたのか。それにああいう暗いところでは描くのもたいへんだったでしょうし、それを見にゆくというのもまたたいへんです。美術館としては条件がきわめて悪い。

A　ということは、洞窟画を考える場合には、現在の我われの常識を捨てるべきだと。

B　それが必要ではないかと思うのです。洞窟画というのは、どう考えてもクロマニヨンの集団の仲間に見せるということを意図して描いたとは思われないんですね。

A　すると、誰に見せるために描いたのですか。ただ単に描いたというわけはないでしょう。絵はコミュニケーションの手段ですからね。

B　絵はコミュニケーションというのはその通りだと思います。しかし、誰へのコミュニケーションかということです。ヒトはことばを獲得した。ことばは人間の発する音声の高度の分節化によって成り立っているわけですが、昆虫や鳥もそうであるように、この発音によるコミュニケーションというのはヒトに限らず多くの動物に見られることです。ただし、類人猿もヒトのような分節化には達しなかった。しかし、少なくともヒトを含めて動物は音によるコミュニケーションをおこなっています。

それにたいして、絵によるコミュニケーションをおこなっているのはヒトだけです。ただし、ネアンデルタールは描かなかったようですが。さてそこでですが、集団として音声でコミュニケーションをしていたヒトが、なぜ絵というもうひとつのコミュニケーションの手段を生みだしたのか。

A　現在我われがシンボルやマークのような非言語的コミュニケーションの手段を使っているように、それは人間の集団生活にとって不可欠なものだったからでしょう。つまり、言葉だけでは不十分だということを意識したからではないかと思いますが。

B　しかし、もし日常生活が言語によるコミュニケーションだけでは不十分だということの意識が絵によるコミュニケーションを生みだしたというなら、それは昼の光の下、もっとよくわかるかたちでおこなわれた筈ではないでしょうか。なぜそれを洞窟の奥の闇の空間でおこなったのか。

A　逆にことばよりも絵が先だったということも考え得るのではないですか。

B　しかし、どうやらネアンデルタールはしゃべってはいたけれども、絵は描いていませんからね。

絵は創造主へのメッセージ

B　この辺でわたしの独断を申します。わからないことについてのわたしの考えです。

洞窟画は集団のメンバーのあいだのコミュニケーションの手段ではなかったのではないかというのが、わたしの考えです。クロマニヨンの仲間同士には言語コミュニケーションが成立している。しかし、ここにクロマニヨンの仲間ではない存在があって、それにはどういう方法でコミュニケーションするか。身振りという方法もあります（踊りの始まりでしょう）。ともかく、その相手には言語では通じないと

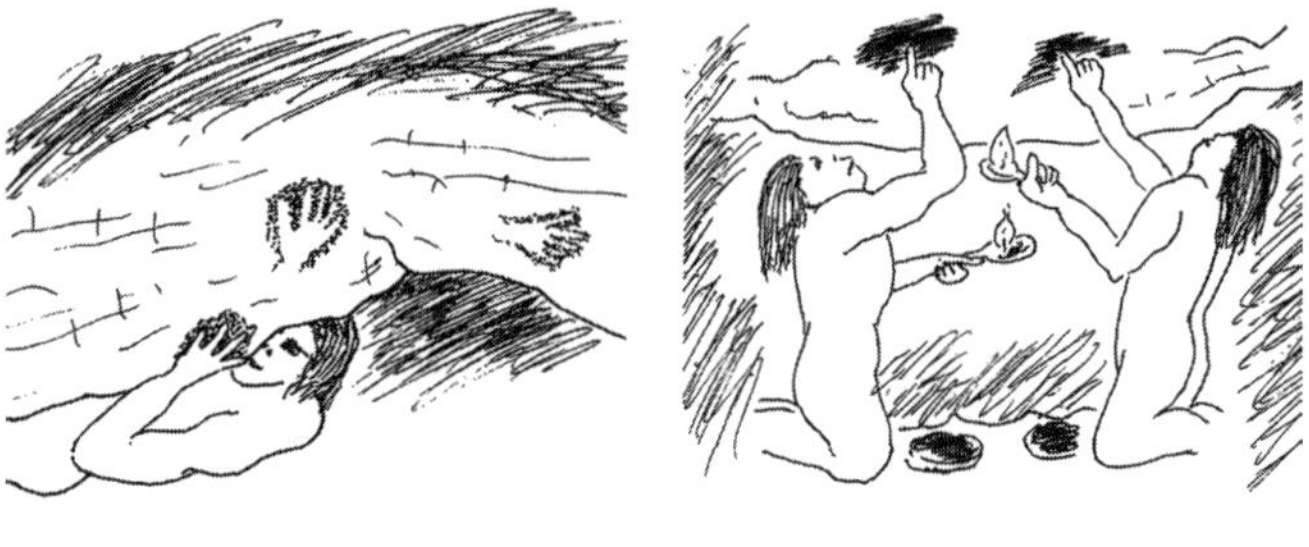

筆者による想像図。なぜクロマニヨン人たちは、極端に低い天井や足下の壁面などに絵を描き、手形を残したのか。

いう認識がある。

A　しかし、そのクロマニヨンではない存在とのコミュニケーションがどうして絵とつながるのですか。

B　クロマニヨン同士の言語を用いても通じないだろうけれども、動物を描けば相手に通じるにちがいないと考えたのですね。なにしろ、相手の言語というものが一切わからないからです。ここで洞窟画が動物の絵であり、しかも、それが今日いうところの自然主義もしくは写実主義風に描かれていることに注目したいと思います。目に見えた通りの動物のかたちを描く、それは相手も動物が同じように見えている筈だという考えのあらわれです。しかも、絵が動物しかないというのは、相手は動物のことしか関知しないということを知っているからです。植物など描くどのような必然性もない。植物を描いても相手はわからないということですね。

洞窟画に見られるシャーマンの絵が動物の仮面をつけたり、動物の扮装をしているのは、これもシャーマンが話をしようとする相手が動物のかたちしか認知しないと思うからではないか。相手はヒトというものをしらない。ヒト以外の動物でなければならないわけです。このヒトをヒトでない動物と見立てるというのは、のちのトーテムにもはっきり示されています。

A　なんですか、その相手というのは？

B　動物をつくりだしている超越的存在、つまりは神です。

その相手に絵でコミュニケーションをはかるというのは、こういう例を持ちだすのはどうかとも思うけれども、地球外の惑星に住んでいるかもしれないヒトと同じ生物へ向けて送られているプレートに、絵でメッセージを知らせているのと似たことです。

A　つまり、洞窟画はヒトにたいしてではなく、その動物の創造主へのメッセージとして描かれたというわけですか？

B　その創造主は洞窟の奥の目に見えないところにいると考える。多分、人間が女性の子宮でつくられ、そこから育ち、生まれてくるように、動物の創造主は自然の洞窟という子宮をもっていると考えたのではないか。洞窟を子宮として見るというのはひとつの定説となっています。そこへ動物を描くというのは、したがって仲間への直接的なコミュニケーションとはいい難い。それはヒトならざるものへのことばだった、わたしはそう考えたいのですね。それが人間同士のコミュニケーションというように位置づけられたのが、のちの絵画にほかなりません。

A　要約すれば、絵の始まりはヒト以外のものへのコミュニケーションのためだった、ということですか？

B　その絵がヒト同士のコミュニケーションとなり得ることを人間が知るようになったのはずっとあとです。

絵はヒトの発明

A　場所の選別はどういうことになりますか？

B　その創造主に伝えることのできる場所でしょう。それはどこでもいいというのではない。その選別の根拠は知るよしもありません。かれらが洞窟を歩いて、ある

ニキ・ド・サンファールとジャン・ティンゲリーらによるコラボレーション作品《Hon》（スペイン語で「彼女」の意）。内部には、映画スクリーンやミルクバー、自動販売機が設置された。先史人は洞窟を子宮の象徴としてとらえていたのだろうか。
photo by Hans Hammarskiold

いは明かりをもって歩いていて、その明かりのつくりだす陰影がひとつのきっかけになったかもしれないし、音の反響が理由になったかもしれない。いずれにしても、かれらは場所を感知したのです。そこでそこへ描く。選別された場所は一時的なものではなかった。というのも動物の重ね描きは、クロマニヨンの場所へのこだわりをはっきりと物語っているからです。

さてこれまで洞窟画に描かれている動物について述べてきましたが、洞窟に見られるもうひとつの図は手形と斑点です。

A あの手形は掌をちゃんと開いたのもありますけれども、指が切れたのか、曲げたのか短い指が混ざったのもありますね。

B あれは、身振りでなく指振りともいうべき、指のかたちによる創造主へのコミュニケーションではないかという気がしますね。この手形ですが、これには掌を岩肌にあてて顔料を吹きつけたのと、掌に顔料を塗って押しつけたのと二つのタイプがありますが、その意味のちがいはないと思います。

A しかし、手形というのはなにか不思議な力を感じさせますね。今世紀になっても美術家が手形を作品に使うという例が見られます。マン・レイ(2)やミロ(3)、戦後ではジャスパー・ジョーンズ(4)などを始めとして。そういえば、六〇年代にパリの市立近代美術館で、手形と足形をとりいれた作品を集めた展覧会がありました。

B 手形も、その指のかたちがどういう意味をあらわしていたかは皆目わかりませんが、もうひとつ斑点というのはもっとわかりません。あれは今日の美術用語でいう抽象図形に属するのか、それとも当時の生活のなかでは具体的なかたちだったの

2 マン・レイ
アメリカの美術家。一八九〇—一九七六。一九一七年ころからデュシャンらとニューヨーク・ダダの運動を展開。絵画、ブックデザイン、映画など幅広い表現手段を持ち、とくに写真においては「ソラリゼーション」「レイヨグラフ」など自ら創案命名した新技法で前衛写真の先駆的存在となった。

3 ジョアン・ミロ
スペインの画家、彫刻家。一八九三—一九八三。

4 ジャスパー・ジョーンズ
アメリカの画家。一九三〇年生まれ。アメリカの国旗、標的、数字など平面主題をキャンバスに描いて形象や色そのものへの注意を喚起させ、絵の具の物質性に着目、絵画の事物化を推進した。六〇年代に台頭するポップ・アートの先駆的存在ともなった。

か、そういうこともさっぱりわからない。あるいは、あれは動物の数をあらわす記号だったのでしょうか。もっともそれが数をあらわすものだったとするなら、それはヒトの抽象能力のいちはやい表現ということになりますが。

A この斑点も創造主へのコミュニケーションということですか。ただし、何を伝えようとしたかはわからない。ということになると、洞窟画はその図像の意味は結局わからなくて、洞窟の闇の空間に動物を描いた、あるいはしるしをつけたというクロマニヨンの行為そのものに意味があったということになるのでしょうか。

B つまり、ことばの通じない相手になにかを伝えようとする行為ですね。それは非日常的な行為であり、だからこそ生活空間としての洞窟は用いられなかったのではないか。その空間の非日常性を体現するものが暗闇だったように思います。暗闇とは一般には恐れを感じさせる空間ですからね。他方ではそれは神聖な空間でもある。絵がそういう空間に描かれることによって始まったというのは、絵が生活空間におどりだすに至ったあとも(つまり今日もそうですが)、絵画のイメージに内在する非日常性として残ってきたと思うのですね。

A よくいわれる絵画のもつ非日常性の出発は洞窟画にあるというわけですか。しかし、角度を変えれば、結局それは洞窟画は芸術の始まりだったということになりませんか?

B 非日常的ということについては、そうもいえるかもしれませんね。しかし、それと同時に、洞窟画はちゃんとしたコミュニケーションという意図によって生まれたにちがいない、ということは強調しておく必要があるように思います。つまり、ヒトは絵を発明したのです。ことばと異質のコミュニケーションの手段としてです。ヒトはもののかたちを記憶することができる。しかし、そのかたちをヒトの体外へと引っぱりだして初めて描いたとき、いったいどういう感じを抱いたでしょうか。多分、その絵は闇と同じようにクロマニヨンに畏怖を感じさせるものだったように思います。なぜなら、それはヒトの描いたものですが、創造主という見えない存在のことばだったからです。

第二章　観客とコミュニケーション

絵画とコミュニケーション

ランスロット・ホグベンの「洞窟絵画から連載マンガへ、人間コミュニケーションの万華鏡」という長い標題をもった著書が(編1)「コミュニケーションの歴史」という標題に簡約されて訳出された(編2)ので、一読し、なるほどそうかもしれないな、という感想をいだいた。この本は、洞窟絵画からはじまって、テレビジョンにいたる、人間のコミュニケーションの歴史を、もっぱら技術的進歩とコミュニケーション形式の変遷という関係を主軸にして論じたものだが、わたしがなるほどな、とおもったのは、その内容がまったくそのとおりだ、というようないわば賛同からではなく、ホグベン記すところのこの著書には、絵画のことが、まったくきれいさっぱりとりあげられていなかったからである。

最近、しばしば現代は「映像の時代」だ、ということがいわれる。たとえばミシェル・ラゴンは『抽象芸術の冒険』という本のなかで、「話し言葉の時代〔……〕が去り、文字の時代〔……〕が過ぎて、われわれは、いまや新しい時代、すなわち映像《イマージュ》の時代にはいった」(編3)と断定した。もっとも、ラゴンは、映画製作者、写真家、電波技術者、装飾画家、編集者、演出家、広告図案家、洋裁家、店頭装飾家、舞踊家などを、いささか皮肉まじりに、現代の指導者だとのべ、画家には「すべてこのような普通の

初出『Gallery』第四号(一九五八年一〇月)、二一―四頁。巻頭エッセイとして発表された文章。

編1　Lancelot Hogben, *From cave painting to comic strip: a kaleidoscope of human communication*, George Allen & Unwin, 1949.

編2　L・ホグベン『コミュニケーションの歴史』寿岳文章ほか訳、岩波書店、一九五八年

編3　Michel Ragon, *L'aventure de l'art abstrait*, R. Laffont, 1956. ミッシェル・ラゴン『抽象芸術の冒険』吉川逸治、高階秀爾訳、紀伊國屋書店、一九五七年、三頁

映像の技術家たちが、われわれにふんだんに与えてくれるありふれた映像以外のものを、求めたとしてもべつに驚くにはあたらない」(編4)という註釈をつけることをおこたってはいないが……(引用文は、吉川、高階訳文による)。ラゴンが、かれのいう「われわれの芸術家」を、とくべつ視しているのは、いささか客観性を欠くところがあっても、ただならぬ自負としてうけとれぬわけではない。

しかし、科学者ホグベンが、絵画をコミュニケーションの系譜から、脱落させてしまったことは、かれの好みだということで見過してしまえないような気がする。というようないいかたをすると、ホグベンの誤謬をゆるすべからざるものとして、なじっているみたいだが、むろん、そうではない。はじめにもかいたように、わたしは、なるほどそうだろうという感想をいだかないわけにゆかないのである。

はなしがいささか飛躍するが、魯迅が大衆芸術の創造ということについてふれたところで、連続絵物語や歌物語(唱本)、講談(説書)などをとりあげ(「「第三種人」を論ず」(編5))、「いまではミケランジェロたちの画のことを言っても、誰もとやかく言うものはなくなったが、実際は、あれは宗教の宣伝画であり、『旧約』の連続絵物語ではないか。のみならず、当時の「現在」のためのものであった」といっていることばは、ほんとうだとおもう。

魯迅は、ここで革命的な芸術の創造という課題と、大衆的なコミュニケーションをもつ絵物語をむすびつけてかんがえている。もっとも、ミケランジェロとかレオナルド・ダ・ヴィンチの絵物語は、ホグベンにしても、人間コミュニケーションの系譜にくみ入れたろう。そして、わたしは、芸術の価値をコミュニケーションの受

編4 編註3に同じ、四頁

編5 「『第三種人』を論ず」『魯迅選集第五巻 雑感3』岡本隆三訳、青木書店、一九五四年、一六ページ(「論〝第三种人〟」は上海の『現代』第二巻第一期(一九三二年一一月)に発表、のちに魯迅『南腔北調集』上海同文書店、一九三四年に再録)

容量の多寡によってのみ割り切ってしまうほどの大胆さをもちあわせない。しかしまた、創造にあたって、コミュニケーションということを全然視野に入れなければ、描くことが、それ自体で抽象化され自己目的化されてしまい、作家のピュリテイというようなことが、主役となって、華々しくフット・ライトを浴びるということになってしまうことも、またほんとうである。

そして、コミュニケーションということは単に手段として介在するのでなく、イメージということと、わかちがたくむすびついているのだとおもう。

ホグベンが、絵画を切り捨ててしまったのは、絵画のイメージが、もともと画一性と矛盾するものであり、したがって記号というような意味での普遍性をもたないものであり、さらには空間的なひろがりという点で、伝達性がよわいということからだろう(美術における造形言語は国籍を超越している。という指摘は、こうした画一性、普遍性の欠如をうら返したものである。色は人間共通のものだということは、美術の特殊性を説明することにならない)。

たとえば、美術の実用性の回復を問題にすると、たちどころに、実用性だけが美術のすべてでないという反論がおきるが、しかし、そのなかには、コミュニケーションとしてのてがかりをみつけだそうとする意図も、またあるのである。そして、そうした意図は、コミュニケーションということを通じて、あるいは、創造と享受というはしわたしの上で、イメージということの意味をみいだそうということにも結びついている。

近代美術の歴史は、大きな同心円が中心に位置する創造者にむかって急速に収斂するようなイメージをわたしにあたえる。そして、ふたたび、それを外にむかってひろげなければならないようにおもうのだが、そのばあい、中心で発振器かなにかをうごかして、その波動を外にむけてひろげるというようなありかたはわたしにはかんがえつかない。むしろ、創造者が中心から、円周上の一点に移動して、いろいろ他のジャンル（あるいは、まだ円形をなさない点の集合に）の円の円周と交錯しながら、おしひろげることのほうをかんがえる。もっとも、わたしにも、自分がどこに立っているか、見定めがはっきりついているわけではない。むしろ、いろいろな円にはさまれて、ホンロウされているような気さえする。ただ、中心にだけはたつまいとおもうばかりだ。

わたしは最近、マンガとかサシ絵を注意してみることがある。べつに、それらがマス・コミだから、絵画にくらべるとはるかにすすんだものだからというようなかんがえからでは毛頭ない。コミュニケーションとイメージという問題をかんがえるからだが、ここでは、絵画のようにコミュニケーションの度合の稀薄さがイメージの成立する具体的モメントをこわしているのと逆に、コミュニケーションの成立という土台の上にたって、イメージを自足的なものにしてしまっているようにおもう。そして前者も後者も、描くことが孤立化し、それ自体で完結してしまい、イメージが触媒となってひきおこす、化学反応のことは没却されてしまっていることがおおい。それは、芸術の自律性ということと、うらはらのことだろう。むろん、問題は容易ではないし、化学反応をみさだめることは、いよいよむづかしいことだとおもう。

コミュニケーションをイメージのひきおこす化学反応の促進ルートとしてとらえることは、きわめて重要なことだ。そして、いまもいったように、化学反応をみさだめることが、むづかしいだけに、創作者はいよいよ綿密、細心にならざるを得ない。この雑誌の先号で、詩人である長谷川龍生は、こうした創作者のありかたを、イカサマと称した。(編6) もっとも長谷川龍生のかいたことを、そのままうけとったわたしが、すでに、かれのイカサマにかかったことになるのかもしれない。それにしても、できればイカサマになりたいものだ。

編6　長谷川龍生「想像力の二本距離」『Gallery』第三号（一九五八年九月）、二一—四頁

絵画と大衆との接点

1　美術の今日的状況をめぐるひとつの論争

事のおこりは、針生一郎がタブロー画を被告として、次のように糾弾したことにありました。「今日では、建築、インダストリアル・デザイン、グラフィック・デザイン、マンガ等が、大衆社会的な状況に適応する大衆形式をすでに生みだしているのにたいして、絵画や彫刻ではマスコミと機械文明からあくまで眼をそむけ、したがって職人的な技術の伝統と求道者的な造形理念にとらわれている部分がかなり多い。絵画や彫刻はすでに古典的なジャンルとして、現代社会のなかに正当な位置をみいだしにくくなっている。むろん、建築やデザインの方が進んでいる、といった単純なことではなく、これは個人と社会とが、芸術家の想像力と大衆の想像力とが結びあう地点を失った不幸な事態なのだ」[編1]。不幸な事態だが、絵画や彫刻はすでに古典的なジャンルと化しつつある。こうした針生一郎の糾明にたいして、弁護役をかったのが佐々木基一でありました。かれは「現代と芸術家の意識」[編2]のなかで、一九世紀には社会と芸術との不幸な分裂があったが、「二十世紀の今日では、ふたたび芸術家の個性的天才的創造活動を社会に再統合することが問題になつている。

初出『美術手帖』第一四二号（一九五八年六月）、三一―三七頁に、「批評的ルポルタージュ　大衆とタブローとの接点」として無記名で発表。のちに「絵画と大衆との接点」と改題して、針生一郎編『現代絵画への招待』南北社、一九六〇年に再録された。

編1　針生一郎「戦後社会と美術」『みづゑ』第六三〇号（一九五八年一月）、三三―三九頁

編2　佐々木基一「現代と芸術家の意識（現代芸術はどうなるか・3）」『群像』第一三巻三号（一九五八年三月）、一六二―一七一頁

構成主義や機能主義の主張は、〔……〕その機械的・技術的機能に形態を従わせようという造形的な意図のほかに、〔……〕新しい造形的環境を作ることによつて人間と社会、芸術と社会の統合をはかろうとする意図がふくまれている」といい、この意図が、建築、デザイン、挿絵、漫画、写真というような「一人一人の人間の個性に即して直接かつ純粋に鑑賞されるよりも、技術という媒介を通して間接にかつ集団的に鑑賞される一種の実用芸術の分野でいち早く実現をみた」のだろうとつづけたあと、むろん今日の技術的発展が美術家のまえに提供するさまざまな手段と材料に大胆にとりくみ、社会的機能と技術的機能それ自体のなかに新たな美の契機を発見することによって、新しい創造の分野を開拓してゆくべきだが、「しかし、そのことは何も、タブロー画が今日および将来の美術にとってもはや時代遅れの余計ものになるということを意味しない。〔……〕タブロー画——とくに印象派以後、純粋絵画の典型的形式となったそれ——はまたそれ自体の機能をもって、時代の要求に応えて自己の描く内容と形式を変化させながら、今日および未来に生き続けてゆくものと思われる。問題はタブローという形態それ自身にあるのでなく、タブローのなかに何を如何に表現するかという、画家の意識、精神、眼のあり様にかかっている。画家がすべて壁画家になり、歴史画家になり、デザイナーになるわけにゆかぬとすれば、タブロー形式はやはり絵画の重要なジャンルの一つとして残存するだろう」。そして、タブロー画のギリギリの限界、その極限は未だかつてつきつめられたことはないのであり、マス・コミ時代とか機械時代とかいわれる時代に、タブロー画がどれだけ堪えうるものかを制作を通してたしかめられたことはないのである、と論じています。

このタブロー裁判のなりゆきをもう少しみることにしましょう。針生一郎は、さらに「現代に美術は可能か」(編3)という一文で、「わたしは、今日タブロオを描くことは時代おくれになった、画家は壁画やデザインやマンガに精だすべきだなどといおうとしているのではぜんぜんない。ただ、わたしは、美術が現在つくるものとみるものとの交流の基盤を見失い、そういう袋小路のなかでますます孤独な芸術意識を肥らせている事情を、はっきりみとどけなければ、どんな意欲的な実験も「コップのなかの嵐」に終るおそれがある、といいたいのだ。〔……〕わたしは性急にタブロオの限界をいうつもりはないが、タブロオ形式を自明な前提として、その上に寝そべっている美意識や「造形」観を根本から疑ってみなければ、タブロオそのものを蘇生させることも不可能だ、と考える」と反論し、一方、佐々木基一はこんどは「マス・コミの逆説」(編4)のなかで、「自分の絵が社会に帰つてゆく回路を発見できなくて、タブロー制作に疑問を感じている画家も多い。しかし、問題は、これらの画家が壁画をかき、ポスターをかき、プラカードをかき、漫画をかくことで直ちに解決できるほど簡単ではないのだ。逆に、新しい絵画は効用性と結びついてしか発展しないと考えながら、一枚のタブローもかかず、機会のくるのをただ手を拱いて待っている画家志望者もあるが、かれらはもし機会が訪れたとしても、そのときいったいどんな絵がかけるだろうか。差当り手元にあるタブローという枠のなかでも時代にふさわしい造形を探求する必要こそ強調されねばならぬのである。一挙にタブローを否定することは、マス・コミ攻勢の前に多くの美術家を闘わずして武装解除する

編3　針生一郎「現代に美術は可能か——時評的美術論——」『みづゑ』第六三二号(一九五八年三月)、七三—七八頁

編4　佐々木基一「マス・コミの逆説(現代芸術はどうなるか・4)」『群像』第一三巻四号(一九五八年四月)、二〇八—二一五頁

ことにほかならない、とわたしは思う」とさらに反駁しています。

さて、裁判は一応これで中断しています。まず、ふたりとも、現在タブロー画が他のジャンルにくらべ、孤立化し、社会への通路を見失いつつあるという前提から出発しています。そして、一見真向から対立するようにみえながら、微妙なところで交錯しています。つまり、はじめ絵画や彫刻は古典的なジャンルと化しつつあると書いた針生一郎が、あとではタブロー形式そのものにたいする疑惑がなければ、タブローの「蘇生」も不可能だろうと書き、また、はじめタブロー画は今日および未来も生きつづけてゆくものだと断言した佐々本基一があとでは、「差当り手元にあるタブローという枠のなかででも」探求しなければならない、とのべるあたりがそうです。したがって、この裁判は単純に被告タブロー画の抹殺論と、擁護論の対立とはいえないようです。なおこの裁判には、もうすこしおまけがあります。「記録芸術の会」という会の公開討論会で、たまたま、この問題がでたとき、佐々木基一は「タブローはもう不要になったのだ、などというと、今、絵を描いている画家がいったいどうしていいか困惑するじゃないか」と冗談めかして語りましたが、すると安部公房がすかさず、「いいですよ。困惑させたほうがいいんですよ。そのほうが芸術の発展にとってプラスになりますよ」という意味のことを発言する場面がありました。もともと弁護というのはそういうものにしても、たしかに佐々木基一はタブロー画家にたいして寛容だともいえます。問われなければならないのはタブロー画家の運命でなく、現代における芸術の状況そのものではありますまいか。タブロー画かマンガかという二者択一的な設問じたいが無意味なことはいうまでもないでしょう。

しかしともかく、個展の会場などで、画家が空しさを語るのはしばしば耳にすることです。単に画家のみならず、観衆がまた画廊に足を運ぶことの空しさをもらしていることも事実です。こうした裁判によって、タブロー画はもはや社会的に存在を許されないものだという類いの結論がでれば、双方の空しさは解消するかもしれませんが、むろん、それはナンセンスな願望でしょう。

そこでまず、いったい、こうした問題をうみだしているタブロー画の現勢はどんなものか。作家と観衆の結接点だとかんがえられている個展の状況、つまり、被告タブロー画にとって有利であれ不利であれ、まず具体的な物的証拠の呈示からみることにします。

2　個展の増加とタブロー形式への疑問

ひところ、ジャーナリズムのあいだで「個展ブーム」ということばがつくられたことがありました。最近では、このことばはもはやひところの栄華の名残りになってしまったのでしょうか。

一九五八年度の美術手帖臨時増刊『美術年鑑』によれば、東京には約四〇の画廊があります。大阪には約一〇、そのほか百貨店の画廊をふくめてかんがえると、東京と大阪をあわせて、約七〇ばかりの画廊が、タブロー画を飾るべき壁を所有していることになります。なかには常設の売絵画廊もありますが、その九〇%はいわゆる貸画廊であり、一日一万円ぐらいから、二千円程度にわたって料金をとり、画家に「壁」を貸すわけです。

屋外展とかあるいは、とくに無料の場所を選んでひらく以外、個展とかグループ展は、まずこの「壁貸し業」である画廊によらなければならないというのが、現在タブロー画のもっているひとつの宿命です。こうした経過をたどってひらかれる個展、グループ展の盛衰を、東京、大阪のおもな画廊約二〇あまりについて調べてみると、過去五年間を通じて、最高であった昭和三一年を一〇〇とみなして、昭和二八、九年は約七四、三〇年は約八六、三一年が一〇〇、三二年が九二という変化をしめしていることがわかります。数字、とくに統計は魔術だというひとがあるかもしれませんが、ともかく、タブローが被告の負い目を感じて、街頭、つまり街の画廊から次第にかげをひそめているとはみなされないようです。かつて「個展ブーム」ということばが通用したとしたら、現在もまたおなじことばを使っても別に間違いにはならないでしょう。

ところで、戦後の美術界の変遷を通じてみられるひとつのいちじるしい特徴は、反アカデミズムや反官僚的組織を旗じるしに掲げたアンデパンダン展や個展、グループ展が活発な動きをみせたことにありました。アンデパンダン展にせよ、あるいは個展やグループ展においてにせよ、自由な立場を維持して意欲的な仕事をみせた作家が、戦後美術を推進する強力なエネルギーになったことは、いうまでもありません。したがって、個展やグループ展の増加は、美術ぜんたいの活力源になった点を評価はしても、それをとがめるべき理由はまったくないといえるわけです。「最

最近五年間の個展・グループ展の相対的変動（註　昭和三一年度の実数を100とする）

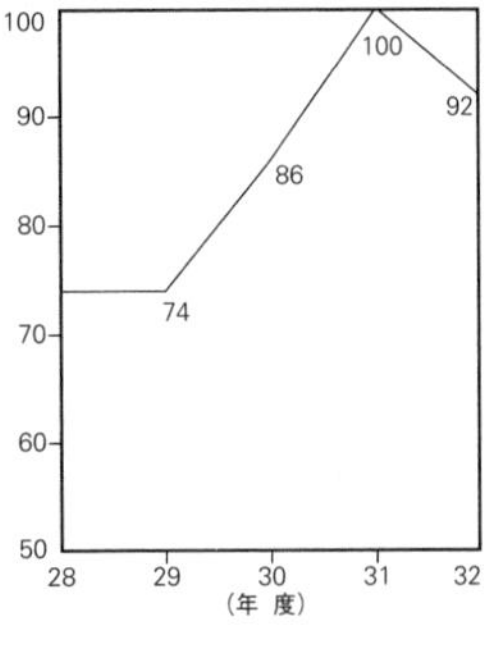

近は個展ばかり多くてもねえ、内容がまるで貧困なんでねえ」とある美術評論家がなげいていましたが、こうした慨嘆とて、個展やグループ展の功績を認めたうえで、その内容の向上を希求しているものだとみれば、なんら「個展ブーム」にたいする非難にはならないでしょう。

たしかに、個展、グループ展の増加という事態だけを抽出してみれば、まったくその通りです。しかし、その増加が同時にタブローと観衆の接触をもヒンパン化しているかという次の問題になると、事態はそう楽観的にはゆかなくなるようです。マチス展やピカソ展、あるいはルーヴル美術展やメキシコ展のような、いわばおおがかりな展覧会は別として、通常、街の画廊でひらかれている個展やグループ展に足しげく通うのは、評論家（それもごく一部の評論家ですが）、美術ジャーナリスト、美術関係の学生、画家なかま、それによほど美術に愛着を抱いているひとに限定されています。個展の会場に並べられたタブローと、その作家以外にはひとひとりいないというのも稀なことではありません。まったく、画廊は喧騒な都市の盲点みたいな場所に化しつつあるのではないかとおもうほどです。

個展やグループ展の当事者は、タブロー画の制作に加えて「壁」を借りるのに資金を投じ、しかも、そうして完成したタブロー画が全然商品にならないというのですから、空しくおもわない方がどうかしています。さらに、それを並べた結果がまるで盲点のように人かげの乏しい状態だとくれば、タブローそのものに疑惑を抱かないわけにはゆきますまい（むろん、すでに画商によって売買されている画家は、そんな疑惑をもつ筈もないでしょうが……）。

最近、一部の画家がグラフィック・デザインの分野に仕事の活路をみいだしたり、また舞台装置に積極的に進出したり、あるいはまた岡本太郎のようにタイルによる壁画を制作したり、さらには、印刷されたものを直接的な作品とかんがえる河原温の「印刷絵画」とでもいうべき仕事の発表などは、いずれも、こうしたタブロー画のもっている矛盾にあたらしい解決のてがかりを求めようとするものだということができます。デザインや舞台装置や壁画は、つまり、絵画の社会的な機能を通じて大衆との接触を回復しようとするものであり、印刷絵画や、池田龍雄とか真鍋博のように漫画に進出するものは、マス・コミを通じてより多くの観衆を得ようとするこころみというべきでしょう。

つまり、個展やグループ展の盛況、タブロー画の増加という事態があるにもかかわらず、タブローはやはりその現状について糾弾さるべき被告のようです。それに、個展やグループ展にとどまらず、最近の公募団体に出品するアマチュア画家、あるいは日曜画家の急激な増加も、この問題に関連して注目すべきことがらです。こうしたタブロー画の制作される度合のヒンパン化は、現在、絵画——タブロー画が鑑賞されるものから、各自がみずからのために描き、たのしむものに変身しつつあることを示すことにはならないでしょうか。ある画家はこう語っていました。「最近、マス・コミとか社会性とかいろいろのことがいわれますが、わたしはただ自分をなぐさめるために描いているのです」。ここから、てっとりばやく、いまや画家とアマチュアの区別が失われつつあるという結論を導きだすこともできますが、それより、画家がこうした弁明によって、例の「空しさ」を納得しなければならないという点に注目すべきでしょう。つまり、画家のばあいには、最近のアマチュアのカメラマンの激増を前にして、「こうなりゃ、プロもアマもないね、まったく職場の侵害だよ」という具合に、みずからの地位を確保しようとするプロ・カメラマンのようにはゆかないわけです。画家のばあいには、あの盲点ともいえるような展覧会を維持するエネルギーをどこから汲みとろうというのでしょうか。

ところで、最後にもうひとつ、それにもかかわらず調査した多くの画廊が今年いっぱいは予約済だということです(もっとも、幾分かは商売気もあるでしょうが)。何という「個展ブーム」!

3 美術の大衆性を検討するために

個展やグループ展が、観衆との接触のヒンパン化を伴わずに盛況をうたっているというのが現在の状況です。タブローは時代おくれだということよりも、まず、美術と大衆の関係という点からこの問題をかんがえるべきではないでしょうか。愛好するもの誰もがタブロー画を描くことは決して時代おくれのことではないからです。それはたとえば商品である映画に金を投じて、視覚的なエネルギーを購うのと、同じような意味だからであり、このばあいには、タブロー画と大衆というようなことは、論議の対象にならないからです。

例の盲点的な場所、個展、グループ展にならべられているタブロー画は、その視覚的エネルギーが、もはや商品化し得ないというところに現代的状況があります（つまり、ただより安いものはないということが通用しないわけです）。無料だからさ、有料にすれば展覧会もひとが入るよというのは、まったくのナンセンスです（ことわっておきますが大家の作品が高価なのは、ひとつにはコットウ的価値からであります）。

むろん、問題をこうした面だけで論じるわけにはゆきますまい。それと関連して、先にもあげた機能的な要素の拡大、マス・コミとの関連——ということもあります。そして、このばあい、佐々木基一や針生一郎のように、建築、インダストリアル・デザイン、グラフィック・デザイン、マンガ、挿絵、写真と一括にして論ずるより、建築のように機能的なものは、その実用性、鑑賞の集団性という要素、一方で、マンガ、挿絵などは、伝達の個別化、細分化という要素から追求すべきではないでしょうか。なるほどマス・コミは伝達のエネルギーの量が大規模ですが、享受はあくまで個別的なものだからです。

そうしたふたつの要素を明確にしたうえで、現代における美術の回復ということでなく、その本質についての検討が必要だということになります。「タブローをめぐるひとつの論争」というのも、そのきっかけであったわけです。

個展ブームの意味するものというのが、はじめの意図であったわけですが、個展ブームにはたしかにタブロー画制作の普及という面と同時に、展覧会の空しさそのものにたいするヒステリカルな反応の両面があるようにおもいます。そして、ヒステリカルな反応を正常化することとは、「大衆の美術的教養」をたかめることによってではなく、美術とは絵画であり彫刻であるという固定観念が今や崩壊しつつあるという芸術の今日的状況から出発することだとおもわれます。

アメリカ版「空想の美術館」

「ライフ・百万人の名画展」というダイジェスト美術

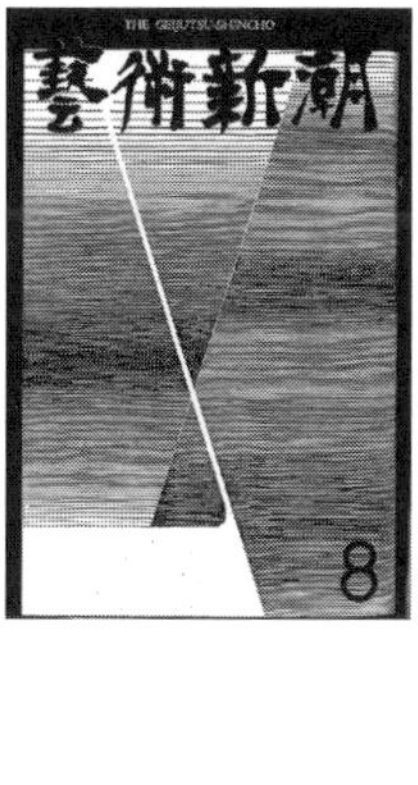

初出『藝術新潮』第一一巻八号（一九六〇年八月）、二四二―二五一頁

ダイジェスト文化時代

最近はあまり流行しなくなったかにみえるが、ひところ、小説のダイジェストの出版というのが横行した。「名作ダイジェスト」という手にかかると、大長編小説もまったく型なしになってしまう。たとえば、トルストイの『戦争と平和』にしても、ドストエフスキーの『カラマーゾフの兄弟』にしても、まるで干物よろしく薄手の小冊子と化してしまうのである。いうまでもなく、これは「リライト」という方法を考案したアメリカの出版業のやり口を、そっくりそのまま拝借した所産にちがいない。ダイジェスト出版業者にしてみれば、お得意様である読者が、慢性の消化不良をおこしていると見込んだのであろう。かくて、ストーリーと見せ場（よませ場？）以外は遠慮なく捨て去ってしまい、咀嚼せずとも吸収は完全という「名作ダイジェスト」の製造となったのである。

この病人食向き加工を施そうというダイジェストは、リライトのみによるわけではない。文豪Ｘの永遠の名作の映画化などとうたわれる、例の文芸映画も、その違ったやりかたのひとつである。むろん時として、この映画化のほうは映画の独自性によって、単なる「ダイジェスト映画」を超えたものに転化されている例がないでない。しかし、大半は、名作というレッテルと商魂の結びついた、動く紙芝居になってしまうのがオチというものである。しかし、ここで特徴的なのは、これら「ダイジェスト」は、もとの原作に関係のない、まったくの別物だということであろう。「ダイジェスト版『戦争と平和』に、トルストイ原作の『戦争と平和』と同名の登場人物があらわれ、似たようなストーリーが展開されていても、それらは似て非なるものであることはいうまでもない。つまり、小説とその「ダイジェスト」との関係は、原料とその加工品との関係と同等だということである。

「複製」の功罪

ところで、このほうは「ダイジェスト」小説のように病人食でなく、もっと正常食にちかいとおもうのだが、わたしは絵画の「複製」もまた、絵画の「ダイジェスト」だとおもう。こういうと、あるいはあなたは異論をさしはさまれるかもしれない。たとえば、絵画と複製の関係は原料とその加工品のようなものでは決してないというぐあいに。なるほど一見そういえそうである。複製というのは、機械産業――なかんずく、印刷技術と写真技術の発達のもたらしたもので、絵画をより広範囲のひとびとに伝達すべくマス・メディアと絵画の結合したものだというのは、常識となっているといっていい。ちょうど、レコードが音楽における同じ役割を果しているように。つまり、複製というのは、ひとつのチャンネルでしかないというわけである。

むろん絵画の「複製」は「リライト」という方法などによってもたらされるもので

はない。しかし、一方がストーリーの抽出されたものとすれば、他方は絵画的空間の一部——つまり、色彩だけの抽出によって成りたっているものである。抽出というのもまた、一種の加工だ。「複製」をめぐっての議論のわかれるのはおよそこの点からである。ひとつは、したがって「複製」というのは、不完全な「原画」だというものであり、もうひとつは、したがって「複製」は、原画と別のものだということだ。

たとえば次のような意見がある。『近代芸術の状況』という本のなかで、ジャン・カスーの述べている見解である。

「絵画複製の技術は著しく進歩して来たし、現在も進歩している。大きな展覧会の巡回の経路外にある小さな中心都市や地方の町々でも、複製展を開くことには躊躇しないし、複製は単に個人の家庭ばかりではなく、教育的な目的のために学校や役所や工場や田舎にまで入りこんでいる。ユネスコは芸術文化の面で行うべき自己の最初の課題の一つとして、世界に今ある最も優れた原色複製の表を作ることに決定している」。だがしかし、というわけである。「芸術の利用のこの民主化は、「ただひとつしかないもの unica」からその魅力を奪わずにはおかない。〔……〕この民主化はそれらからその唯一性そのものを取去り、その威光 aura を奪い、その一回性 hic et nunc を破棄する。芸術作品の神聖犯すべからざる存在に代ってシリーズ的な存在が出て来る」(編1)。

カスーのこのことばを引用したのは、絵画の「複製」をめぐる論議は、つねにこの種の矛盾した感情につらぬかれていることの多い、ひとつの例証を示したかったからである。おそらくこういう意見は、そんなに特別なことではあるまい。まった

編1 ジャン・カスー『近代芸術の状況』瀧口修造、大久保和郎訳、人文書院、一九五六年
Jean Cassou, *Situations de l'art moderne*, Éditions de Minuit, 1950.

く同じ論拠に立ちながら、ハーバート・リードのように、どちらかというと前半の教育的手段を強調するひともあるし、ルイス・マンフォードのように、「複製」のもつ利益や善は熟知しているが、われわれが、「複製」の包囲のなかにあって、昏睡的無関心をもたらされることの悪弊を、なげき悲しまないわけにゆかないと慨嘆するひともある。つまり、「複製」の問題は、たがいに逆方向に向って疾走しようとする二頭の馬を御そうとするのに似ている。しかし、この論法でゆくと「複製」の数量を限定して、教育的手段をみたし、かつ昏睡的無関心をセーヴするほどに制限する以外、この矛盾は解消されない。

わたしは、絵画の「複製」のもつ功罪を均等に評価して、いいけれども、またわるいという結論に立とうとはおもわない。罪よりも功のほうをおおきく認めたいとおもう。「複製」の功罪を均等に論じようとするひとは、疑いなく、「複製」を「不完全な原画」、あるいは「疑似原画」とみなしている。

「複製画を絶えず目の前にぶら下げるよりも、ほんとの美術作品を年に一回、乃至は一生に一度見て、よく眺め、よく感じ、真に同化吸収するほうがよろしい。たとえば、私はアジャンタの洞窟画をみる機会は全くないかもしれませんが、インドに行ったことのある旅行者や複写から、私はそれが一見に値することをよく知っております。そしてもし旅行をすれば、旅の途上で出会う見知らぬ顔、違った言葉や習慣によって調子を強められたその独特な印象に恍惚となることでしょう。けれども一生のあいだきわめて優れた複製画をかけて見ているよりも、洞窟のなかで原画にじかに触れた二、三時間のほうがずっと好ましいのです。私はこの場合も、他の場合とおなじように、機械的複製を有難くは思いますが、それが原作を暗示するよすがとして、それ以上のものとは思いたくありません」とマンフォードはかいている。(編2) じっさいに、アジャンタの洞窟画をみることと、その複写をみることとの優劣を論じる根拠はどこにあるのだろうという気があなたはしないだろうか。洞窟の原画をみるのはひとつの体験である。そして、その複写をみるのは、全く別の体験である。複写をみて、実物をみたような気持になれといってもできるわけではない。つまり、「複写」は「ダイジェスト絵画」というあるものを意味しているのであり、それ以上でも以下でもないのである。

わたしは、今、「複製」の罪よりも功を採るといった。むろん、その第一は、美術館とかコレクショナーの手許にしかない、ただ一点の原画（オリジナル）が原型（プロトタイプ）となって派生した「複製」というジャンルのもっている大衆性ということである（カスー流にいえば民主化といってもいい）。もっとも、カレンダーとか広告などに、やたらに「名画」を刷りこむのは一種の事大主義だとおもう。あれは、「複製」というより劣悪な「装飾」というほうがぴったりする。オリジナルは一点主義だが、「複製」は量産主義だという比較は、かならずしも当たらない。なぜなら「ダイジェスト絵画」といったように、「複製」は加工してあるにせよ「原画」から出発している。したがってそれらの間に対立する要素はかんがえられないからである。オリジナルの一点主義に対立するのは、もともと「複数性」ということを前提として出発した芸術創造のジャンルであるはずである。

たとえば、数枚の仕事で中絶しているが、河原温のやってみせた「印刷絵画」の

編2 L・マンフォード『芸術と技術』生田勉訳、岩波書店、一九五四年 Lewis Mumford, *Art and technics*, Columbia University Press, 1952.

意図はそういうところにあった。かれは、オリジナルが一点しかないことを数量の問題としてでなく、創造と鑑賞の機械的分離、絵画を絶対化する思想の問題として把えたのである。「現在、又は、従来の芸術表現は一方交通であった。作家が何かをつくりあげ、一般大衆がそれをうけとると。芸術家が生産したものを、大衆が消費すると。芸術家が表現したものを、鑑賞者が受けとると……」(編3)。

正しい意味でのコミュニケーションではなかったわけである。芸術家か鑑賞者か。この二つのいずれかであった。二者択一であった。鑑賞者が芸術創造にタッチし、芸術家をそだてるという自覚はまったくなかったのである。ただつくられたもの、そこにある芸術作品をみて、作家は何を表現したのだろうか、と考えるだけであった。芸術とは絶対的なものであり、われわれ大衆とはほど遠いもの、手をふれてはいけないものだと考えられた。というようなわけで、かれの試みたのはオフセット印刷による作品であった。印刷という手段だけをみれば、「印刷絵画」と「複製」を区別する要素はみられない。しかし、河原温の場合、加工される以前の原料といったものは存在しない。量産されたものそれ自体がオリジナルなのである。むろん、この方法は「複製」のもつ量産性を応用したものということはできるだろう。かれのいう相互交通が、どのような結果をもたらしたかはつまびらかにしないが、すくなくとも、ここにあるのは一点主義の否定である。

ところで、「複製」というジャンルのもっている大衆性というのは、そのまま「原画」の大衆化ということを意味しない。なぜなら、展覧会におけるオリジナルの展示というのはなくなっているわけではないし、そこまでゆくのは、機会と積極的

編3　河原温「印刷絵画　I・印刷絵画の発想と提案」『美術手帖』第一五五号(一九五九年三月臨時増刊「絵画の技法と絵画のゆくえ」)、八二―九七頁

な関心さえあれば、可能なことであり、それはそれで、先ほどもいったように、ある特殊な芸術体験に属することだからである（もっとも、それを所有するとなると、これは、かなり困難なことになる。そして、蛇足をつけ加えれば、現在、「名作」の所有というのは不動産の所有と同等化しつつあり、かならずしも、芸術的な関心にのみ立脚しているものではない）。

つまり、ここでいう大衆性というのは、われわれの生活のなかに、「ダイジェスト絵画」という——ある場合は、一枚の複製であり、ある場合には、美術書であり、さらに、ある場合には、カラー・スライドといった形式をもっているが——手近な享受の対象が侵入してきたという意味からにほかならない。そして、わたしはこれが、ひろい意味での美術の大衆化という現象をになっているものであることを否定できないとおもう。

「イルミネーション」という新しい「複製」

ところで、せんだって東京で、ライフ社の企画した「ライフ・イルミネーション・百万人の世界名画展」[編4]という催しがひらかれた。東京を手はじめに、大阪など六都市を巡回する予定だという（因みに、この展示の原題は、「五〇点の名画のイルミネーション展」[編5]というものだが、この新型式の「複製」の方法については、本誌の六月号の「質問手帖」[編6]に詳説されているから、そこを参照されたい）。アド・マンめくが、この「イルミネーション展」は、一九五六年にニューヨークのメトロポリタン美術館で公開されて以来、今年にいたるまでに、ピッツバーグのカーネギー・イ

編4　「ライフ・イルミネーション　100万人の世界名画展」高島屋（日本橋）、一九六〇年五月一七日—六月一九日

編5　Illuminations of Fifty Great Paintings, The Metropolitan Museum of Art, 1956. 11. 21.–1957. 1. 6

編6　「〈質問手帖〉イリュミネーション絵画」『藝術新潮』第一一巻六号（一九六〇年六月）、二八〇—二八一頁。

以下、技術的な説明部分を抜粋する。「まず最初に原画をカラー・フィルム（コダックのエクタクローム）8×10インチの原板に撮影し、それを厚手のフィルム生地へ原画大に拡大プリントする。大きな絵は、ネガを幾つかの部分ごとにわけて、それぞれ実物大にプリントしたものをアセテートの透明テープで貼り合わせる。こうしてできたプリント（ポジ・フィルム）はそのままでは何も見えない。これを背後から照明することによってはじめて画面として鑑賞できるわけであるが、この透過光線による照明方法に独特な方法と技術が考慮されている。画面の背後に、明るさを調節するためのビニール製の幕が絵の効果によって、二枚か三枚吊り下げられ、そのうしろに自然光線に近い真天然色白色螢光灯を何本か配置する。更に画面を前方から照明するために、天井には天然昼光色の螢光灯と昼光電球を置き、その光線を弱めるためにグレイの布が電球をかくすように天井全体に張られている。したがって会場は、一切の外光は入らないように配慮されている。」

ンスティチュートなど一九の美術館、あるいはその他の場所で展示されたものだという。各地の新聞は一様に、この展示を報じているが、その見出しをみると、特殊な展示法である「イルミネーション」という一語をもって展覧会をあらわしている。ほとんど、固有名詞化しているような印象をあたえるほどである。スライドの変種にちがいないが、たしかにこれまでになかった方法である。

ジョットからモンドリアンに至る五〇人の画家の作品を一点ずつあつめた、この「複製」巡回展の、もっとも大きな特徴は、「複製」を原画の寸法（ライフ・サイズ）にまで拡大したというところにあるだろう。このことに関連して、アメリカの『ハーパーズ・マガジン』誌が、次のような記事を発表している。

数年前、ヴァン・ゴッホの大展覧会をひらいたとき、美術館にある書籍売場のマネージャーが、次のようなことに気がついた。今、会場でみてきたばっかりのいくつかの作品の複製を眼にした多くのひとびとが、これら〔複製のこと〕がオリジナルで、会場に展示されているその原型は、再生産されたものであるとかんがえた。おどろくべき混乱である。じっさい、多くのひとびとが原画よりも複製をみることで毎日を過しているため、絵画よりも印刷された紙のほうを信用してしまっている。なぜなら、多くの複製は原画よりも鮮明だし（原画の多くは、ニスのためにくろずんで見える）あるひとびとにとって、複製のほうがうつくしくみえるのも、このためである。

われわれは、視覚芸術の二次的な経験の世界のなかで生きている。それはどうみても、現代の奇妙な経験である。むろん、芸術の量産――なんらかの媒体に複写すること、彫刻、描写など――はながい間にわたって存在した。そして、マーシャル・ダヴィッドソンのいったように、芸術の歴史が、写真にとられたものの歴史であるというのは、じゅうぶんかんがえられることである。今や、カラー写真が、高度のほんとうらしさをつけ加え、複製技術が正確になったので、印刷された紙による芸術の世界は、ひとびとにとって「カキ」の役割を果すものになってしまった。マガイモノの真珠にとりまかれていると、ホンモノの真珠を見分けることが困難になってしまう。

絵画の複製のもっている最も大きな誤解の種は、大きさという重要性のことである。どれくらいの大きさか？　印刷された複製は教育的だが、大きさにたいしては無力である。(編7)

そこで、ライフ社の「イルミネーション展」のもつ意義は、という次第になるわけだが、わたしが、このゴッホ展のくだりで、まさかという気がするほかはとりわけ奇抜なことをかいてあるわけでもない文章を長々と引用したのは、「イルミネーション」という新しい独特な型式による「複製」が、まさに「ダイジェスト絵画」の一種であるにもかかわらず、どうやら「不完全絵画」をより正確化しようとする意図のものらしいことを示したいとかんがえたからである。ライフ社のアンドリュー・ハイスケルが紹介の辞で引用しているメトロポリタン美術館のロリマー氏の弁――この「複製」のあたえる体験が、原画を前にしたときの体験に、これまで

編7　"After hours: large as life," *Harper's Magazine*, vol. 214, no. 1281 (February 1957), pp. 82-84.

になく接近しているというのも、このことを裏付けている。

わたしは、「イルミネーション」という「複製」の方法のもつ新しさをいささか驚きをもって認めるものだが、しかし、それが「複製」の概念を破り、先ほどの引用文にある、ひとびとの眼をおおっているカキを打ち破って「複製」過信説を崩壊させたからだというわけではない。これまでの「複製」とまったく異なった体験をあたえる「ダイジェスト絵画」の発明という理由からである。もし、そうでなく、これが、原画にもっとも近い雰囲気をあたえるものだというなら、わたしはその意図に疑いをもたないわけにはいかない。「イルミネーション」という方法にみられるもうひとつの特徴は、これまでの他の手段の「複製」とちがって、家庭内にまで侵入してくるアット・ホームなものではない。展覧会と同様、それは、「聖なる場所」を巡回することに、しかも、容易に巡回し得るということに、その特別な性質をもっている。したがってこういう点からも、われわれが、それに接する状況というのは、かなり、原画の展示と類似しているわけである。にもかかわらずあなたは「イルミネーション展」をみたのであって、それ以外ではない。

ただ可能性としてみれば、これは、これまでの「複製」とちがった意味で、美術の大衆化の可能性を含んでいる。たとえば、各地に常設の展示会場を設けるというようなことを考えれば、あたらしい「ダイジェスト絵画」のありかたを想像しうるからである。

展覧会場となったデパート店頭に展示されたイルミネーション絵画、エル・グレコ《オルガス伯の埋葬》

新形式の「美術」ショー

誰かが、これをレコードの「ハイ・ファイ」再生装置になぞらえた。音楽の再生装置は「ハイ・ファイ」から「ステレオ」というぐあいに、これまで、できうる限り、実際の音楽の享受の状態にちかづけようとしている。しかし、音楽が、音のエネルギーという無形のものによって成りたっているのにたいし、絵画は、素材という物質を無視することは不可能である。むろん、種々の技術が高度化するにおよんで、ほんものと極めて類似した「複製」が生まれないとは限らない。しかし、そのばあいでも、「原画」と「複製」という従属関係が成立する限り、「複製」は「ダイジェスト」という本質を捨て去ってしまうわけにはゆかない。つまり、そこにみられるのは、「ダイジェスト」の多様性ということである。こういうみかたに立てば、「複製」の利点は、教育という点にある、しかし、それは芸術の問題ではない、もし、芸術を問題にするなら、量産ということは介入することはできない、といい切ってしまうのは、かなり独断的だといわなければならない。

つまり、「複製」には、それが「原画」を前にしたときの感動、あるいは反発とは、別種の感動と反発があることを認めたいとおもう。「原画」にたいしてもつ相対的な自律性があるからこそ、「複製」——その教育的価値をも含めて——のもつ意義があるのである。もしも、それが、規格生産による量産という点で、なんら享受の対象にならないと断言するならば、同様、量産されるデザインについて議論することも馬鹿げたことになってしまうほかない。むろんデザインと「複製」のちがいはいうまでもないが、機能美とか形態美といった問題は、量産を自明の理としたうえ

ティントレット《スザンナの水浴》

での議論であることは、いうまでもないことなのである。

マンフォードは、チェスタートンの「ブラウン神父物語」を引用して、そのなかに登場する犯人が郵便配達人であったため、ひとびとの気づくことが困難であったという有名なエピソードを引用して、あまりにも頻繁に眼につくものは、無関心、無感動になってしまうものだという例証にしている。多くの「複製」をあまり、頻繁に見ていると、ついにはその存在に気づかなくなってしまい、忘却してしまうというのである。しかし、わたしはおもうのだが、「ダイジェスト絵画」のもつ大衆性は、そういう性質を本来もっていることを一応容認していいとおもうのである。「複製」にかぎらない、あらゆる大衆的な芸術は、多かれすくなかれ、こうした形式を内包しているといえないであろうか。とくに、映画とかテレビでは、それが集中的にあらわれている。「複製」をめぐる問題は、逆に、それを「原画」の代用品とみなしてしまうところのほうにある。もし、そうだとすれば、それはあの「小説のダイジェスト」とかわらない（小説は、もともと、原物とか原型という概念が成立しないものであり、加工するというのは、無益な別のものをつくりだすことにほかならないのである）。あってもいいというより、ないほうがいいものだ。

美術とマス・コミュニケーションとの結びつきは、写真集などとともに「ダイジェスト絵画」というひとつのジャンルをつくりだした。これは、一時的な現象ではない。そしてそれは「原画」の単なる媒体ということを超えている。ライフ社の「イルミネーション」のもたらした問題は、どうやら「ダイジェスト絵画」の自律性にひけ目を感じ、きわめて「原画」に類似した「複製」という点で、例の二頭の馬

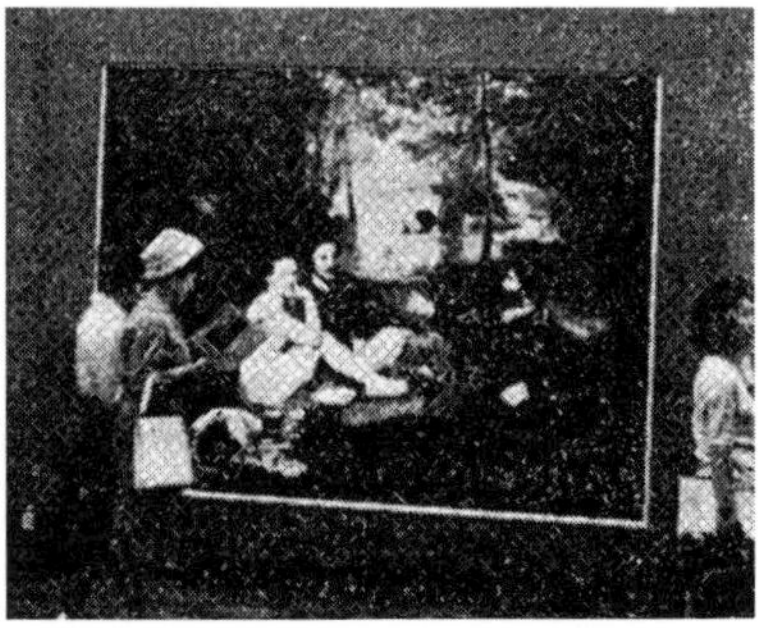

エドゥアール・マネ《草上の昼食》

の比喩を成立させるということにある。「複製」の一種ということでみれば、そのもつ可能性はきわめて深いものがあるが、これが「原画」そのものを錯覚させるものであれば、逆に、その意義は歪曲されるといっていいだろう。むしろ、わたしはおもうのだが、東京で一四万人の観客を動員したというこの展覧会は、新形式のショーという要素もあったのだろうと。むろん、わたしは、ショーを否定するつもりはない。なまじっか、絵画の「複製」をつかったショーが、芸術の尊厳といわれているものにこびるほうがどうかしているのである。なぜなら、それは「原画」とは別のものだからだ。むしろあくまで「原画」との比較より、ショーということを特筆大書したほうが正当のような気がする。

わたしは、マス・コミと絵画の結合のうみおとしたものを、常に「原画」の名において批判するのは、過度のピュリタニズムだとおもう。結合によって失うものもあるだろう。しかし、われわれがなにものかを享受する方法は、ただひとつしかないとは限らない。ただかわらないのは、われわれの抱く創造力とさまざまな形式にたよって、どれだけ自由を獲得してゆくかということだけである。

批評性の問題

しかし、このショーには決定的に欠如しているものがある。わたしはこれまで「複製」の自律性と大衆性ということを述べてきたわけだが、それは単に大勢として無視できない「存在」であるから止むを得ないといった消極的な理由からではない。この「ダイジェスト絵画」と小説のダイジェスト化を画然と区別するのは、後者が無批判精神のあらわれ以外のなにものでもないのにたいし、前者は、ひとつの批評的な行為となりうるという点である。たとえば、アンドレ・マルローは、芸術史とは写真にとることのできるものの歴史だという意味の持論を抱いて、「空想美術館」をつくりあげた。わたしはマルローの美術観そのものに異論があるが、しかし、かれが「複製」を採りあげることによって批評的行為をつらぬこうとしたことは評価しなければならないことだとおもう。

「イルミネーション展」に欠けているのは、この批評性ということなのである。『アート・ニューズ』誌でこの展覧会についてかかれた記事[編8]も、その教育的価値たるや測り知れないものがある云々といった文句で結ばれていたが、裏を返せば、それはよせ集められた「名画」という権威のうえに寝そべった無批判な意図のあらわれでしかないことを物語っているようなものだろう。これまでになかった「複製」の方法の発明ということが、名画の伝達という機能主義を越えていないのである。

たとえば、わたしはここでジョルジュ・アンリ・クルーゾーの映画《ピカソ――天才の秘密》をおもいだす。芸術映画もまた「複製絵画」のひとつの方法といっていいものである。ピカソの描く過程を忠実に映しだしたものだったが、クルーゾーのそこでとった態度は、やはり、機能主義的「複製」という以外のものではなかった。これと、アラン・レネの《ヴァン・ゴッホ》とくらべれば、そのちがいは明瞭であろう。レネはゴッホの生涯を描くことによって、ゴッホの機械的な紹介でなく、かれ自身の批評をつらぬいたからである。しかし、多くの美術映画は一種の観光映画の域を脱していない。つまり、原画の不完全な代用品をもって任じてしかいないと

編8　A. F. [Alfred Frankfurter], "Editorial," *ARTnews*, vol. 55, no. 8 (December, 1956), p. 21.

いうのが現状である。

動く写真から出発した映画が、現在のおおきなジャンルにまで発展したのは、映画を通じての批評ということが、その根底にあった。絵画のマス・メディアでしかなかった「複製」も、次第にひとつの批評性をおびようとしている。「イルミネーション展」にしても、その権威主義というかたちで、あなどるべからざる力を周囲に放射しているのである。もしかすると、あなたは、それは「複製の過大評価だよ」というかもしれない。もしも、それが「複製」なんて絶対に認めないし、みないという御人の口からでたならば、止むを得ない。しかし、美術書、カラー・スライド、美術映画などにいくぶんでも接しているならば、わたしは、それらのおよぼす影響を過大評価したほうがいいとおもうのだ。つまり、「複製」にたいする無意識的な接触こそが、「不完全絵画」という状態に安住させるのである。わたしは、「複製」のもつ大衆性ということをいったが、それが俗流化したものかどうかというのは、それを採りあげる意図の方法のなかに批評という観点が介在しているかどうかということにかかっているのである。

「複製」は作家の生ま生ましい痕跡は失せるかもしれないが、それにかわってその集積は観念的なものが前面に押しだされる。むろん、例の「装飾」的使用は論外である。「イルミネーション展」は、どうやら、それを誤解したぐあいである。

つまり、「複製」は「観念の美術館」を大衆のなかに形成するものでなければならない。もしも、ダイジェスト出版業者同様、観客を慢性消化不良にかかっているとみなすのならば、それが「原画」にちかかろうと、教育的であろうと、「複製」は、

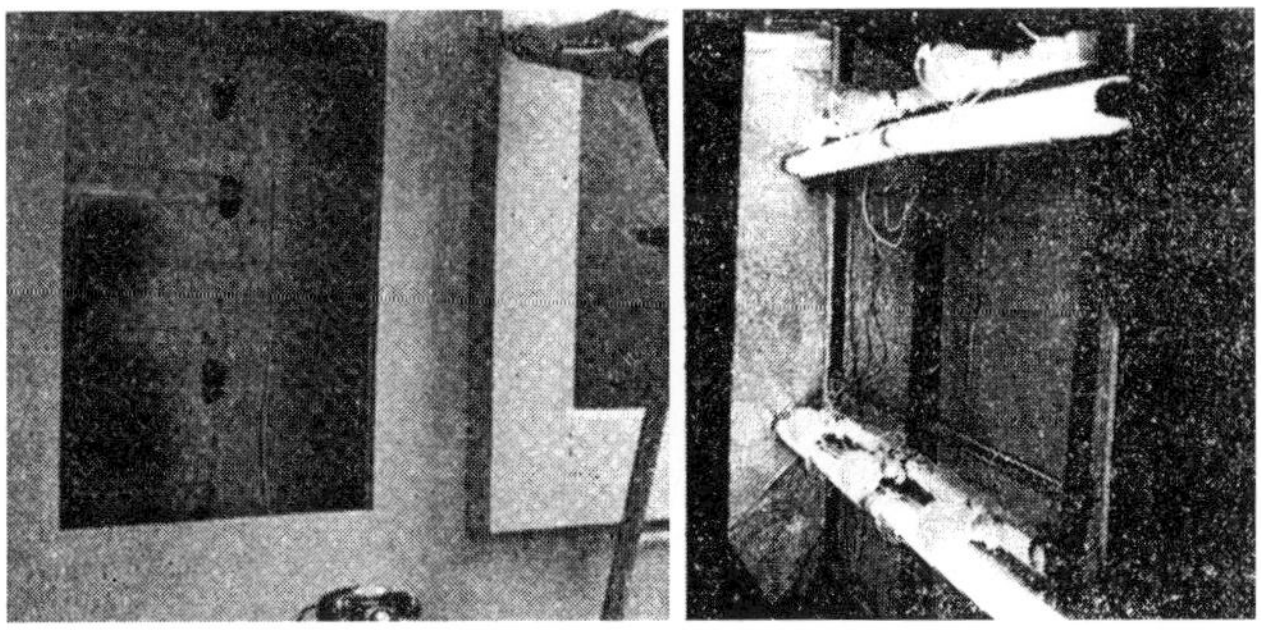

「イルミネーション絵画」の照明は、画面の裏からと天井からビニールをへだててあてられる。

俗流大衆化のあらわれ以外のなにものでもない。わたしは、「イルミネーション展」にも、消化促進剤が投入されていたようにおもうが、さて、あなたはいかがでしたか。

ハプニング

体験としての芸術

通りを歩いていると、給水栓のところで小犬が小便をしている。それを目撃したひとが、ユーモアをこめてこういう。「おお、これはハプニングだ」。

いくぶん笑い話めくが、こうした例を引きながら、アラン・カプローは「ハプニング」ということばが、「単に偶然起こったにすぎない自然発生的ななにものかを意味することば」として、即席的に用いられていることを嘆いている。「ハプニングという名称は不運だ。それは、そもそもはある芸術形式を意味するものではなかった。それは、一九五八年から五九年にかけて私の考えだしたあるアイディアのタイトルの部分にすぎない、中性的なことばでしかなかった。それは、私のそのアイディアが、「演劇」、「行為」、「ゲーム」、「全体芸術」、あるいは既知のスポーツとか芝居との連関性を呼び起こすなにものかとして名づけられることを避けたいために、選ばれたことばだった[1]」。ここで、カプローが「一九五八年から五九年にかけて私の考えだしたあるアイディア」というのは、《六つの部分からなる一八のハプニング》というタイトルのそれである。それが今や、意味のはっきりしないままに、日常用語にまで用いられるようになったことを、カプローはいささか困惑げに書いているのである。

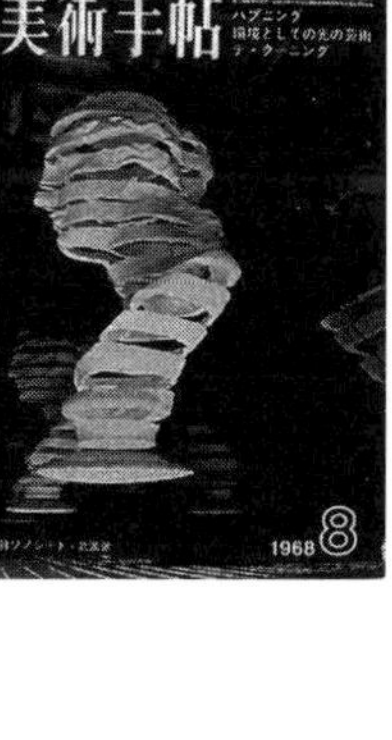

初出『美術手帖』第三〇一号（一九六八年八月）、七九―八九頁。のちに『見ることの神話』（フィルムアート社、一九七二年）に再録された。

1 Allan Kaprow, "A Statement," *Happenings: an illustrated anthology*, Michael Kirby ed., E. P. Dutton, 1965, p. 47.

しかし、ことばというものは、曖昧さを含むことによって一般化する。厳密に定義され、その意味するものが、あまりにもはっきりしていると、ことばはなかなか日常化しない。冒頭に引用した例のように、なんとなく「ハプニング」ということばが用いられるに至ったのは、「ハプニング」ということばが曖昧さを含んでいるからである。今世紀になって、美術の世界で生まれ、日常用語にまで一般化したことばとして、私はふたつをあげることができるように思う。ひとつは「オブジェ」であり、もうひとつが「ハプニング」だ。これらに比べれば、「コラージュ」とか「アクション・ペインティング」などは、まだ専門用語でありすぎるところがある。しかし、「オブジェ」も「ハプニング」も、曖昧なままに、というより曖昧さを含むことによって一般化したといっていい。先日も、テレビで「ハプニング・ショー」という番組が始まり、その第一回目が新宿の街頭から中継された際、殺到した群集のために予期しない結果となったのをさして、これこそハプニングだというような評言が生まれた。どうしてそれがハプニングだ、と詮索してみても始まらない。まさに、なんとなくそれはハプニングなのである。

語源的に見れば、「ハプニング」という呼称は、今も書いたように、アラン・カプローがスクリプトを書き、それを具体化した《六つの部分からなる一八のハプニング》に始まる。タイトルの一部でしかなかった「ハプニング」ということばが膨れあがって、その具体化された産物そのものをさすことばとなり、さらに一般化して、演劇でもスポーツでもないある種の芸術形式（あるいは反芸術形式）をさすに至った。そして、その拡張は犬の小便にまで及ぶようになったのである。カプローがそれを嘆くのは、要するにかれ自身の考えるハプニングが、日常用語化してしまったそれとは異なるということだろう。

しかし、多くの「ハプナー」にとって、「ハプニング」の意味するものは、同じではない。ことばの詮索よりも、曖昧さを含みながら「ハプニング」と呼ばれる現象が生まれたこと、しかも、それが美術の世界から生まれたことに注目すべきだろう。演劇でもスポーツでもなく、それは美術から発生したのである。

カプローの《六つの部分からなる一八のハプニング》は、一九五九年の秋におこなわれた。マイケル・カービーによると、[2] それはこういうものだった。五九年の秋、「ルーベン＝カプロー連名」で、ニューヨークのメトロポリタン地区のひとびとに一通の手紙が送られた。「一八のハプニングがおこなわれます」で始まるその手紙には、場所と時刻が書かれてあり、「アラン・カプローがそれらの計画《イヴェント》を実現するのに協力していただくべく招待します」とあって、「七五人の参加者のうちのひとりとして、あなたはハプニングの一部分となるでしょう。同時に、あなたはそれを体験するでしょう」と書かれてあった。ルーベン画廊で実現したこの催しは、画廊のなかに、木枠で組まれ、半透明なビニールをはられた壁によって三つの小さな部屋をつくり、それぞれの室には二〇以上の椅子が置かれ、異なった色の照明があてられた。たとえば、第一の部屋は、三〇から三五の椅子が他の部屋を向いてすわるように置かれ、赤と白と二色に変わる電球によって照らされた。この三つの部屋で指定された行為がおこなわれ、それにはカプローを含む六人が参加した。ビニールの壁のところどころには、作品がつるされ、それにはサム・フランシス、アルフ

2 "18 happenings in 6 parts / the production," *Happenings: an illustrated anthlogy*, Michael Kirby ed., E. P. Dutton, 1965, pp. 67-83.

アラン・カプロー《六つの部分からなる一八のハプニング》一九五九年
第一の部屋から第二の部屋を見る。

レッド・レスリー、ジョージ・シーガルなどが協力している。部屋のなかでおこなわれる行為は、リハーサルがやられ、カプローのスクリプトを忠実に守るものだった。「一八のハプニング」という呼称は、部屋のなかでおこなわれる個々の行為をさしたのである。

　カプローが、こうした催しを計画するに至ったそもそもの発端は、ポロックのアクション・ペインティングへのかれの関心に根ざしている。「ポロックへの関心から、やがて、私はアクション・コラージュの技法を展開するに至った。これらアクション・コラージュは、私の構成とは異なって、錫箔、わら、カンヴァス、写真、新聞など多種多様の物体をできるだけ速くつかんでなされたのである」。このアクション・コラージュに点滅する電光が加わり、さらにその空間は壁から部屋全体にしだいにひろがってゆく。こうして、《六つの部分からなる一八のハプニング》に至ったのである。カプローのこうした変遷は、アクション・ペインティングによってクロース＝アップされた描くという行為自体が膨れ上がってゆき、それが人間とさまざまな物質の相互作用に焦点をすえたハプニングという形式にまで達したことを示している。つまり、ハプニングの出発は、アクション・ペインティングだというわけである。

　カプローのほか、レッド・グルームス、ジム・ダイン、ジョージ・シーガル、クレス・オルデンバーグ、ロバート・ホイットマン、アル・ハンセンらの美術家が、ニュアンスのちがいはあれ、似たようなことをやりだしたのは、いずれも、アクション・ペインティングによる画家の行為を拡大し、カンヴァスをとびだしてし

アラン・カプロー《六つの部分からなる一八のハプニング》一九五九年
会場でのリハーサル風景。右から二人目がアラン・カプロー。

まった所産といえる。なかには、ロバート・ホイットマンのように、「劇場に関してもっとも私に興味あることは、それが時間を必要とするということだ。私にとって時間は物質的ななにものかである。私は、時間をそういうものとして用いたい。それは、絵具とか石膏、あるいは、他の素材と同じように用いることができるのだ」という意見もある。つまり、ホイットマンにとって、ハプニングは、行為と物体との相互作用というかたちをとった時間そのものの体験ということになる。しかし、この時間の体験という考えも、アクション・ペインティングにおける、描くという行為の自覚を通して体験される時間ということをぬいては生まれなかっただろう。

カプローは、大著『アセンブリッジ、エンヴァイラメント、ハプニング』(編1)（一九六六年）を刊行したが、アセンブリッジ、エンヴァイラメント、ハプニングという配列も、カプローのアクション・コラージュにはじまり、部屋全体への拡張、さらにそれに人間の行為が直接加わったハプニングという、かれ自身の思想の発展に対応している。しかし、このようなハプニングという考えは、たとえ観衆の参加ということを想定していても、あくまで芸術家が中心であり、芸術家の肉体と行為が中心となっていることに注目する必要がある。観客の参加は、あくまで見る客としてであって、そこから、ハプニングを演劇の一種と見る見方の生まれる余地がある。たとえば、「演劇は、それ自体を生活と一体化すべきだ。役割が重要である個人的な生活ではなく、人間の個性を一掃してしまう自由な生活と一体化すべきなのである」というアントナン・アルトーの「残酷演劇」とハプニングを結びつけるといった見方はその一例だ。こういう見解にたつ論者として、女流評論家であり、小説家

編1　Allan Kaprow, *Assemblage, environments & happenings*, Harry N. Abrams, 1966.

クレス・オルデンバーグ《The City》一九六〇年

であるスーザン・ソンタグがいる。(編2)

アルトーとの連関性は別としても、観客というものが想定されるかぎり、ハプニングに演劇を見出だすという見方は、まったく誤っているとはいいきれない。物質との相互作用、偶然性を含んだ時間の自覚、こういった体験は、まずなによりも「ハプナー」のものであって、見る客のものではない。ハプニングの参加者には、あくまで直接体験者と間接体験者という区分が存在し、それは演ずるものと見るものという演劇の構造と共通しているのである。ただ、違いは、演劇のようにつじつまのあったストーリーがなく、日常的行為と演劇用の行為との差別を可能なかぎりとりはらうということだけともいえるのである。そのうえ、ハプニングはまったくでたらめにおこなわれるわけではない。それはスクリプトをもち、ときにはリハーサルがやられ、つまりは仕上げられるのだ。たとえそこに偶然性が大きな要素として介在するとしても、それは完全であるように仕上げられるのである。

もし、アセンブリッジ、エンヴァイラメント、ハプニングと並べるなら、私はむしろ、順序を入れかえて、アセンブリッジ、ハプニング、エンヴァイラメントとすべきだと思う。というのは、最近のハプニングは「ハプナー」中心というより、ハプナーと観客をより同じ次元に置こうとする傾向が見られるからである。たとえば一九六八年四月、草月会館でおこなわれた「なにかいってくれ、いま、さがすというシンポジウムの際おこなわれたジェフリー・ヘンドリックスの《青空》というハプニングは、ストロボの点滅するなかで、真っ白に塗られた箱を、ステージから客席へ、客席からステージへと投げかえすことによって、ハプナーと観客との間の壁

アラン・カプロー《Orange》一九六四年

編2　Susan Sontag, "Happenings: an art of radical juxtaposition (1962)," *Against interpretation, and other essays*, Farrar, Strauss & Giroux, 1966.
S・ソンタグ「パプニング——ラディカルな併置の芸術」『反解釈』高橋康也［ほか］訳、竹内書店、一九七一年

編3　「なにかいってくれ　いま　さがす」草月会館ホール、一九六八年四月一〇日、一五日、二〇日、二五日、三〇日（全五回、主催＝草月アートセンター、デザイン批評）。本文にあるジェフリー・ヘンドリックスのハプニング《スカイ・ボックス》は、第一回（四月一〇日）に行われた。

を破るものだった。この箱のキャッチボールの瞬間、ハプナーも観客も同質の体験者、同質の行為者となったのである。

エンヴァイラメント――環境ということばは、ハプニングのあとにひろく用いられるようになったが、それは「見るものをとり囲んで、光、音、色彩を包含したあらゆる素材からなる空間全体」(カプロー)というより、人間との相互作用を意識化した空間全体というべきだろう。光、音、色彩、その他は、見る対象というより、この相互作用を強めるためのものなのだ。一九六六年の四月、ニューヨークのユダヤ博物館でひらかれた「プライマリー・ストラクチャーズ」展(編4)で、企画者のマクシャインはカタログに次のように書いた。そこに展示された「作品の大がかりなスケールと、建築的なひろがりは、彫刻が環境を支配することを可能にした。ときとして、彫刻は観衆の空間に攻撃的に闖入し、あるときは、観衆が彫刻の空間にひっぱりこまれる。彫刻はいりくんだ意味をもちながら、観衆を空間的に惑乱させ、不確定に働きかけるのが常である(編5)」。

マクシャインのいっているのは、プライマリー・ストラクチャーが視覚的対象でなく、そこに立ち会うものを「空間的に惑乱させる」環境だというのである。ことばをかえれば、その空間に入るということは、ハプニングをおこなうことなのだ。「惑乱」は各人各様のものであり、反応も一様なものではあるまい。それゆえにこそ、その空間でひとびとは主観と客体の混在した状態にみずからを置くことになる。と同時に、そこではハプナーと観客の区別は存在しないのである。単に、視覚的な環境というだけなら、根本的には絵画と変わるところはない。あらためてエンヴァイ

編4 Primary Structures: Younger American and British Sculptors, Jewish Museum, New York, 1966. 4. 27.-6. 12.

編5 Kynaston McShine, Introduction, *Primary structures*, Jewish Museum, New York, 1966, pp. 4-7.

ラメントというのは、人間と空間の相互作用の場としてのそれをさし示すためである。ヘンドリックスの《青空》には、あきらかにエンヴァイラメントという意識がある。あるいはまた、ホイットマンが、レーザービームだけをセットした暗闇の空間——《暗闇》という展覧会(編6)(?)をひらいたのも、環境をつくりだして、そのなかへ入ること自体がハプニングであるとする考えに基づいている。

あるいはまた、六七年の八月、ロンドンの現代芸術研究所から空港まで、さらに飛行機に乗って、オランダのスキポール空港に着いたのち、そこからアムステルダムの中心まで、えんえんと白い線をひきつづけたティエベ・フォン・テイエンの《シグマ計画》というハプニングなども、そうであろう。このハプニングでは観客はありえない。むろん、線をひきつづけたテイエンを目撃するものは少なくはなかっただろう。しかし、その道路を歩くものは、すべてこのハプニングの参加者なのだ。しかも、多くのひとが線をひくことを助けたという。こういう参加者も特定のだれかれというわけではない。この《シグマ計画》は、いささかも演劇的ではないのである。

オルデンバーグもまた、カプローらとともにハプニングをやりだした、いわばハプナーとしての古手だが、そのかれが最近つづけている《計画されたモニュメント》は、いわば空想のエンヴァイラメントである。ニューヨーク、ロンドン、ストックホルムなど、大都市のあちこちに、じゃがいもだとか皮をむいたバナナだとか、あるいは鋏だとかおもちゃの熊といった日常品を巨大にしたモニュメントをたてることを夢みている。この空想のモニュメントを実現させるのは、各人の空想のなかに

編6 Robert Whitman: Dark, Pace Gallery, 1967. 10. 17.-11. 7.

おいてであって(断わっておくけれども、これは絵画ではない)、いってみればそれを空想のなかで現実化するのがハプニングなのである。これをもハプニングというのは、あまりにも意味の拡大だともいえよう。しかし、これはエンヴァイラメントという意識をとりいれたハプニングといってもいいものだ。というのは、オルデンバーグの《計画されたモニュメント》は、見るひとのなかではじめて完全なものとなるからである。参加することが不可欠なのであり、われわれはそのモニュメントを体験するからである。

いささか極端と見えるオルデンバーグのモニュメントの例をもちだしたのは、ひとつにはハプニングの変質を象徴させる意味もあった。ハプニングの発生は、あきらかに人間の肉体と行為に焦点を置いている。人間をオブジェのようにみなし、いわば物質と対等になった肉体と行為ということに主眼が置かれているにせよ、そこに一種の肉体信仰というべきものが見られることは否定できない。それにたいし、オルデンバーグの空想のモニュメントは、観念のハプニングである。いいかえれば、そこには素朴な意味での肉体信仰の瓦解が見られるのである。あるいは、こういってもいい。カプローふうのハプニングは、さまざまな物体と人間のアクションが、空間という場のなかでくりひろげる動くアセンブリッジであった。そういう素材としての人間のアクションから、人間と物質とのあたらしい関係を見出だそうということである。

はじめにも書いたように、カプローが「ハプニング」ということばを選んだのは、かれのやろうとすることが「演劇」「行為」「ゲーム」「全体芸術」あるいは、スポー

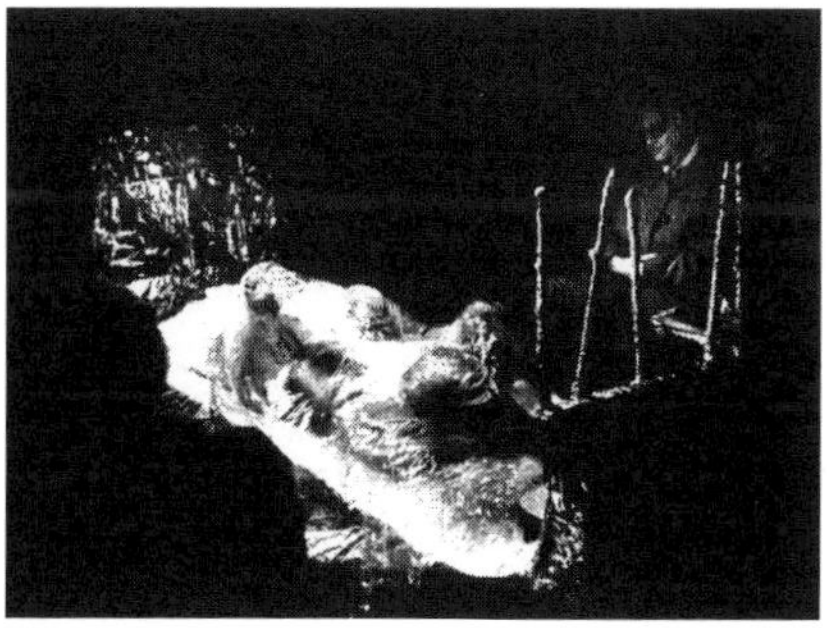

ジム・ダイン《The Shining Bed》一九六〇年

ツに類したものとして見られることを避けるためであった。興味深いのは、最近、カプローの避けた「行為」「ゲーム」「全体芸術」といった面が著しくなってきていることである。そこでは人間は素材としての人間でなく、行為の主体者としてとらえられようとしている。たとえば、一九六六年、ニューヨークでおこなわれた「芸術と技術における実験」(E.A.T.)というグループの九日にわたる試み(編7)は、人間と機械をアセンブリッジするのでなく、マン=マシン=システムとしてとらえ、そのなかで人間の優位を見出だそうとしている。むろん、それは単純なことがらではない。マン=マシン=システムとは、現代のテクノロジー社会における人間の生き方という問題とつながっているからである。

人間は単に行為する肉体として眺められるのでなく、同時に思考する人間として、いわばトータルな存在としてとらえられようとしている。とりわけテクノロジーといった問題に直面した場合、人間のアクションという面だけをクローズ=アップしてもはじまらない。初期のハプニングが抽象表現主義に示された画家のアクションと、ジャンク・アートで大写しになった日常的な物体の卑俗性をミックスしたものに対応していたとすれば、この変貌しつつあるハプニングに対応するものは、現実を巨大な謎としてとらえ、それとゲームをしているわれわれの生活ということだろう。それはより知的なものだ。それはまた、美術家のなまの肉体を主人公にするのでなく、観客というこのとらえどころのないものを主役にしようという傾向と対応している。見せるものというよりは、みずから体験し、同時に考えるという方向を目ざしている。

編7 9 Evenings: Theatre and Engineering, 69th Regiment Armory, New York, 1966. 10. 13.-23.

こういう変貌は、必ずしもハプニングに内在するものが発展してもたらされたというわけではない。そこには、作品と観客の直接的な関係を回復するというもうひとつの要素がある。「われわれは現在みられるあらゆる芸術ということばを、われわれのヴォキャブラリーから取り除いてしまいたいと思う。芸術現象は、あくまで視覚上の経験であり、それは肉体的であって感情的ではない知覚領域でのできごとなのだと考える。われわれの経験は、なお、絵画、彫刻、レリーフといった伝統的な外観を持つことができるけれども、しかし、造形のリアリティは、作品あるいは感情のなかにあるのではなく、つくられたものと人間の目の間に存在する不断の関係のなかにあるのだ」。これは、パリで結成された「視覚芸術探求グループ」の結成マニフェスト(編8)の冒頭の文句だが、視覚芸術にこだわっているとはいえ、このグループは「つくられたものと人間の目の間に存在する不断の関係」に注目することから出発した。そして、このグループは作品をパリの街頭に持ちだし、その上を歩いたりさわったりする方法を通じて、作品との直接的な関係をつくりだそうと試みた。「視覚芸術探求グループ」の街頭のハプニングといわれるものである。いうまでもなく、ここでの主人公は街を歩く一般のひとびとである。

「芸術と技術における実験」グループにも、こういう傾向が含まれている。人間と物質を同次元に置くのではなく、コミュニケーションという問題がそこにあたらしくつけ加わっているのである。テクノロジーの問題と取り組んでいるジョン・ケージの場合も同じである。ハプニングの立て役者はアクションだったが、そこにコミュニケーションというもうひとつの大問題が加わることによって、人間と物質

編8　一九六一年にストックホルム近代美術館で開催された「芸術における動き(Rörelse i konsten)」展に同グループが参加した際のマニフェスト。

アラン・カプロー《A Service for the Dead II》一九六二年

の関係はあたらしく組み直されなければならなくなったといってもいい。こういう視点から見ると、初期のハプニングはストレートであって、いわば古典的な絵画に相当するものだったとさえいえる。むろん、絵画が今もなお存在するように、この古典的ハプニングも存在するだろう。現に、ロンドンやプラハなどでおこなわれているそれは、古典的なそれである。パリのジャン＝ジャック・ルベルがリーダーとなっておこなった数々のハプニングもまたそうだった。逆にいえば、ハプニングが生まれることによって、われわれはエンヴァイラメントという思考に達したといえる。プライマリー・ストラクチャーにしても、光の芸術にしても、その他、観客の存在をまるごと意識した動向は、ハプニングによってクロース＝アップされたアクションが土台のひとつになっているだろう。それはつまり、人間を目だけの動物——視覚人間として決定してしまうのでなく、よりトータルなものとしてとらえようとするからである。エンヴァイラメントは、そういうトータルな人間に対応するものだ。あるいは対応させようとするものである。

はじめにふれたテレビの「ハプニング・ショー」をたまたま見た私は、こう思ったものだ。もし、私が現場にいたなら、私はなにも見えなかったにちがいない。テレビによって、よりひろくそれを見ることができたのだ。奇妙な矛盾である。こういう屈折したコミュニケーションの問題を素通りして、現代のコミュニケーションはありえない。ハプニングは、いわば現場主義に徹することからはじまった。われわれは、観客から立会人に移り変わった。しかし、立ち会うということはどういうことなのか。参加するとはどういうことなのか。ハプニングは、ここから変貌せざ

ジャン・ティンゲリー《Hommage à New York: A Self-Constructing, Self-Destroying Work of Art》一九六〇年

るをえない。見ることと、なにごとかをおこなうことが時として、おどろくほど分離しているということ、そういう問題がわれわれを圧迫する。マス・コミ社会は、コミュニケーションがあふれるほどあるのでなく、インフォメーションが大海をつくっているということだ。それに気づいたとき、アセンブリッジとしてのハプニングは一サイクルが終わったのである。

大衆を包みこむ芸術

万国博(編1)会場には、新しい芸術の粋が集められていて、観衆もとまどうことが多いのではあるまいか。そこでまずは予備知識として、新しい芸術についてのガイドを書けということである。

とはいっても、正直なところ、実際にどんなものが飛びだすのやら、私もすべてを知りつくしているわけではない。しかし、そこにみられる芸術の性格については、ひとつのはっきりした性格がある。結論めいたことを先に書いてしまえば、万国博会場はもはや絵画や彫刻の巨大な展覧会場でもなければ、音楽の巨大な演奏会場でもない。したがって、そこに登場する芸術も、これまでの絵画とか彫刻とおのずから性格を異にしているということだ。そこで、問題はどこが違っているのかということにある。

不特定多数の観衆が相手

現在の芸術には、大ざっぱにいって、二通りのかんがえ方があらわれている。ひとつは、個人制作であれ集団制作であれ、作品というものはあくまで観衆のひとりひとりに向けて語りかけるものだとするものと、もうひとつは、個人にではなく、

初出『週刊サンケイ』第九九三号（臨時増刊『EXPO '70の記録』、一九七〇年四月五日）、一〇六―一一一頁

編1 「日本万国博覧会［大阪万博］」大阪府吹田市千里丘陵、一九七〇年三月一五日―九月一三日

不特定多数の観衆、マッスとしての大衆を相手にしようとするものだ。

前者を、観衆について「個人主義」の立場に立つというなら、後者は観衆について「集団主義」の立場に立っているといってもいい。

絵画や彫刻は、この「個人主義」に立脚している。たとえ、展覧会場に多数の観衆が押しかけようと、作品はあくまで個人に向けられている。だから、われわれは絵の前に立つとか、彫刻の前に立つという。そのとき、作品と個人の間に親密なコミュニケーションが成立するとみなしているのである。

個人主義と集団主義

ところが「集団主義」のほうは、こういうコミュニケーションをかんがえない。相手は、とらえどころのない流動体のような観衆であって、そのひとりひとりについては考慮しないのだ。たとえば、デパートやレストランなどで流されている、バック・グラウンド・ミュージックがいい例である。それにひとり聞き耳をたててもかまわないが、全然注意をはらわなくったって一向にかまわない。大声で話していようとかめられる筋合いのものでもない。演奏会場ではこうはいかない。聴衆はせきをするのもはばかり、ひっそりと息をひそめて聞いている。演奏会場では、音楽は「個人主義」の立場に立っているし、このバック・グラウンド・ミュージックは、音楽についての「集団主義」のあらわれである。

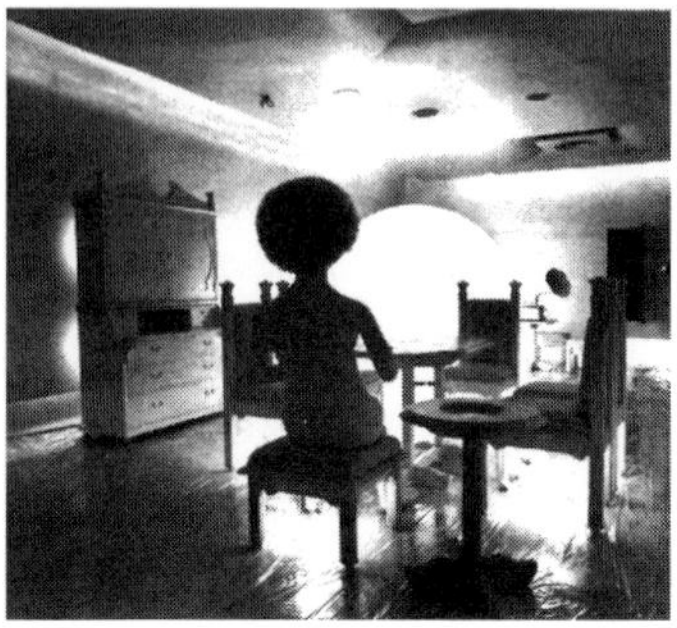

せんい館の「ホワイト・ワールド」と呼ばれる展示室。もしも繊維に色がついていなかったら、という状況を設定して白一色。異常な世界を感じる。

観衆に働きかける「環境芸術」

万博にみられる芸術には、むろん、「個人主義」に根ざしたものもあろう。しかし、その多くは、「集団主義」に立っている。それは、バック・グラウンド・アートめいたものである。

芸術用語では、それを、「環境芸術」といっている。それは、流動体のような観衆の動く空間環境そのものに、さまざま装置を使って、特別な効果をつくりだそうとするのである。

こんどの万国博のひとつの特徴は、さまざまな映像の花ざかりといわれている。モントリオールの万博でも、新しい映像が話題になった。たとえば、スクリーンをたくさん使ったマルチ・スクリーン（多面スクリーン）とか、多くの投影を同時にやるマルチ・プロジェクション（多重投影）によってである。

それがさらに発展して、パビリオンの内部全体に映像を投影するという方法がうまれる。三和みどり館の「アストロラマ」という名称が象徴的であるように観衆は映像を見るというより、映像に包まれるといった感じになる。

第二次大戦後、イタリアのルーチョ・フォンタナという作家は、ネオンか蛍光灯を用いて、観客が部屋のなかを動くと、光のデリケートな変化が感じられ、空間全体を感じとることのできるようなものにした。

というと、ひどくむずかしいことに聞こえるが天井や壁にスライドかフィルムを投影したり、ストロボを点滅させたり、照明をめまぐるしく変化させたりする、あのゴーゴーで一躍有名になったディスコテークの内部でおなじみのものである。

アメリカ館の民芸品の展示場。開拓時代から受けつがれてきた素朴な庶民の木彫りの芸術品。壁にかけたり風見として屋根に立てたり、情趣深い作品。

その目まぐるしくゆれ動く光の多彩な波を、絵を見るようにじっと眺めているひとはあるまい。それは集団に向かって、ひとつの新しい空間環境として作用するものである。

万国博にみられる映像も、原理としてはそういうものである。その具体的な効果は、直接体験してみなければわからない。映画みたいに、ストーリーだけをとりだすというわけにゆかないのである。何が投影されているかということだけでなく、どのように投影されているかを含めて、その全体が観衆に働きかけるのである。

観衆と装置との相互作用

こうした光の動きによって空間環境を変えてしまうというのが、「環境芸術」にみられるひとつの方法である。先にあげたフォンタナの例は素朴であるが、今では、エレクトロニクスの技術などと結びついて、はるかに複雑になっている。最近、エレクトロニック・アートという名称もうまれたりしているが、万博における新しい芸術の花形といっていいものだろう。

「環境芸術」のもうひとつのアプローチは、作品をただ眺めたり、じっと聞いているものにとどめないで、それに触れたり、動かしたり、それからの反応などを通して、観衆と作品との直接的交流をはかるというかんがえである。

フランスの「視覚芸術探求グループ」というグループが、こういう方向をいちはやくから始めたが、これは空間環境より、観衆のリアクションに注目するものといえる。

楽器彫刻　鉄鋼館のロビーには、フランスの彫刻家フランソワ・バシェ氏制作の鉄の彫刻が展示されている。触れたりたたいたりすると、楽器ではだせない、ユニークな楽音を奏でる。

このグループは、たとえば、パリの街頭で板を何枚か不安定に並べ、ひとびとにその上を歩かせるといったことをやったが、その際の肉体的心理的リアクションが目的なのである。

こんどの万国博のお祭り広場も、いろいろなものをただ受動的にうけとるのでなく、あくまで、観衆とそれをとりまく種々の装置の相互の作用が大事とされている。それも、「集団主義」の立場に立つからである。ひとりひとりが同じように受けとるのでなく、ひとりひとりが、その関心とか、興味とか、好奇心によってそれぞれちがったリアクションをつかみとることがかんじんなことになる。

会場には、日曜広場から土曜広場まで、七つの広場があるが、その広場には、ひとつずつ広場彫刻がつくられている。彫刻とはいっているものの、それは銅像のような記念碑的なものではない。それらは、それぞれの広場の延長であり、あるいはつきだした広場であって、別にただ観賞される対象といったものではないのである。その中をくぐり抜けるものもあれば、歩きまわっていいものもある。つまり、そういう観衆の行為を通じて、はじめて広場彫刻と観衆は触れ合い、反応がうまれる。それらは、直接的なリアクションを目指した立体造形なのだ。

観衆の勝手な判断にまかせる

こういう考えを、遊びと結びつけて、スケールをでっかくしたのが、エキスポ・ランドといえよう。これまで、遊びは芸術と無関係のものとされてきたが、最近では、それらは切りはなせないものだとするみかたが強くなっている。せんだって、

チェコスロバキア館のガラスの彫刻。ボヘミア地方の豊かな伝統が秘められている。

ロンドンでは、「遊び」をテーマにした美術展[編2]がひらかれているくらいである。見ること、遊ぶこと、動くこと、反応すること、考えること、これらは、われわれが毎日やっていることだが、それらをすべてひっくるめたところに人間がある。そうした人間に対応するものとして芸術をとらえなおすというのが「環境芸術」といっていい。

もともと、環境とはただ人間をとりかこむ空間というだけではなく、人間とさまざまなものの千差万別の相互作用の全体である。だから「環境芸術」は、観衆と空間とか作品の関係を、きまりきったものに限定しないで、そこにできる限りの自由さをつくっておき、それをきめるのは、観衆の勝手にまかせようという芸術なのである。

しかし、私のいっているのは、あくまでも一般的な性格であって、高度の技術を駆使して展開されるであろう、こんどの万国博の「環境芸術」が、どれほど充実した体験をあたえるものになるかは、個別的な問題に属するといわねばなるまい。

もっとも、眼を転じてみるなら、万国博全体が、ひとつの途方もなく大きな「環境芸術」といえなくもない。趣向をこらした各パビリオンだとか、広場とか、噴水だとか、動く道路だとか、それらのすべてが、意味をもつのは、観衆との生きた相互作用によってだからである。

観衆との新しい関係をさぐる

「集団主義」の芸術は、いってみれば未完結なのだ。額ぶちに収まった絵のように、

人造池のほとりに点在する鉄の彫刻

編2　Play Orbit, Institute of Contemporary Arts, London, 1969. 11. 28 - 1970. 2. 15., et al.

きっちりとできあがっていて、それを見ようと見まいと絵は絵だなどというわけにゆかない。生きた相互作用がなければ、まったく無意味になってしまうようなものなのである。

都市や建築はそういうものである。

「環境芸術」は、都市や建築と同化しようとするものといってもいい。これを逆にいえば、建築もまた「環境芸術」的なものになろうとしているということである。万国博の建築にたいする興味もそこにある。単なる奇抜さでなく、観衆とどういう新しい関係をうみだせるかが、建築にとっても最大の眼目といっていい。

第三章　展覧会の時代

「展覧会の時代」とは何か？

一九六〇年代にひらかれたさまざまな展覧会のなかで、美術思潮に決定的な影響をあたえたもの、あるいは、ひとつの動向をきわだたせ、その内容を明確に浮かびあがらせたものを取りあげる――こういう目論み自体に、六〇年代における展覧会というものの意義、あるいはその性格がどういうものかということが示されている。

ごく素朴に考えれば、展覧会は絵画や彫刻、あるいはもうすこし一般化して、美術作品といわれるものを、公衆の眼にさらすべく、ひとつの場所に展示するものということに要約されよう。ここで、展覧会がどういう動機で始まり、どういう歴史的経過をたどってきたかということを詳説する必要はあるまい。美術館というものは、作品の展示のための場所であり、そこへゆけば、どういう基準にせよ、選ばれた作品が集められ、展示されているというのが、通念であった。もちろん、こうした通念が、今日、完全に瓦解してしまったわけではない。しかし、展覧会というもののおおよその概念が、そういうものだというのは、ほぼ一般的にちがいない。

しかし、ここ一〇年来、展覧会には、ひとつのきわだった性格が強められるに至った。展覧会は、単に作品を集め展示するというだけでなく、どのような意図で、どういう内容のものをということが、前面に押しだされるに至ったからである。美

初出『美術手帖』第三二一号（一九六九年一二月増刊　手帖小事典・現代美術家事典）、二—四頁

術館はそこで、美術作品の収集展示という状態だけでなく、どういう内容の展覧会を企画組織するかという、一種のプロモーターとしての機能を強めるようになった。

こうした事実は、たとえば、ここ一〇年来、われわれが用いている美術の動向についての名称が、ほとんど展覧会をきっかけにしてうまれたということによって、あますところなく示されている。そういうことは、今に始まったことではないというひとがあるかもしれない。たとえば、印象派の昔から、動向にあたえられた名称は、常に展覧会をきっかけにしている。印象派という名称がそうであったし、野獣派という名称もそうであった。それらは、展覧会に出品された作品の特徴をヤユ的にしろ、明快に浮かびあがらせるための名称であった――という具合にである。

しかし、現在、美術館はみずからが、ひとつの名称を公認化すべく展覧会を企画する。もちろん、すべてがそうであるというのは、やや一般化のし過ぎであるけれども、たとえば、「プライマリー・ストラクチャー」というような名称は、ニューヨークのユダヤ博物館でひらかれた同名の彫刻展(編1)がなければ、一般化しなかったにちがいない。

動く芸術が、美術の新しい分野として公認されるきっかけとなったのも、一九六一年、アムステルダム市立美術館とストックホルム近代美術館でひらかれた展覧会(編2)に基づいた。動く芸術の歴史は、別に戦後に始まった現象ではない。それはいってみれば、今世紀の初頭からみられる事実であり、もしも、よりさかのぼれば、何世紀も昔に達することかもしれない。しかし、にもかかわらず、それらは芸術として例外的であり、いわば散発的なものであって、そこにひとつの思潮の流れのよう

編1　Primary Structures: Younger American and British Sculptors, Jewish Museum, New York, 1966. 4. 27.–6. 12.

編2　Bewogen Beweging [Movement in Art], Stedelijk Museum, Amsterdam, 1961. 3. 10.–4. 17.; Rörelse i konsten, Moderna museet, Stockholm, 1961. 5. 17.–9. 3.

なものを感得するというきっかけはなかった。しかし、美術館が「芸術における動き」というタイトルのもとに、歴史的なパースペクティブを含めて現在の動向を集約し、展示することによって、それは、もはや例外的なものではなくなり、ひとつの流れとして公認の機会をつくりだすことになる。

こうして、この一〇年間というより、第二次大戦後といったほうがいいかもしれないが、美術館はさまざまな動向にレッテルをはりつけ、公認化すべく展覧会を企画してきたのである。現代の美術の歴史をかたちづくっているのは、作家でも作品でもなく美術館だ、といった批評がうまれる根源もここにある。

つまり美術館は、過去の歴史を整理し、美術史を掃除して、単純化するというのでなく、現在をつくりだすという、一種無謀な企みを試みるようになったのである。

そのプラスの価値は認める必要があろう。しかし、美術は美術館によって決定されるのだろうかという反問が起こっても、これまた当然の成りゆきという他あるまい。目下のところ、美術館は、現前する現象から、特徴的とみえるものをひろいあげ、それをひとつの動向としてきわだたせるという機能によって存在している(逆にいえば、こういう機能すらもとうとしない美術館は、作品の収集館というのをでない)。しかし、それが、美術というのは、目下のところ、そういうかたちでしか、コミュニケートのルートをもてないのだろうかという反問をうむとしても、当然であろう。

ともあれ、美術が拡散し、何が美術かという混沌とみえる現象がひろがればひろがるほど、美術館のこうした機能は、ある種の重要性をもつ。ここに選びだされたいくつかの展覧会は、そうした意味で、六〇年代の美術思潮に無視し得ない影響をあたえたものである。「展覧会の時代」といえば、おおげさになるだろう。しかし、好むと好まざるとにかかわらず、そういう事態をわれわれは迎えているのであり、しかも、それによって左右されていることを知る必要がある。

しかし、そうであればこそ、われわれはひとつの設問を課することが可能となる。「展覧会の時代」とは、いったい何か、美術はつまるところ、展覧会と不可分のものなのか。さらに考えを飛躍させることもできるだろう。展覧会の限界とは何か。展覧会と不可分の美術の限界とは何か。そういう問題は、ただ観念的に結論がでるとは思われない。それをつきつめるという課題をもって展覧会を考え、かつ試みることも必要であろう。果たして、展覧会はある種の結論をうみだしつつあるのかどうか、これはまた出発点でもある。

新しいものの歴史

苦悩するアメリカ絵画

「歴史」を求めるアメリカ現代美術

昨年の秋、ニューヨークのメトロポリタン美術館が開設一〇〇周年を記念して企画した「ニューヨークの絵画・彫刻、一九四〇—七〇」(編1)という展覧会は、あまた開かれる企画展のひとつというにとどまらず、私には、エポック・メイキングといっていい出来事のように思われた。

この展覧会は、アクション・ペインティングのジャクソン・ポロックから蛍光燈を並べるだけのダン・フレイヴィンに至るまで、四三人の作品四〇〇点あまりを集めたもので、作家や作品の選択に議論の余地はあろうが、一人にほぼ一室を当てるという力の入れようで、まずは大展覧会というにふさわしいものであった。もっとも、見憶えのある作品もあれば、初めて見る作品もあったけれども、選ばれた作家は、そのほとんどが日本でも名前を知られている顔ぶれであり、そういう意味では内容の新しさを打ちだした展覧会ではなかった。つまりは回顧展にほかならない。しかし、私にはそれが回顧展であるというまさにそのことによって、この展覧会はある決定的な意義をもっているように受けとられたのである。重々しい感じのメトロポリタン美術館で私が見たのは、単にポロックに始まる第二次大戦後のアメ

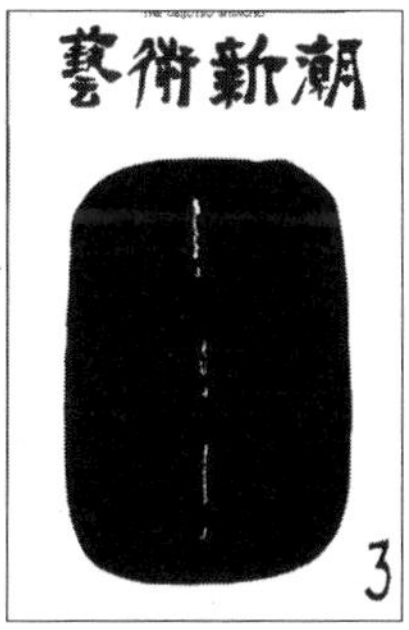

初出『藝術新潮』第二一巻三号（一九七〇年三月）、六五—六九頁

編1　New York Painting and Sculpture: 1940-1970, The Metropolitan Museum of Art, 1969. 10. 18.–1970. 2. 8.

リカ美術のオン・パレードというものではなかった。それは、われわれがアメリカの「現代美術」といってきたものが、今や「歴史」としてとらえられるに至ったという、ある意味では意外ともいえる事実だったのである。

三〇年が経過すれば、三〇年の歴史が形成される。これは自明の理ともいえよう。しかし、歴史は現象の堆積ではなく、それを「歴史」として意識するところから始まるものである。ポロック、デ・クーニング、ゴーキーなどから、ステラ、モリス、フレイヴィンなどに至る、ニューヨークの現代美術が三〇年を経過したことは、まぎれもない事実にほかならない。しかし、それを「歴史」という文脈で眺めることを、私はこれまでほとんど考えてもみなかった。ところが、今それが「歴史」というヴェールをまとってたちあらわれたということ。これは小さからぬインパクトをあたえずにはおかないことがらである。

アメリカの戦後美術は、常に「新しさ」と同義語であり、その変遷はたえざる「新しさ」の噴出を意味していた。ニューヨークのホイットニー美術館は、アメリカの作品だけを収集展示する美術館だが、そこに並べられている戦後の作品を見ても、私はかつて「歴史」をはっきりと意識したことはなかった。ポロックとステラの間にみられるのは「新しさ」の差異であり、「歴史」というものではなかった。事実、アクション・ペインティングは、アメリカ美術史の一ページではなく、現代美術にとって特筆すべき現象であり、ポップ・アートは、一九六〇年代の美術史の一章ではなくて、現在も活きている美術であった。アメリカ美術に「歴史」はなく、あるのはハロルド・ローゼンバーグがいみじくも指摘したように「新しいものの伝統」

メトロポリタン美術館開設一〇〇年記念展「ニューヨークの絵画・彫刻、一九四〇―七〇」の会場

だったのである。

アメリカには、ヨーロッパのように長い美術の歴史がなく、たとえ独立以来、作品がうみだされているにしても、それらはコロニアル・コンプレックスを出ず、アメリカの美術が「アメリカ美術」としてその独自性を確立するに至ったのは、アクション・ペインティングに始まる——これがアメリカ美術観の骨子であった。「ニューヨークの絵画・彫刻、一九四〇—七〇」展が、一九六〇年から七〇年まで、あるいは五〇年から七〇年までもなく、四〇年から七〇年という三〇年間を選びだしたのも、明らかにアクション・ペインティングに始まるアメリカ現代美術を考えてのことであろう。しかし、そこで提示されたのは「新しいものの」回顧ではなく、「新しいもの」をすでに「歴史」として意識しようとする意図であった。「ニューヨークの絵画・彫刻、一九四〇—七〇」展を、エポック・メイキングといったのは、こういう事情からである。

一九世紀アメリカ絵画の再発見

しかし、それは必ずしも、私個人の感慨にとどまらないように思う。一九四〇年代、アメリカが「アメリカ美術」を確立したとすれば、ここ数年来、アメリカは「アメリカ美術史」を打ちたてようとしていることを歴然と感じさせるからである。それは「新しいものの伝統」を「新しいものの歴史」として定着させようとする自覚的な意図といってもいい。このところブームとまでいわれている、アメリカにおけるアメリカ一九世紀の絵画への強い関心は、そこにいろいろな因子が働いていると

一九六九年秋、グッゲンハイム美術館で開かれたリキテンシュタイン回顧展会場

しても、私にはこの「歴史」への関心と切り離せないように思われる。現代美術を「歴史」というパースペクティヴでとらえたメトロポリタン美術館が、同じく開設一〇〇周年の記念展として企画している「一九世紀のアメリカ」と題する展覧会[編2]も、この「歴史」への関心のあらわれにほかあるまい。

アメリカにおける過去への関心は、まず「素朴派」ともいうべき作品群に始まった。あるいは、それはポップ・アートの風靡という現象とどこかでつながっていたことかもしれない。というのも、そこにはポピュラーなものへの興味という点で、一脈相通ずるものが見られるからである。コレクターは「素朴派」の収集に熱心になり、それはやがて一九世紀絵画全般への関心にひろがった。昨年の秋、私がニューヨークを訪ねたときにも、ヒルシュ・アンド・アドラー画廊が「アメリカン・シーン――一九世紀における生活と風景の概観」というタイトルで、一〇〇点近くの作品を展示していたし、ホイットニー美術館は、南国の幻想的な植物を好んで描いた前世紀の画家マーティン・ヒード（一八一四―一九〇四）の回顧展をひらいていた。一九世紀ブームといえば、昨年バーバラ・ノヴァックは『一九世紀のアメリカ絵画』[編3]という著書をだし、スキラは一七世紀から現在に至るまでの「アメリカ絵画」を、二冊に及ぶ大著として刊行した[編4]のである。

こうしたさまざまな現象は、否応なく、アメリカ美術史というものをクローズ・アップさせずにはいない。そこによみとれるのは、「アメリカ美術」の独自性を、アメリカ自身の「歴史」という文脈のなかでとらえようとする積極的な姿勢である。一九世紀までのアメリカの美術がヨーロッパ・コンプレックスに彩られたもので

一九六九年秋、ニューヨーク近代美術館で開かれたオルデンバーグ回顧展会場

編2　19th - Century America, The Metropolitan Museum of Art, 1970. 4. 16.-9. 7.

編3　Barbara Novak, *American painting of the nineteenth century: realism, idealism, and the American experience*, Praeger, 1969.

編4　Jules David Prown, *American painting: from its beginnings to the Armory Show*, Skira, 1969; Barbara Rose, *American painting: the 20th century*, Skira, 1969.

あったということはまず疑いを入れない。しかし、そのことと歴史がなかったということは、別の問題に属する。たとえどのような内容であれ、アメリカにも美術史というものはあるのであり、現代美術は、その現代の一ページだというみかたが前面に押しだされてきたのである。

流行する回顧展

なにがそういう機運をつくったのか、私はそれを断定し得ないが、いくつかのことを推測することはできる。そのひとつは、ヴェネツィア・ビエンナーレにおけるラウシェンバーグの大賞受賞を、アメリカ美術の勝利といったことで象徴されているように、今やアメリカ美術は、ヨーロッパでもいささかの異端者ではなく、完全に普遍化してしまったという事実である。一九五〇年代、アメリカのアクション・ペインティング、あるいは抽象表現主義がはじめてヨーロッパを巡回したときの、ヨーロッパにおける反撥と困惑という反応を想い浮べると、今昔の感がするほどである。アメリカ美術の外へのひろがりは今や、ほとんど完了したといっていい。地理的征覇をなしとげたアメリカ美術は、こんどは自国の時間的征覇に向かいだしたといえるような気がする。時間的征覇とは、「歴史」の形成ということにほかなるまい。

しかし、それと同時に、そうした「歴史」への関心という機運が、ミニマル・アートといわれる動向の出現と、ほぼ時期的に重なってあらわれてきたことにも、偶然以上のものを感じずにはいられない。アメリカ美術の「新しいものの伝統」は、ついに絵画そのものの瓦解という現実をもたらすに至ったのである。絵画の失われたところ、絵画を求めるのは過去においてでしかあり得ないだろう。ポロックと絵画崩壊の顕著な現在との距離よりも、ポロックとそれ以前のアメリカ絵画の距離の方がはるかに近いように見えだしたのである。メトロポリタン美術館での展覧会で、カラフルなフランク・ステラの作品がもっとも新しい作家としてクローズアップされていることに、私はとりわけ関心をひかれずにはいられなかった(ちなみにステラの作品は同展のポスターにも使われている)。それは、ステラの作品もなおかつまぎれもない絵画だということを強調しているように感じさせたのである。

要約的にいえば、反芸術というよりは非芸術といえる相貌を示しつつあるかにみえる現代の美術の先端的現象が、三〇年間のアメリカ現代美術をも古典的に見させはじめたということである。たとえば、アース・ワーク、のちにランド・アートとして総称されるようになった動向は、もはや展示ということを成立させない。ポロックのアクション・ペインティングをイベントだといったとき、ローゼンバーグに、イベントは壁にかけることができないではないかという反論が寄せられたというが、皮肉にもポロックの絵は壁にかかるのである。しかし、ランド・アートはどうやってみても壁にかけることが不可能というほかないのである。

もちろん、私はアメリカ美術界のあらゆる現象を、「歴史」への意志一色にぬりつぶしてしまおうなどとは思わない。しかし、「新しいもの」を「歴史」に仕たてあげようとする熱意がこのところ、急上昇していることだけは、まぎれのない事実のように思う。同じ昨年の秋、ニューヨークの近代美術館ではオルデンバーグが、またグッゲンハイム美術館ではリキテンシュタインが、それぞれ回顧展をひらいたが、[編5]私はそこに、これら二人の「新しい」作家がすでに美術史のなかに位置づけられようとしているといった光景を想起せずにはいられなかった。同じころ、フレイヴィンもカナダで大回顧展を開催していたはずである。[編6]

アメリカにおける美術の「歴史」への関心は、アメリカ美術の独自性を「アメリカ美術史」を通してきわだたせることになると同時に、一方では、アメリカ美術をつまるところアメリカという一国の美術であるというように相対化してしまうことを意味する。それは、フランス美術やイギリス美術があるのと同じように、アメリカ美術もあるにすぎないということである。そして、それらのちがいはこんどはそれぞれの歴史のちがいということに帰せられるだろう。アメリカ美術の独自性は、こうして、アメリカ美術史の独自性ということに変貌するのである。

アメリカ絵画の性格・オプティミズムとリアリズム

移民の時代から現代まで、アメリカの美術の歴史をふりかえると、そこにひとつのきわだった特徴がよみとれる。それは現在の、美術そのものがなにものとも知れないものと化しつつある、いわば苦悩の状況からみると、絵画にたいする底抜けともみえるオプティミズムである。それは描かれている内容がすべてオプティミズムに彩られているということではない。描くということにたいする強度の信頼感ということである。フランスに印象派が起こったとき、その影響は合衆国にも及び、印象派のスタイルをうみだした。しかし、フランス印象派が明るさについての自問か

編5　Cleas Oldenburg, Museum of Modren Art, New York, 1969. 9. 23.–11. 23.
Roy Lichitenstein, Solomon R. Guggenheim Museum, 1969. 9. 19.–11. 21.

編6　Fluorescent Light, etc. from Dan Flavin, The National Gallery of Canada, 1969. 9. 13.–10. 19.

アンドリュー・ワイエス《四月の風》一九五二年

ら始まった疑いの産物であったのにたいし、アメリカの印象派的絵画は、ただひたすら明るいというにすぎない。印象派以来、ヨーロッパ美術がジグザグのコースをたどりながら、さまざまな動向をうみだしてきたのに比し、アメリカ美術のそれはほとんど直線的である。

そして、この描くことへの大きな信頼感をひっくり返せば、現実のあらゆるものは描かれるに値するという信念が姿をあらわす。つまり、アメリカ美術史にみられるのは、独自の現実主義である。この現実主義は、ヨーロッパのように絵画から絵画をうみだすのではなくて、現実から絵画をうみだすという態度といってもいい。一九世紀、とりわけ一九世紀後半のアメリカ絵画について、ジョン・ウォーカーは、その間、「フランスを別とすれば、ヨーロッパのどの国よりも、アメリカは独自な画家をうみだした」といい、その理由として、たとえばイーキンス、ライダー、ホーマーなどにみられるような「独立、孤立、同時代人とのコミュニケイトの不成功」とともに、「新世界がヨーロッパから地理的にかけはなれていた」ということを指摘している。

このヨーロッパからのへだたりが、前世紀のアメリカの若い画家たちに、学ぶべき巨匠や手本を与えることをしなかった。かれらは自ら学ぶほかなく、描くことを信じて描くほかなかった。かれらは絵画から絵画を学ぶというわけにゆかなかったのである。そこからもたらされるのは、絵画のスタイルに苦慮することではなく、まず絵画を絵画として成立させるという執念のようなものであろう。アメリカ一九世紀の絵画にみられる、徹底したリアリズムと、それとうらはらにくっついている

エドワード・ヒックス《平和な王国》一八三〇年頃

プリミティヴィズムは、それを物語ってあまりあるように思う。

　こういうリアリズムとプリミティヴィズムは第二次大戦後のアメリカ美術にも色濃くあらわれているのである。ポップ・アートはマス・メディアと広告の文化として眺められてきたが、それはもっともポピュラーなものを直接絵画にしようという態度の、現代的なあらわれにほかなるまい。リキテンシュタインやローゼンクイストやウォーホルの絵画は、なによりもまずリアリズムであり、それにともなったプリミティヴィズムがある。ポップ・アーティストはＴＶ時代の「素朴派」として眺めることも可能なのである。

　私がいっているのは、アメリカ美術のリアリズムの伝統についてではない。一七世紀から現代まで、アメリカ絵画を「歴史」というひとつの視野でとらえたとき、時代をこえて浮かび上がってくるアメリカ絵画の性格ともいうべきものを語っているのである。リアリズムはスタイルではなく、画家が画家であろうとするときの根本的な態度のようなものといってもいい。それは必ずしもロマン主義に対立する写実主義といったものではない。描くことがそのままリアリズムとなるといったような意味合いなのである。

新しい苦悩の告白

カール・アンドレがあるところで、自己の作品を語って、芸衛には二通りのタイプがあるといったことがある。ひとつは「関連した芸術」（アート・オブ・アソシエーション）であり、もうひとつは「孤立した芸術」（アート・オブ・アイソレーショ

ロイ・リキテンシュタイン《Okay, Hot Shot, Okay》一九六三年

ン）という。「関連した芸術」とは、再現その他どのような方法であれ、現実のものと密接に結びついたものであり、「孤立した芸術」とは、そういう結びつきのほとんどないものという意味として定義されている。そして、アンドレは、自分は、この後者つまり「孤立した芸術」を実践しているのであって、アメリカ人は概して前者つまり「関連した芸術」を愛好すると述べている。それは、アメリカ人がセンチメントだからだというのがアンドレの見解であるが、むろん、ここには、かれがその「関連した芸術」として槍玉にあげているポップ・アートにたいする批判がこめられているかもしれない。しかし、この「アート・オブ・アソシエイション」ということばは、確かに、アメリカ美術にとっては特別のひびきをもって妥当するように思われる。それがセンチメントに根ざすのかどうかは知らないが、先にいったリアリズムとプリミティヴィズムは、なによりもまず「関連した芸術」の極限といって差し支えないように思われるからである。

このアメリカン・リアリズムは初め、新大陸の風景に注目し、やがて民衆の生活に着目するに至った。リアリズムとプリミティヴィズムは、いわば民衆派（ポピュリズム）とでもいえるかたちをとる。一九三〇年の民衆派こそ、「ソーシャル・シーン」といわれる現象をうみだしたのである。アメリカン・リアリズムは、アメリカの社会的リアリズムになった。一九一三年のアーモリー・ショー（編7）は、アメリカ美術界にきわめて大きな反響を呼びおこし、二〇世紀ヨーロッパの新しい美術の動向に強い関心を向けさせる端緒になったといわれるが、しかし、三〇年代を支配したのは、なおリアリズムであった。画家は社会的不安を鋭く感じとっても、絵画そのも

エドワード・キーンホルツ《待つ》
一九六四—六五年

編7　International Exhibition of Modern Art (Armory Show), 69th Regiment Armory, New York, 1913. 2. 17.–3. 15.

のへの懐疑を感じなかった(そのことはデュシャンの作品がアーモリー・ショーで一躍クローズ・アップされ、ジャーナリズムで話題となり、その後のアメリカ生活のきっかけをなすのだが、かれの思想の影響があらわれたのは、第二次大戦後になってからだという事実が示している)。

こうしてみると、アメリカ美術にみられる「歴史」への関心は、戦後「新しいもの」の先頭を切ってきたアメリカ美術が、今や本質的な苦悩にぶつかったことのあらわれのように見える。描くことへのオプティミズムは、ポロックのアクション・ペインティングで一歩瓦解したのだが、今やそれが全面的に崩壊しつつあるのである。もはや、歴史のなかにしかオプティミズムは見出せなくなったというべきだろう。

バーバラ・ローズは先述したスキラ版の「アメリカ美術」の後半の巻の末尾に、アメリカのもっとも新しい絵画にふれて、それらがルネッサンスから立体派までつづいてきた、ルネッサンス的空間と描法の最後の痕跡をもとどめなくなったと述べ、「じっさい、もし最近のアメリカ絵画を基礎として、何世紀にもわたって議論されてきた色彩とかたちのどちらが優先するかという議論の結着をつけるなら、ルーベンスやレンブラントは、はるか遠い国でかれらの究極的な正当性を見出したと結論しなければならないだろう。〔……〕今日もし生きていたら、かれらは、世界の美術の中心はもはやローマでもパリでもなく、ニューヨークだということを信じながら、同じような困難な時代を体験したにちがいない」と、絶大な自負をもって書いている。ここにみられるのも、なおもアメリカ美術におけるオプティミズムを失うまいとする姿勢である。

しかし、果たしてそうか。じっさいアメリカ六〇年代の美術は、レンブラントやルーベンスの色とかたちの融合の正当性を、今証明したかもしれない。それは逆にいえば、六〇年代のアメリカ美術がレンブラントと同じようにまぎれもない美術であることを証明しようという願望でもある。それはそれでかまわないとしても、われわれはもはや絵画そのものの絶対性を信用しなくなりつつあるのではないか。アメリカの美術史の独自性は、じつはその独自性がもはや無効と化しつつある状況のなかで、浮かび上がってきたのではないか。

皮肉といえば皮肉であるし、興味深いといえば興味深いことがらだと思う。私はメトロポリタン美術館で、蛍光燈の光のみちているフレイヴィンの部屋を特に好んだが、そこで、たとえば、これからあとの一〇年間の歴史がどのようにくっつけられるのかと考えたものである。さまざまな現象はうまれるだろう。そして、一〇年たてば一〇年の歴史は形成されるだろうが、それは、美術館でよく回顧しうるものであるかどうか。

ともかく、確かなことは、戦後のアメリカ美術がひとつのくぎりをつけたということであろう。あるいは、「歴史」という文脈でくぎりをつけようとしていることである。それは、アメリカ美術の世界に誇る自負でもあろうが、裏返せば、新しい苦悩の告白でもある。現在ぶつかっている美術のさまざまな問題、これはまだすべてを「歴史」という文脈に入れることは、とうていできないというほかないのである。

再生と方向

報告　ヴェネツィア・ビエンナーレ一九七六

新生ビエンナーレの構想と構成

「ヴェネツィア・ビエンナーレ（正式には、ラ・ビエンナーレ・ディ・ヴェネツィアだが、慣習にしたがってそう呼ぶ）は変わったか」と問われれば、「ともあれ変わった」というべきだろう。あるいは、ヴェネツィア・ビエンナーレは生まれ変わったといった方が妥当かもしれない。少なくともその組織・構成についてはそう見ることができる。

「ヴェネツィア・ビエンナーレ」とはその名が示すように、イタリアのヴェネツィアで開催されてきた隔年制の一種の芸術祭である。それを構成してきたのは次の四つの催し、すなわち「国際美術展」、「国際映画祭」、「国際演劇祭」、「国際現代音楽祭」で、いずれも回を重ね、前回一九七二年度のビエンナーレについていえば、美術展が第三六回、映画祭が第二八回、演劇祭が第二六回、現代音楽祭が第三〇回目に当たった。このうち国別参加制による「国際美術展」は特に「ヴェネツィア・ビエンナーレ展」と代表的に呼ばれ、たとえば「第三六回ヴェネツィア・ビエンナーレ展は」などといわれてきたことは周知に違いない。そのままであれば、今年度は「第三七回ヴェネツィア・ビエンナーレ展」の開催となるはずであった。「ビエン

初出『美術手帖』第四一二号（一九七六年一〇月）、七〇—七六、二〇一—二一一頁

ナーレが変わった」というのは、まずこれら四つの第何回何々展とか何々祭というのがすべて姿を消してしまったことである。こうした各分野の催しはむろん盛沢山に企画されていたが、従来の四つの催しとは別種の性格のものとなった。それともうひとつ、やたらと呼称に拘泥するようだが、今年度のビエンナーレは正式には「ヴェネツィア・ビエンナーレ一九七六(編1)」となっている。これは以前『美術手帖』の「話題」欄にも書いた(編1)ことだが、ビエンナーレ（隔年毎）とはいうものの、今年度のそれは一九七四年から七七年までの四年間を一区切とする継続的活動のなかの一年とされていて、それを示すために「一九七六」という年数が付されたのであろう。昨年の催しには「ヴェネツィア・ビエンナーレ一九七五」とあった。

ヴェネツィア・ビエンナーレのこういった変貌のきっかけは、一九六八年開催の第三四回国際美術展の際に発生した造反事件にまでさかのぼる。国際的コンクールとして注目を集めてきたこの国際展は、「ブルジョワ芸術の商業主義的祭典」として学生、美術家から攻撃をうけ、その土台を大きくゆすぶられるに至った。反応はまず売りものであった授賞制度の撤廃となってあらわれ、一九七〇年、七二年を無賞の国際展として開催したが、七四年は遂に開催見送りとなった。見送りの経緯はくわしくはわからない。しかし、その後の経過を見るなら、国際展だけでなく、他分野の催しをも含めたビエンナーレ全体の構想を立直すということが理由となっていたようである。

一九七四年五月、ビエンナーレ当局は新しいヴェネツィア・ビエンナーレの構想を立て、それを資料として公開討論会を開催し、七月にその結果を盛込んだ案

編1　La Biennale di Venezia 1976: Ambiente, partecipazione, strutture culturali, Giardini della Biennale, 1976. 7. 18.–10. 10.

編2　中原佑介「〈今月の焦点・話題〉ヴェネチア・ビエンナーレ再生への課題」『美術手帖』第三八九号（一九七五年一月）、一一八―一一九頁

が運営委員会で採択されたという。その案のあらましは次のようなものであった。先にも触れたように、ビエンナーレを四年単位の活動とする。つまり、四年間を継続的な活動期間とし、その期間に各種の催し、シンポジウム、討論会などを開く。一九七四年から七七年までを最初の四年間とする。ビエンナーレの基本的性格としては、(1)観衆が主役であるようなものとする。(2)反ファシズムの立場に立ち、亡命先で活動している芸術的・文化的・民主的な力と協力する。(3)お祭り的、観光的な催しは止め、四年間の継続的活動を中心とする。(4)ヴェネツィア市に限定せず、ひろくヴェネト州全域にひろがったものとする。内容は、(1)絵画、彫刻、写真、グラフィックその他。(2)建築、都市計画その他。(3)情報、マス・メディアその他。(4)映画、テレビ。(5)演劇。(6)バレエ、コンサートその他。

この新構想にはタテ・ヨコ二本の糸が縒り合わされようとしていると私は読んだ。ビエンナーレを四年間の継続的活動、あるいはひろくヴェネト州全域にわたるものとするという構想には、一種の土着化への方向がこめられている。つまり、これまでのヴェネツィア・ビエンナーレがその国際性の名のもとに、イタリアの一都市にほかならないヴェネツィアでの文化活動であるという現実性を失い、いわば無国籍都市ヴェネツィアでの国際的活動になってしまったことへの反省である。ヴェネツィアはヴェネツィア・ビエンナーレの貸し都市になっていたといってもいい。それをタテの糸とすれば、ヨコの糸はそういう方向に立ったうえでビエンナーレに国際性をどう盛込むかということであり、反ファシズムの立場での連帯というのはそのひとつの表明に他なるまい。

しかしながら、この二本の糸をうまく縒り合わせることは容易ではない。今年度のビエンナーレでそれがうまくいったかどうかについては私は疑問を抱く。とはいえ、それを縒り合わせることはこうした種類の国際的催しがいつかは遭遇せざるを得ない課題であり、ビエンナーレのしにせであるヴェネツィア・ビエンナーレがそれを今自らの課題としたことは他山の石ではなく、注目に値することがらである。昨年のサンパウロ・ビエンナーレ（ここは国際美術展だけだが）が、中南米諸国の美術に力点を置こうと試みていたのも、つきつめれば同じ課題のあらわれといえよう。観衆が主役というのも自明のことのようだが、こういう文脈で見れば、ビエンナーレとその開催地の直接的結びつきの回復という意味合いが浮かびあがってくるはずである。

さてこうした新構想に立った新生ヴェネツィア・ビエンナーレは、先に列挙した各分野にそれぞれ専門委員会をつくり、委員会がその分野の催しを決定するという制度にした。要約すればビエンナーレの諸企画の決定はこれらの委員会がおこなうというシステムである。このシステムは前々回の一九七四年度から国別参加制を廃止し、国際委員会によって出品作家を決定しているパリ・ビエンナーレとある種の類似性をもっている。のみならず、ヴェネツィア・ビエンナーレ側もまた原則的には国別参加制を撤廃しようという意向を抱いていたようである。しかし、そこへ立ちはだかったのがこれまでこのビエンナーレの国際美術展の会場となってきた各国のパビリオンの存在であった。パビリオンの存在は国別参加制の撤廃という方向と真正面からぶつかるものだったからである。各国パビリオンの使用はこれまで通りとするが出品作家は委員会の選定にまかせるとか、あるいはパビリオンを共同使用するとかいろいろの案がだされたが、遂にパビリオンに関しては、従来と同様各国コミッショナーによる国別参加制という方式が採られるに至った。

しかし、それだと新生ビエンナーレは委員会企画と国別参加という二本立てとならざるを得ない。多分、この二本立てを外見上消し去るという意味合いもあったに違いない。今年度の「ヴェネツィア・ビエンナーレ一九七六」のうちの前の分類にいう(1)と(2)、つまり「視覚芸術」部門と「建築」部門はその両方をひっくるめて「環境」というテーマのもとに開催されることになり、普通なら「第三七回国際美術展」と銘打たれるはずの各国パビリオン使用の国際展は、「環境」という大テーマのなかでのひとつの催し、「環境と参加」というタイトルの展覧会として組み込まれたからである。ここで、これを含めてどのような展覧会が開催されたかを列挙しておく。カッコ内は場所である。

「環境と参加」(カステロ公園、各国パビリオンを使用する国別参加によるもの)
「環境／芸術、一九一五〜七六」(カステロ公園、従来イタリア館の名で呼ばれてきた中央展示館)
「国際的動向、一九七二〜七四」(旧ジュデッカ造船所)
「両大戦間のイタリア建築」(旧サン・ロレンツォ教会)
「ヴェルクブント、一九〇七――デザインの源泉」(近代美術館)
「マン・レイ、写真による証言」(サン・ジョルジョ教会)

「デザイン――ガラスのフォルム」（サン・ジョルジョ教会）
「デザイン――エットレ・ソットサス、一九五五〜七五」（コレール美術館）
「社会としての環境」（カステロ公園、中央展示館）
「ヨーロッパとアメリカ――二五人の現代建築家」（旧ザテーレ倉庫）
「デザイン――五人のグラフィック・デザイナー」（コレール美術館）
「スペイン、芸術の前衛と社会的現実、一九三六〜七六」（カステロ公園、中央展示館）
「スペイン、一九三六〜三九、内戦の写真と報道」（美術アカデミア）

因みに「環境と参加」展以外は委員会で企画決定されたものである。最初の三つと最後の二つはあとで触れるので、ここで残りの展覧会の駆け足的紹介をしておけば、「両大戦間のイタリア建築」展は二〇年代から四〇年代のイタリアの建築、都市計画などを写真、図面、模型などで展望したもの。「ヴェルクブント」展は一九〇七年ドイツで生まれた同名のデザイン運動の回顧展。「マン・レイ」展は、自選の写真一五〇点を集めた写真だけによる回顧展。「エットレ・ソットサス」展はイタリアの有名なデザイナーの二〇年間の作品の回顧展。「二五人の建築家」展と「五人のグラフィック・デザイナー」展は八月開催なので未見だが、後者はポール・デイヴィス、リチャード・ヘス、横尾忠則、ミルトン・グレイザー、ロマン・チゼルヴィッツの五人のデザイナーの展覧会である。

「環境」というテーマは、初め「物理的環境」というかなり限定されたものであった。建築やデザインに関する展覧会はまずこのテーマからはずれることはない。しかし、たとえばマン・レイの写真展がこのテーマとどう関連するかには推測し難いところがあるといった疑問が生じてふしぎではない。どうやら委員会はのちになって、このテーマを次第にふくらませていった気配がある。触れるのが遅くなったが、今度ヴェネツィアへいってみたら、「環境」だけではなく、ビエンナーレのサブタイトルは「環境・参加・文化構造」とあった。それまでこういうサブタイトルが付けられることは知らされていなかった。「視覚芸術」部門と「建築」部門の両部門の責任者であるヴィットリオ・グレゴッティは、これら三つはむしろ同義的なものとして認識すべきだという意味のことを語っているが、しかし、「環境」という概念をそこまで広く解釈するとなると、テーマの受けとり方もおのずとニュアンスが変わってこざるを得まい。もっとも、このことを今組上にのせても始まらない。要するに列挙したすべての展覧会を包括する概念として「環境・参加・文化構造」というサブタイトル（あるいはテーマ）があとから付けられたということであろう。

といったことが、今年度のビエンナーレのアウトラインである。四年間の継続的活動のうちの一年としても、ビエンナーレ側がもっとも力を入れているのは今年度のそれのように思われた。というのも、従来の隔年制という方式によっても今年は開催年に当たるからであり、そういう意味で今年度の催しは新生ビエンナーレのハイライトといっても過言ではあるまいと思う。ビエンナーレは七月から一二月までに及ぶが、私はその始めの方の、しかも展覧会を中心に見たに過ぎないので、むろんその全貌に触れることはできない。ここでは、展覧会のなかのさらにいくつかに限定して今年度のヴェネツィア・ビエンナーレ私見といったことを以下に記してみたい。

共通テーマと各国館　受けとり方の多様性

サン・マルコ広場から歩いて一五分位のところにカステロ公園がある。中央展示館を始めとして各国のパビリオンが建ち並んでいるところであり、往年の国際美術展の会場となってきたところである。これまで中央展示館はイタリアの出品作品とパビリオンをもたない国々の出品作品の会場とされてきた。ところが今年度は、この中央展示館が「環境／芸術、一九一五〜七六」、「スペイン、芸術の前衛と社会的現実、一九三六〜七六」、それに「社会としての環境」という三つの展覧会で占められたためにパビリオンのない国々は展示会場を失ってしまった。というわけでないかもしれないが、ハピリオンをもたない国々が国別参加にまったく加わっていないのが私には奇妙に思われた。ビエンナーレ当局はそれらの国々にも参加を呼びかけていたはずである。どういう事情でそうなったのかを明確に答えてくれる人がいなかったが、これは新生ビエンナーレの特徴的現象として注目していいことのように思う。

というわけで、先述したように「環境と参加」というタイトルをもつ国別参加制による展覧会は、以下の国々によって構成された。オーストリア、ベルギー、ブラジル、カナダ、チェコスロバキア、コロンビア、デンマーク、エジプト、フィンランド、フランス、西ドイツ、日本、イギリス、ギリシャ、イラク、イスラエル、イタリア、ユーゴスラビア、ノルウェー、オランダ、ポーランド、ポルトガル、ルーマニア、スウェーデン、スイス、ハンガリー、ソビエト、アメリカ、ベネズエラ(なおスペイン館もあるが閉鎖となった。事情はあとで触れる)。コミッショナーとして、私は日本館に篠山紀信の写真《家》のパネルを一三二枚展示した。むろん「物理的環境」というビエンナーレ側の課したテーマに応えてである。しかし、このテーマの受けとり方は多様である。日本館の展示工作中、私は同様展示中の各国パビリオンをしばしば歩いてまわったが、私の関心はまずもって、それぞれの国がテーマをどう解釈し、どういうかたちの展示としているかという点にあった。

このテーマをするりとかわした唯一はアメリカ館である。アメリカ館は「アメリカ美術の批判的展望」のタイトルのもとにロバート・マザウェルからビル・ベックリーに至る一五人の作家の作品を並べた。「フィールド・ペインティング」としてマザウェル、ロバート・ライマンなど三名、「知覚の場」としてロバート・アーヴィン、リチャード・タトルなど三名、「物体」としてドナルド・ジャッド、ジェル・シャピロなど三名、「文化のアイロニー」としてウェスターマン、ジム・ローチなど三名、「説話芸術」としてアンディ・ウォーホル、エドワード・ルーシャなど三名。個々の作品はともかくとして「批判的展望」というにはいささかお粗末の感を否めない気がした。アメリカが「環境」というテーマをはずしたのは次のような理由によると公表されている。「環境芸術への関心はアメリカの動向に顕著ではあったが、ビエンナーレ当局の提案したテーマは実のところ、最近のアメリカ美術ではごく一部に見られるに過ぎない。残念ではあるが、(アメリカの)国際展委員会は、この重要なテーマを正しくあらわした展覧会のためにはもっと長期の準備期間を必要とすると判断した」。

それ以外の国は一応このテーマに沿うべく試みていたように思う。先程、「環境」というテーマの受けとり方は多様だと書いたが、しかしおおざっぱにいえば二つに大別されるといえるかもしれない。ひとつは形式は多様ではあるが「美術」という文脈でそれを解釈するものであり、もうひとつは美術にこだわらない立場である。後者は少数派に属するが、その顕著な例としてはオランダ館が挙げられよう。前回ヤン・ディベッツの作品を出品して注目されたオランダ館は、今回は美術を一掃し、生活環境を社会的にとらえるという視点から、方向を見出す（方向）、環境を調査する（調査）、他者との接触（コミュニケーション）という三つの柱を立て、オランダの生活環境のかかえている諸問題を壁いっぱいに貼られたコラージュ風の写真構成と文章によって示した。美術展というよりはキャンペーンのための展示というのが妥当であろうが、テーマによってはこのビエンナーレの展示がこういう形式を増大させるかもしれないことを暗示させる一例かとも思われた。

「美術」の文脈に立つものといっていいが、「環境」というテーマを美術の社会的効用性という視点でとらえているのがソビエトを始めとした東ヨーロッパの各国である。舞台装置の模型だけに焦点をしぼったチェコスロバキアはいかにもこの国らしい企画だが、ハンガリー、ルーマニアはいずれもモニュメンタル彫刻を中心とした。ブランクーシの《終わりのない柱》や《接吻の門》などの写真を正面に飾ったルーマニア館は一四人の彫刻家によってつくられた各地に建つモニュメンタル彫刻

オランダ館《環境》一九七六年

とか野外彫刻の写真とその原型、あるいは同じ彫刻家による作品を比較的に並べるという展示を見せたが、私には説得力のある好企画に思われた。日本館に隣接するソビエト館は同様モニュメンタル彫刻を、壁いっぱいに引き伸ばした数枚の写真で見せる一方、タピストリー、ガラス、人形などの工芸品を並べていたが、なんとなく見本市といった感がないでもなかった。印象的だったといえば、新旧のモニュメント、あるいは建築を対比させたパネル構成の中央に、ウラジーミル・タトリンの《第三インターナショナル記念塔》の図面が見られたことである。例の陽の目を見なかったモニュメントである。

環境と芸術といえば、そのひとつのあらわれ方として室内全域を展示空間として使用した作品というのが思い浮かべられるが、その好例としてはイスラエル館のダニ・カラヴァン、ギリシャ館のミカエル・ミカエレデスの仕事が挙げられる。カラヴァンのそれは一階から二階にわたる全会場を床面に置かれた白いレリーフでおおい、一方ミカエレデスは大小さまざまな白いシェイプト・カンヴァスで会場を埋めた。方法としては新しいというわけのものではないが、それぞれ質の高い仕事といっていい。絵画あり彫刻ありオブジェあり動く作品ありで、あたかも会場をスーパーマーケット風に仕立てたのが、スイス館と北欧三国(フィンランド、ノルウェー、スウェーデン)館。というのはいささか不正確で、北欧三国館ではスウェーデンのグループ「ARARAT」(Alternative Research in Architecture, Resources, Art and Technology)が自然と人工の調和をモティーフとした未来図を模型として提示したのだが、未来図としてはグループの文章によるマニフェストにかなわない。模型

ミカエル・ミカエレデス《溝》(右)、《稜堡》(左) 一九七四年

はなくもがなである。

もっともすっきりしていたのはイギリス館のように私には思われた。イギリス館はリチャード・ロングひとりの出品で、作品は床の上に並べられた渦巻形の赤っぽい石の列ただそれだけである。題して《石彫》という。ただし渦巻といっても会場の形にあわせた正方形状のそれである。ロングの仕事は常に特定の地形と密接な結びつきをもっているので、「環境」といえばまさに環境に即応したものということができよう。むろん、ことさら「環境」といわなくてもいいわけだが、テーマとの関連で見てもロングの作品はまことにぴったりという感じがした。イギリス館と日本館にはさまれたドイツ館はヨーゼフ・ボイス、ライナー・ルッテンベック、ヨッヘン・ゲルツの三人の出品。ボイスは《トラム・ストップ》(停車標)と題した一種のモニュメント、ルッテンベックは部屋全体に黒いロープを張りわたした《通路》という仕事、ゲルツは《馬から降りるケンタウルスの難渋》という変わったタイトルの巨大な木馬である。この三人は昨年暮ドイツ館を訪れて「物理的環境」というテーマにそった仕事が実現可能かどうかを検討した結果、こうした作品の展示に至ったという。

ボイスのそれは垂直上方、下方、水平の三方向をもった風変わりな作品で、モニュメントだとされている。垂直上方の部分はボイスの生地クレーフェにある古い一七世紀の砲身、それに砲丸から鋳型をとり、それを組合わせたものだといわれ、頂上にはボイス自身がモデルとなったという頭部が鎮座している。《トラム・ストップ》というタイトルは、モデルになっている時ボイスがトラム・ストップを

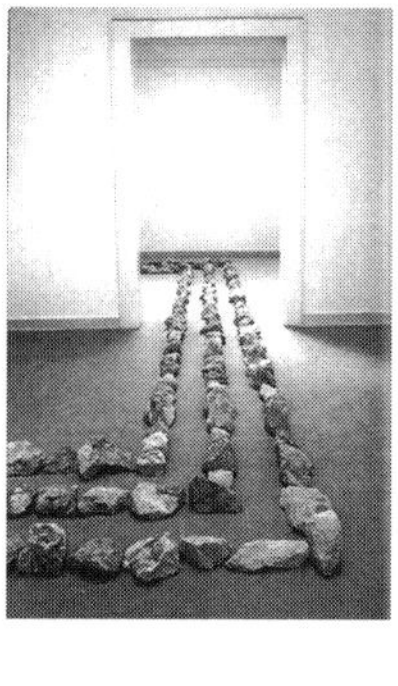
リチャード・ロング《石彫》一九七六年

想い浮かべていたからだというが、これは詮索のしようのないことであろう。下方というのは会場の一隅に地下に向けて掘られた深さ二一メートルの小さい穴である。そこに逆L字型の鉄棒が押入されている。水平方向は床に溝を掘って埋められた一本のレールを指すが、レールは円弧の一部をなすように軽く湾曲している。そして、上方に向かう例の砲身のかたわらに、床を掘ってでた石片とか土が積まれているというのが作品の全貌である。こう書くときわめて単純な構成のようだが、ボイスの作品に特有のあの名状しがたいミステリアスな雰囲気がここでも失われていない。この雰囲気がボイスの作品への好悪を分ける分岐点でもあるのだが、この作品は、私には興味深かった。というのはボイスの仕事はもっぱらさまざまな素材を彼自身の体験と記憶に関連づけて、いわば私的モニュメントとしてうみだされてきたといっていいが、この《トラム・ストップ》では私的なものからのはみだしを感じたからである。コミッショナーのクラウス・ガルヴィッツがこの作品を「モニュメントのメディアへの転換」とし、それはボイスの最近の個展のタイトル「メディアのモニュメントへの転換」をひっくり返したものだと指摘しているのは示唆的な見解である。

レイモン・アンス、アラン・ジャッケ、ベルトラン・ラヴィエ、ジャン・ピエール・レイノー、ジャン＝ミッシェル・サンジュアンによるフランス館は、テーマとの関係がもうひとつ不鮮明だったが、ジャッケが巨大な「梵天の塔」を出品しているのに驚いた。「梵天の塔」といえばわが池田龍雄とこないわけにゆかないが、フランスにも同類がいるのを知らされたからである。

日本館は前にも触れたように篠山紀信ひとりの出品である。私は篠山の写真が特に日本の家の室内に関心の向けられている点に注目し、生活環境において物体がどのように意味として機能しているかを示す好例として、それを選んだ。ディスプレイは建築家の磯崎新に依頼したが、正方形の日本館の四つの壁の全面にあたかもそれ自らが壁を構成する如く三段掛けに写真パネルを並べるというディスプレイとなった。一点一点を分離的に見るのではなく、いわば集合的に見てもらいたいという篠山紀信の意見とも、それは合致した。私もまたアノニマスな写真展示という性格を強く押しだすものとして適した展示方法だったと思う。

写真出品といえば、私はデンマーク館のウィリー・オルスコフのそれが印象的であった。彫刻家であり彫刻も出品していたが、オルスコフは《あいまいな土地と単純な素材構築物》というタイトルの写真をも並べ、それは河原とか街の一隅など、都市の一部でありながら人びとが見過してしまうような場所にある板囲いの小屋とか棒ぐいなどを撮ったもので、かつては用あるものであったそれらの見捨てられた「素材構築物」は、いったいどのような環境として眺めるべきかという問いをモティーフとしたものである。あるいは人間にとって「物理的環境」とはどういうレヴェルから意識化されるのかという問いといってもいい。これらの「素材構築物」は建築と彫刻の両方と無縁ではないはずである。

しかし、ひるがえって一観客として見れば、こうした共通テーマによる多種多様な展示は一種の戸惑いを感じさせることもまた否定できないのではないかと思わざるを得ない。形式的な統一はできないとしても、もう少し限定度の強いテーマの方がよかったという気持ちは打ち消し難い。しかも他方で、国別参加というシステムでは、それは難しいことかもしれないという気のすることも事実である。この問題は多分、同種の企画が続く限り尾をひくに違いない。「環境と参加」展の残したビエンナーレのひとつの課題ではないかと思う。

芸術と室内環境の史的変遷　チェラントの好企画

限定度の強いテーマといえば、ジェルマーノ・チェラントの構成した「環境／芸術、一九一五〜七六」展は、今回のビエンナーレのなかでも代表的なもののひとつであった。ひとことでいえば、これは部屋と関連した美術家の仕事を集めたものである。

いわゆる脱絵画・脱彫刻の現象として、ここ数年来、屋内にしろ屋外にせよ、芸術家の行為が空間のひろがり、特定の場所、あるいは地形などと密着した例が少なくないことは周知に属するだろう。チェラントがこの展覧会の構成を目論んだ根底には、まずこうした現象の集積があったようである。チェラントは、美術の歴史を見渡すと、作品の機能はそれが位置づけられている状況と切り離せないものであることを指摘し、環境が美術をつくりだすと同様、美術もまた環境をつくりだすという相互的な関係に注目する。「場所との関連性を特殊な環境という文脈でとらえたもの、あるいは空間的な相互作用を同じ文脈でとらえて美術作品をつくりだすことが、今世紀の初頭から急激に増加した。この急増は、美術作品の意味と価値は、未来派から今日に至るまで、それが置かれている特定の環境のいかんによって決まるとさえ断言できるほどである」。しかし、一般的には美術作品はそうした文脈から切り離されたものとして見られてきた。作品を環境から切り離すというのは、それを交換可能な物品とすることを意味している。「もし美術家がその作品を自分の手によって環境と〝結びつける〟なら、その後の作品の市場操作はほとんど困難になり、すべての美術作品はその美学的、イデオロギー的意味を含めて、美術家自身の意図と呼応するものになろう」。

「こうした実践に対する反対が強いので、環境的芸術のほとんどは破壊され、それについての知識は今日復元と写真による記録に限られている。同時に環境的作品は美術界の支配体制である交換という操作を掘りくずすことになるので、情報メディアからも、交換の当事者たち自身からも無視されている。その結果、環境的芸術は困難で、周辺的なものとされてきたのである」。チェラントはこういう視点に立って、立体派から今日までの環境的作品を選びだしたという。ただし、前にも触れたように「環境」とはさまざまなレヴェルで切断し得る多層的なものであり、チェラントはこの展覧会ではそれを「室内環境」に限定している。「室内環境とは、六つの面（床、天井、四つの壁）によって決定された空間であり、それは〝複雑に区分された層から成る、人体スケールのふさがれた箱〟というように定義できよう」とチェラントはいう。私が初めに単純に「部屋」といったのはこういう空間を指したのである。

展覧会構成の原理は明快といっていい。こうした企画はしばしばあまりにも形式的共通性にとらわれ過ぎる危倶があるものだが、ここでは「室内環境」という限定

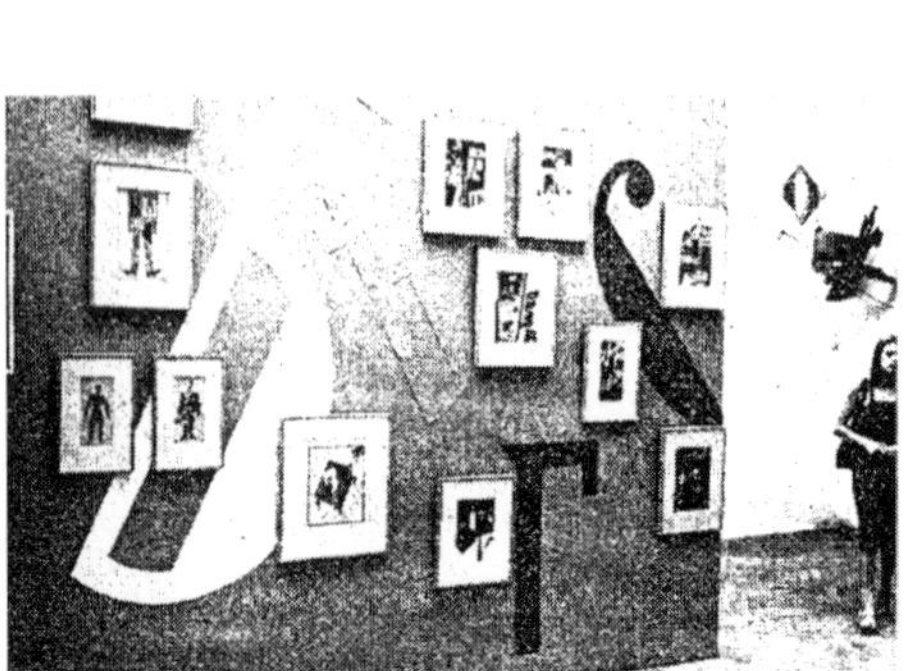

「シュトゥルム」展（ベルリン、一九一二年）におけるイワン・プーニの作品展示の復元

が、それと結びついた仕事の多様性を逆に浮かびあがらせる条件となっているように受け取られた。展示は未来派のバッラの《未来派の環境の模型》という一九一二年頃のデッサンから始まっているが、この展覧会はデッサン、写真の他、さまざまな部屋と結びついた作品の原寸大の復元などを集めたもので、私には初めて見るものが少なくなかった。展覧会は三つに大別されている。以下、その順序に従って触れてみよう。

第一は一九一二年から四五年までの、いわば第二次大戦前の作品である。復元されたものとしては、イワン・プーニが一九一二年ベルリンの「嵐《シュトウルム》」展の際に一室をそのまま作品としたもの、エル・リシツキーが一九二三年、これもベルリンで開かれた国際美術展の際、一室を《プロウンの環境》として、部屋全体を作品としたものがまず挙げられる。「プロウン」とはリシツキーが自らの絵画、レリーフにあたえた共通した呼称であり、《プロウンの環境》とは、いわば壁と天井を直接使ってつくられた人体スケールのプロウンの作品といっていいものである。

さらにイヴォ・パナッジの《未来派の玄関の間》(一九二五―二六年)の復元がある。これはプーニやリシツキーのそれと違って部屋として構成されている。パナッジはボッチョーニ、バッラなど未来派に続く「新未来派」あるいは「第二次未来派」に属するひとりであり、この「新未来派」はとりわけ機械の時代の美術ということを強調したらしい。一九二二年に刊行されたマニフェストは「機械芸術宣言」と題されている。というような事情だろうか。未来派の先達バッラの構想に比して、パナッジによるこの部屋は一種の冷たいメカニックな性格が特徴となっているように感じ

イヴォ・パナッジ《未来派の玄関の間》
一九二五―二六年(復元)

られた。年数は相前後して、こうした生活空間へのアプローチということでは、モンドリアンの《B夫人のサロン》（一九二六年）がある。図面をもとにして復元されたものである。天井と四つの壁を正方形と矩形とで塗り分けたもので、建築と合体することで絵画の消滅を想定していた、これはモンドリアンのひとつの試みであったのかもしれない。モンドリアンといえば「新造型主義」の同志であったテオ・ファン・ドゥースブルフによって内部を構成されたキャフェ・オーベットの《花の部屋》と《映画館》（一九二六―二八年）の模型もある。これは原寸大というわけにゆかず、一〇分の一の縮尺である。さらにカンディンスキーの壁画によって内部をおおわれた《音楽的環境》（一九二二年）という部屋が二分の一の大きさでつくられている。キャフェといえば、タトリンがロトチェンコなどと一緒に室内にレリーフをとりつけたモスクワのキャフェ・ピトレスクがあるが、この方は写真によっても全体が分からないせいか、引き伸ばされた写真と、タトリンのコーナー・レリーフ二点（復元）、それにロトチェンコによる天井から吊られた構成物が、そのイメージの断片を示唆するかのように展示されていた。

　ところで、ここに列挙したいくつかの仕事はどちらかというと、なんらかの機能をもつ空間（たとえば居間であり、キャフェである）に美術家が寄与しているという点に特徴がみられるといえよう。美術家はインテリア・デザイナーという役割をあわせもっているといっても大過はないはずである。しかし、たとえばマルセル・デュシャンがパリのアパートで、寝室とスタジオの両方にまたがるドアを一枚にした例の片方を閉ざせば他方が開くといったアイロニカルなドアとなると、かなり意

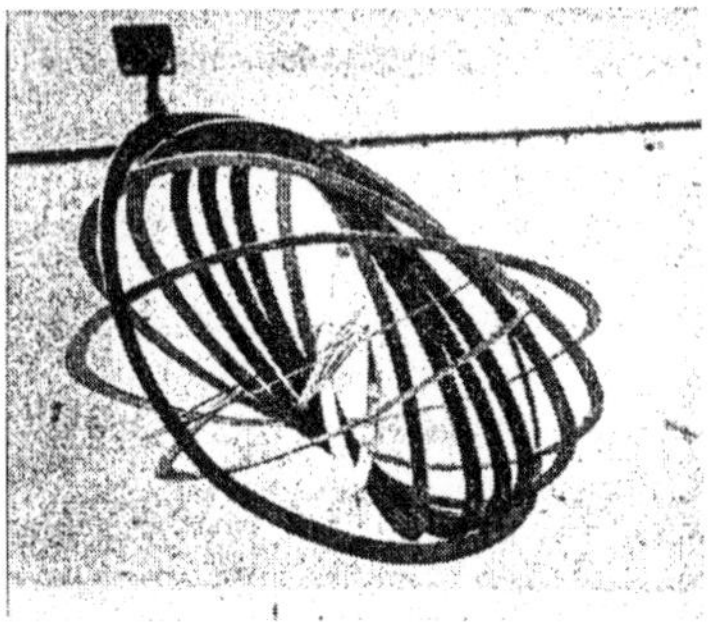

アレクサンドル・ロトチェンコ《吊り下げられたコンストラクション》一九二〇―二一年

味合いは変わってくるといわねばなるまい。確かにこれも室内環境と切り離せないものではあるが、室内との関連という点では、部屋の部分的要素に収斂している。マン・レイの《出口》にしても同様である。これらには部屋の部分をオブジェとして見るという視点があらわれているのである。

図面や写真ではこの他多数の美術家の仕事が紹介されているが、次の年代は一九四五年から六〇年代の後半ということになる。この時期の仕事として紹介されているのは、室内環境といってもほとんど画廊という展示空間であるというのが大きな特徴といえよう。図式的ないい方をするなら、生活空間から展示空間への移行である。たとえば、画廊をまったくからっぽにしたイヴ・クラインの《非物質的な空間》、逆に画廊を廃物でみたしたアルマンの《いっぱい》、薄暗い展示空間に黒一色に塗られた木の廃品による作品を並べたルイーズ・ネヴェルソンの《月の庭プラス1》、ジョージ・シーガルの《レストランの窓》などからアンディ・ウォーホルが壁いっぱいに牛の頭部の版画を貼りつけた《牛の壁》に至る作品群は、そのほとんどが展示空間と関連している。展示空間を作品展示のための受動的な空間としてとどめず、空間全体を作品にとっての不可欠な構成要素として積極的に使用しようというのが、それらにみられる美術家の態度である。

この時期にも、ピエロ・マンゾーニの《螢光の窓》のように化学繊維の表面に螢光塗料を塗ったもので窓のガラス替わりにした作品とか、店頭のウィンドウを布でおおったクリストの《店頭》のように、いわば室内環境の一部としての作品といったものが散見される。展示空間全体を利用した仕事と意味合いが同じでないことはいうまでもあるまい。ただこれらをも含めて、この時期の作品には環境そのものからは生活のにおいともいうべきものが次第に稀薄になっていることは大きな特徴であろう。これはたとえばその主題とか材料においては、戦前よりもはるかに日常生活に下降したかに見えるこうした作品にとっては逆説的ともいえかねない特徴である。というより、ポップ・アートに象徴されるような日常生活との結びつきは、実はそれだけ作品の置かれる環境が日常生活から遠去かったということのあらわれかもしれないのである。

一九六〇年代の後半から現在までは、回顧的な展示ではなく、一三人の美術家に一室ずつをあたえた、いわばビエンナーレのための新作である。一応名前を列挙しておくと、ヴィト・アコンチ、マイケル・アッシャー、ヨーゼフ・ボイス、ダニエル・ビュレンヌ、ダン・グラハム、ヤニス・クネリス、ソル・ルウィット、ロバート・アーヴィン、ブルース・ナウマン、マリオ・メルツ、パレルモ、マリア・ノードマン、ダグ・ウィーラー。

このうち、クネリスはかつてミラノでおこなった画廊に生きた馬をひきこむということを再現した。これまで写真で見ただけではその雰囲気がわからなかったが、なにもない冷いコンクリートの空間に、八頭の馬がつながれているというのはなんとも奇妙な印象をあたえた。人をくったとも思えることを試みたのはダニエル・ビュレンヌである。この「環境／芸術」展の展示室は二〇の部屋に分かれていたが、その各々の部屋には天井にガラスによる天窓がついている。ビュレンヌはそのガラス板に、彼のトレード・マークともいうべき縞模様の紙（半透明の紙に白の縞を刷ったもの）を貼りつけたのである。題して《一四のガラスの天窓マイナス1》という。というのは自分に与えられた部屋の天窓を含めて一四の部屋の天窓のガラス（じっさいは一三だったと思う）に例の縞模様の紙を貼りつけ、そのうえで自分の部屋の天窓だけは開放してしまったからである（マイナス1）。そして、部屋の床のまわりに溝をつくり、排水口を備えた。開放された天窓から雨が降ったときの用意である。つまり、普通はビュレンヌの部屋はまったくのからっぽであり、天を仰げば空が見えるというだけである。

こういうように説明してゆけばきりがないが、もっともオーソドックスと見えながら、変質させられた室内環境ということを強く感じさせたのはソル・ルウィットのそれであったように思う。壁をまっくろに塗り、その上にルールに従って直線、円弧、破線を白で一面に散らばせたように描いただけのものだが、この物理的環境はある深い意味がそこに満ちていることを感じさせたからである。もうひとつ異色だったのはマリア・ノードマンによる、壁にあけられた一条の亀裂のような隙間から さしこむ光によって、室内がまったく方向感覚を失わせるようなふしぎな光の海を現出していた仕事である。

ところで、これらのもっとも新しい時期に属する仕事はまた、それ以前のイヴ・クラインやネヴェルソンらの作品と異質なものであることを歴然と感じさせずにはいない。それらはいずれも「環境／芸術」展という展覧会の一部であることによってれっきとした展示空間と結びついているには違いないが、しかし、展示空間全体を利用した仕事といったニュアンスからはほど遠いのである。あえていうなら、ある中性的というか無性格な空間が芸術的空間に変貌させられたとでもいえるかもしれない。ひとつには、ここでは物体としての作品が完全に姿を消しているという事情もあるという。四五年から六〇年代後半に及ぶ時期の作品には、なお物体としての作品ということが実体としても、また概念としてもみられたからである。チェラントのいう「室内環境」に限定しても、それと美術との結びつきは決して同一のものとはいい難い。

しかし、環境と結びついた仕事が、最近のそれはちょうど一サイクルを経たように、戦前のそれと一種の共通性をもっていることは興味ある暗合である。それは、室内環境がそのなかへ入ることによって意味をもつという点である。むろん、再度触れたように戦前のそれは機能をもった空間であり、六〇年代後半から現在へかけてのそれは、いささかも機能的な空間ではない。しかし、展示空間とは違うということでは一脈相通じるところが見られるからである。もっともこれはさらに考察されるべきことがらであろう。私は印象としてそう感じたに過ぎない。

チェラントは、この展覧会は未来派から今日に至る環境と芸術の関係一般の意味を明らかにしようとするものではなく、一九六六年から現在に至る、今日の実験的な芸術が環境にコミットしているという事実をできるだけ体系的な視点で示してみたかったという意図にもとづいたと述べている。最近の動向は突然変異的なものではなく、ある文脈のなかにあるということであろう。その意図はかなりよく果たされているように思う。ビエンナーレ当局もまたこの展覧会を今回の催しのなかでのひとつの目玉としていたが、それを離れても、いろいろな考察を誘発する好企画であったといっても過言ではない。

国際展の直面する問題の露呈　動向の集約展

「国際的動向、一九七二〜七六」展もビエンナーレの専門委員会による企画展だが、これは八八人の美術家の仕事を通じて、一九七二年から七六年、つまりは前回のビエンナーレ以降の国際的動向を浮かび上がらせようという意図のものである。厳密にはこれは二つの部に分かれ、ひとつがいわゆる作品展示の部とすれば、もうひとつはパフォーマンスの部とされている。前者の部の出品作家の人選に当たったのは、委員会から委託されたスウェーデンの批評家オーレ・グラナスであり、後者の部の人選には造型芸術部門の専門委員のひとりであるイタリアのトマソ・トリニが当たった。この企画展は比較的遅くなって公表されたが、見方によれば各国館によっては実現し得なかった国別参加制廃止という方向を、この展覧会によって果たそうとしたといえなくもない。会場はジュデッカ島にある旧造船所の建物で、半分がパフォーマンスの会場に、半分が作品展示の会場に当てられた。因みに作品展示の部には日本人の美術家として、河原温、工藤哲巳、小清水漸、真板雅文、長澤英俊、パフォーマンスの部には、松澤宥、藤原和通が選ばれている。

この展覧会はその構造上、パリ・ビエンナーレと似ていなくもないが、こうした種類の国際展が今直面している問題は、じつはその人選とか内容ということよりも、そもそも展覧会の根拠をどういうところに置くべきかということであろう。これがひとつの傾向に限定されたものであれば、狭いとはいえ美学的な意味をよりはっきりさせるという根拠が想定されなくもない。しかし、この「国際的動向、一九七二～七六」展にはそういう形式的な限定はいささかもみられない。とすれば、それは形式的な整合性以外のところに根拠があるとみなければなるまい。それは展覧会を見ることによってよく感知され得ることだとは思われないが、展覧会をめぐってのあらゆる議論は、究極にはその問題にたどりつくように思われるのである。

現象的に見ると、この展覧会はカオスともいえる多様性を示している。それが今日の美術のそのままの反映に他ならないというのも事実であろう。グラナスもトリニも、今日の美術の状況を個人の活動という視点でとらえ、多様性をそうした状況の正当な反映とみている。「「七二～七六」展の方向は根本的には次の通りである。それは同質性に対して異質性を、一枚岩的意見に対して複数の意見を際立たせることと、彼らが質の点でもイデオロギーの点でもオールド・ファッションなものとは違っているというその違い方と、集団の統合的な力を明らかにすることである。まさにこれが今日の日々の現実に他ならないから」(トリニ)。しかし矛盾はこの多様性がオールド・ファッションの一枚岩的単一性に対する、いわばポジティヴな意味合いでの多様性とはなかなか受けとりがたいことであろう。私もまたこうした意味での多様性には同意したいが、今回の「国際的動向」展がこのポジティヴな意味での多様性をもっていたとかいう点になると疑問を感じた。何故なら、そうした意味での多様性はつまるところ、こういった形式の展覧会を成立させ難い力を含むものであり、その多様性の表現の根拠を別のところに求めるもののように思われるからである。

さてこの展覧会の多様性を紹介するとなると、すべての作品に触れる以外にはない。しかし、それは到底できないことである。ここでは私の関心をひいたいくつかの作品に「多様的」に触れておこう。

河原温は例の何時に起きたという文章の押印された絵ハガキを数百枚まとめて展示した。周知のように、ハガキはいつも河原温の滞在した場所の観光絵ハガキが用いられている。いわば日記という形式を引用した河原の作品である。面白かったのは、作品展示のためにヴェネツィアへやってきた河原温が、カタログの自分のページの当たるところにヴェネツィアの絵ハガキをはさみこみ、不特定多数の観衆に絵ハガキを送ったことである。ただし、何時に起きたという文章の替わりに「ヴェネツィア・ビエンナーレ、国際的動向、一九七二〜七六」というスタンプが印刷されていた。

一方ミラノに住む長澤英俊は《扉》、《ミューズ》、《手》の三点の彫刻を出品したが、いずれも構造的にはトートロジカルな点が特徴である。たとえば《扉》は扉を構成しているすかし彫りの樹木の枝が扉そのものを開けることのできないようになっている。またワックスでつくられた《手》は、その掌自体が作品の構成素材であるワックスのひとかたまりをひっかいて握っているといった具合である。《ミューズ》は鉄板から女性のプロフィールを切抜き、その切抜かれた鉄板の部分を薄く打延して二枚の羽根をかたどり、女性のプロフィールの背後に重ね合わせていた。構造上の内的完結性とでもいっていいかもしれない。トロッタの作品にもちょっと似たところがある。たとえば《自分自身の刺しゅう》というのは、刺しゅうをしている女性

アントニオ・トロッタ《バルコニー》
一九七四—七五年

像を刺しゅうであらわしたものだからである。トロッタはまた、《バルコニー》、《街燈》といった作品では、それらの題材をあるアングルから見たかたちに金属で平面の切り抜き状につくり、一見すると、あたかも立体としてつくられているかのような眼だまし的効果を誘発するものだった。

多様性に富む全体の出品作のなかでも、一種独得な異質性をもっていたのは、ベルギーのパナマレンコであろう。風変わりな飛行機の模型の制作・開発を継続しているパナマレンコは、今度も《シスト飛行機》という巨大な昆虫のような飛行機の模型を出品した。一種の羽ばたき飛行機である。異質性ということでは、定期的に音を発する音響器械を出品したアメリカのフォン・ヒューンも挙げることができる。いずれも非実際的な発明家的美術家というにふさわしい面にである。

工藤哲巳は《コンピュータ・ペインティング》と題する作品を二点出品したが、これは自作を写真に撮り、それをエレクトロニクスによる拡大装置によって大きくしたものである。工藤はこのプロセスを「翻訳」といういい方で呼んでいる。工藤の作品の発想の根底に男根の形態があることはあまりにも有名だが、会場でちょうどその前に位置していたキーンホルツの作品も、性的なものをモティーフにしてグロテスクな人体像を展示していたのが好一対のように思われた。

チェコスロバキアのヤン・コティックは以前プラハで作品を見たことがあるが、限定された要素を組み替えることによって、形態に可変性をあたえるというその作品は、原理は単純ではあるが、私にはそのさりげない素材の組み合わせを通してこの作家の並々ならぬ感受性を感じ、強い印象を残した。同じ東ヨーロッパ圏の、

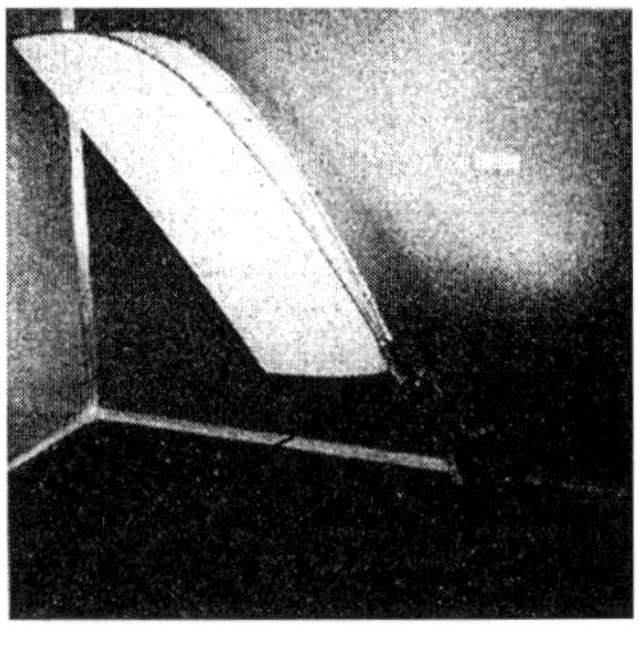
パナマレンコ《シスト飛行機》一九七六年

ポーランドの、ガストムスキのテープを用いた空間の奥ゆきについての眼だまし的作品も逸することのできないひとつだと思う。

「循環」というモティーフで知られるハンス・ハーケは、社会的循環のひとつのあらわれとしてのコミュニケーションということを土台にした作品をここ数年来続けているが、アンケートをまとめて、アメリカにおけるオイル・カンパニーがいかにもうけているかについての文章によるアピールというのが、この展覧会での出品作である。一見「モービル・オイル」の宣伝かと思われるパネルに、じつは反対の文章が書かれているところがミソである。美術の社会的キャンペーン化ともいえるし、逆に社会的キャンペーンの美術化ともいえる。いわば両義性を含んだ作品といえよう。

この他にも印象に残った作品がまったくなかったというわけではむろんない。しかしそれにしても繰り返すようだが、こうした展覧会の構成にはもうひとつ再考の余地があっていいのではないかという印象を消し難い。それがきわめて難題であることは、私も自分の経験に照らし合わせて充分分からないでもないが、他人の展覧会ではそれがはっきりと感じられるのである。

展覧会を支える文化構造　特陳「スペイン回顧展」の意味

最後に「スペイン、芸術の前衛と社会的現実、一九三六〜七六」展に触れておきたい。今年度のビエンナーレでは、じつはこれがもっとも力の入れられた催しであった。したがって、それに従うなら、この展覧会にもっとも多く紙数をさくのが、

エドワード・キーンホルツ《ミドル・アイランドNo.1》一九七二年

ビエンナーレについて語る本筋というものかもしれない。しかし、そうしなかったのは他意があってのことではない。これまで述べてきた三つの展覧会とこの「スペイン」展はその企画の意図にかなりニュアンスの違いがあり、前記三つの展覧会を中心にするという本稿の意図からたまたまそうなったに過ぎない。

この展覧会は要約すれば、反フランコというイデオロギーを土台に据えたこの四〇年間に及ぶスペインの現代美術展である。といって、政治的プロパガンダが正面に押しだされた展覧会というわけではない。一九三七年に開かれたパリ万博の際のスペイン館におけるピカソの《ゲルニカ》などの記録写真から始めて、今日に至るスペイン美術を一堂に集めたものだが、選ばれた美術家がスペインから亡命したものとか、国内にあって反フランコの立場を貫いたものに限定されているのが、展覧会構成の原理である。フランコ体制が持続したような国において、前衛芸術家はいかなる活動があり得たのか、また美術（ひろくいって文化）はどのような経路をたどって歩んだのかということを展覧会を通して浮かびあがらせようというわけである。ピカソ、ミロ、ゴンサレスなど戦前からの美術家から、タピエス、サウラ、ミリヤーレスなどの戦後派に至る作品が集められたこの展覧会は、初めて通観するスペインの今世紀の美術展としても興味深かった。フランコ派だったサルバドール・ダリの作品が完全に排除されていたことはいうまでもない。

そして、ここで始めの方に触れた各国パビリオンのスペイン館の閉鎖が登場するのだが、スペイン館はフランコ体制下の公式のものであり、フランコの文化への抑圧に対するプロテストとして、同パビリオンが閉められたというわけである。この

ヤン・コティック《接近》一九七四―七五年

措置についてはスペインの美術家の間でもいろいろの論議が生じ、トラブルが発生したということを聞いたが、私はくわしくは知らない。しかし、フランコはことヴェネツィア・ビエンナーレのスペイン館については、タピエスなどの前衛美術家を送っていたというイタリアのアルガンの意見に対して、今回のビエンナーレの専門委員のひとりであるスペインの画家エドアルド・アロヨはこう批判している。フランコはそれほど巧妙にわれわれを抑圧したのだ。彼は決して寛容であったわけではないと。

もうひとつの内戦についての写真展もまた、同じモティーフで実現したものである。それだけではない。「スペイン」は今度のビエンナーレの最大のテーマであり、演劇を始め多くの催しが企画されている。私はビエンナーレのサブタイトルとして「環境・参加・文化構造」が挙げられていると始めに書いたが、この最後の「文化構造」とはこの「スペイン」特集に対応するものであった。こうした方向性もまた、かつてのビエンナーレには決して見ることのできなかった性質のものとして特筆しておく必要があるだろうと思う。

西の文化の現在

昨年末の本紙で、学術界を回顧しての収穫というアンケートに応《こた》えて、私は北山善夫の作品を挙げた。

北山善夫　京の仕事

北山は今年のヴェネツィア・ビエンナーレ（編1）に、彦坂尚嘉、川俣正とともに三人の出品者のひとりとして選ばれ、その竹や木の枝と色紙から成る作品がたいへん反響を呼んだという。北山はまた、ちょうど今ピッツバーグで開かれているカーネギー国際展（編2）にも、日本からの四人の出品者のひとりとして、斎藤義重、菅木志雄などとともに出品している。

京阪神を中心とした、いわゆる「西」の現代美術について書くことを求められて私が思い浮かべたのは、この北山善夫の仕事のことだった。この美術家は京都府下に住んでいる。つまり「西」の美術家であり、作品の重要な素材である竹も京都府と切り離せない。その意味では作品もきわめて「西」的ということができる。

しかし、ヴェネツィア・ビエンナーレに足を運んだヨーロッパ、あるいはアメリカの観客の大半は、多分それを「日本」的と眺めたのではあるまいか。さらにカーネギー国際展のために来日したアメリカの批評家ジーン・バロは、北山の作品を現

初出『読売新聞』一九八二年一〇月二三日夕刊［大阪］、第六面

編1　40. Esposizione Internazionale d'Arte: arti visive '82 (XL La Biennale di Venezia), 1982. 6. 13–9. 12.

編2　48th Carnegie International, Museum of Art, Carnegie Institute, Pittsburgh, 1982. 10. 23.–1983. 1. 2.

代美術の新型作品として注目したのであって、「日本」的ということをことさら問題視しなかったのではないかと思う。

北山の作品のような仕事は東京になく、というより、私の知る限り日本のどこにもないという意味では「西」と密接に結びついて生まれたということになるだろう。しかし、私がその点に興味を抱いて、作品に注目したかというと、それは違う。理屈はあとからやってくるわけで、私は北山が「西」の人間かどうかを知ったのはのちのことである。要するに「西」を超えた作品に関心を惹《ひ》かれたのである。

流れぬ展覧会の情報

今「新人」という言葉を使うなら、北山のような現代美術の新人が東京には多く、「西」には少ないかというと、私はそんなことはないと思う。双方とも少ない。多少東京の方が多いのは、いわゆる美術家人口、あるいは美術家の予備軍の人口が東京に多いからである。それはまた、個展の数のちがいに端的にあらわれている。現在、東京で毎週開かれる個展の数は、京阪神三都市のそれを足し合わせた数よりもはるかに多い。一人の人間がそのすべてに足を運ぶのは、まず不可能に近い数である。

この事実は次のような現象に反映していて、現代美術にとっては「西」の方がむしろ好条件をうんでいる。それは新聞で採りあげられる現代美術の個展の頻度は「西」の方がはるかに多いという現象である。「西」には美術ジャーナリズムがないとはしばしば指摘されるところだが、この指摘は今日ではややステロタイプ化したというべきではないかと思う。ただし、ジャーナリズムに関していっておくなら、東京での展覧会の情報は「西」へも伝えられることが少なくないが、その逆が皆無に近いということである。「西」での注目すべき展覧会や個展の記事も、東のみならず全国へ流されて当然ではあるまいか。

五〇年代から六〇年代、「西」の美術界はきわめて活気に溢《あふ》れていた。戦後の日本の現代美術のさまざまな活動のなかで、今や海外でもっとも名前のよく知られている「グタイ」、すなわち「具体美術協会」はその時期の代表的存在だった。しかし、強調しておきたいのは、このかつての活気は「具体」のみならず、主としてグループ活動によって支えられていたという事実である。京都に陶芸の「走泥社」があり、日本画に「パンリアル」や「鉄鶏会」があった。遠く福岡市には「九州派」、高知には「土佐派」、そして福井には「北美」があった。

「西」超えた美術館を

現在、グループ活動への意欲はほとんど失われている。それが美術界に沈滞を感じさせてきた一因だと私は思っているが、「西」も沈滞については同じである。しかし、東京に比して、グループ消滅による沈滞感はより大きくあらわれているように見える。グループ活動というのは、その土地を拠点にしながらその土地に束縛されず、他の地域との交流活動が推進できる活動形態であり、グループが姿を消すことによって、美術家は交流の機会が少なくなり、仕事もまた閉鎖的になりがちだからではないか。「西」の現代美術の現状はそういうことを思わせるところがある。そうであれば余計に、東京対「西」という対比を単純に立てない方がよいと思う。東京はいってみれば文化的ごちゃまぜを特徴としていて、それに「西」の純粋性を対置しても始まらないからである。「西」の現代美術界も、むしろ積極的に東京、その他諸地域（海外も含めて）の動きと交流しながら、ごちゃまぜを志向すべきだと思う。「具体」の活力も、「九州派」のエネルギーもそこに根ざしていた。

「西」を西として閉ざさないことが肝心である。きわめて「西」的に見えながら、北山の仕事は閉ざされていない。異邦人たちが現代美術の作品として注目したのはそれによってであろう。現在、こうした諸地域の美術の交流を積極的に推進するのは、公立美術館のひとつの役目だと私は思っている。そして、「西」についていうなら、大阪にこうした「西」を超えた「西」のための現代美術館の設立が不可欠である。グループ活動のあのエネルギーに替わるものがどこかで提供されなければ、現代美術界の活気は望むべくもないからである。海外とも積極的に交流し、「グタイ」に替わって、その活動が海外にも知られる美術館が望まれる。

現代美術の位置

1

今回の「作法の遊戯　'90年春・美術の現在」展には二三人の美術家が選ばれて出品しているが、これらの作品はどのように位置づけられるのだろうか。私がいおうとしているのは作品の意味のことではない。作品の「位置」のことである。しかし、そういえばただちに、「作品の「位置」」とはどういうことなのだという問いが返ってくるにちがいない。当然の問いだと思う。そこで、「位置」とはなにかということを述べることから始めようと思う。

たとえば、平面上にひとつの点があるとき、その点の位置を知ろうとするなら、どこかに基準となる点を設け、その基準点から見てどの方向のどのくらいの距離に問題の点があるかを測らなければならない。数学でいえば、座標軸を設定して位置を決めるということである。いまさら事新しくいうまでもないことだが、位置といえば基準点というものがなければ成立しない。

むろん、私はここで平面上の点の位置について語ろうとしているわけではなく、

初出　水戸芸術館現代美術ギャラリー編『作法の遊戯——'90春・美術の現在 vol. 1』水戸芸術館、一九九〇年、八—一〇頁。「作法の遊戯——'90春・美術の現在」（水戸芸術館現代美術ギャラリー、第Ⅰ期＝一九九〇年三月二二日—五月六日、第Ⅱ期＝五月一九日—七月一日）のカタログに発表された文章。

この展覧会に出品されている作品の位置を問題にしているのであって、当然「位置」といっても比喩的な意味においてだが、しかし、位置という限りにおいては基準点がなければならない。それではその基準点とはなにか。私はここで、それを私たちの日常的な生活感覚と設定したい。日常的な生活感覚といっても、これまたとらえどころがないものだといえばその通りだが、いましばらくはそれを不問にしたい。

さて、そこでこれらの作品を眼にしてのもっとも素朴な印象は、それらがなにか奇妙なもの、あるいは奇異なものということではあるまいか。すくなくとも、日常的な生活感覚からすれば、ある特別なものという印象を惹起させずにはいないと思う。私もまたそういう印象を抱く。いやそれが現代の美術というものであり、大事なことはそうした素朴な印象を超えたその先にあるのだという声がでてくることは充分予想できる。奇妙とか奇異というのは、作品の本質とはなんの関係もないという声である。この意見が不当だとは私も思うわけではない。しかし、奇妙、あるいは奇異なものという印象は、これらの作品が日常的な生活感覚という基準点に照らすと、遠い近いは別としても、ある距離をもっているということを示している筈である。

この距離にたいしてはふたつの態度があり得るだろうと思う。ひとつは、その距離を当然のこととしてそれを飛び越えるという態度であり、もうひとつはこの距離に固執する態度である。私がこの文章の冒頭で「位置」ということを持ち出したのは、後者の態度をとろうと思ったことによる。この距離を飛び越えるというのは、飛び越えた先には美術というひとつの創造活動の領域があり、その領域にいわば垂直に降りたつということを意味している。その領域にはさまざまな作品が並列していて、そこでは形態と様式の比較が中心的な関心事となるだろう。あるいは、分類と比較が作品を見る際の主たるメガネとなるといっても同じである。

このメガネが重要であることは言をまたない。それは作品の特質を明らかにする不可欠な方法だからである。ただし、繰り返すようだが、この方法をもっとも有効に駆使し得るのは、美術という領域へ垂直に降下したとき、あるいは空中からそこへ侵入したときに限られる。つまりは、先程の距離を飛び越えたときである。それを飛び越えないものにとっては、作品のどのような分類や比較も、距離を隔てたところでの遠い出来事としか映らない筈である。

現代の美術に見られる作品の形態と様式の多様性ということは、折りあるごとに指摘されてきた。それはこの展覧会の出品作を一瞥すれば容易に感知されることにちがいない。しかし多様と映るのは形態と様式ではなく、これまで述べてきた作品の距離、あるいは「位置」の多様さではあるまいか。たとえば、この展覧会の出品者である川俣正と國安孝昌の作品はいずれも屋外に設置されている点で共通しているが、これら二人の作品は私たちの日常的な生活感覚という基準点から見て等しい距離ににあるものなのだろうか。その作品の違いは素材と方法の違いにのみ帰着されることなのだろうか。そうではなく、それぞれの「位置」に違いがあるのではあるまいか。

川俣正の作品も國安孝昌の作品も風変わりなものである点では似ている。しかし、風変わりな点では似ていても、それぞれから受ける印象がまったく同じというわけ

川俣正《Begijnhof Kortrijk》一九八九―九〇年

ではない。その違いを私は作品の位置の違いと見る。國安孝昌の作品よりも川俣正の作品のほうが生活感覚という基準点により近い位置にあるように思う。

2

現代の美術が失ったのは、作品に共通する一定の位置ということである。むろん、これまでいってきた位置というのは、数値や角度に還元できるようなものではない。それは感覚的であると同時に心理的なものというほかないが、それが共有できるものを失ってしまったのである。それを裏返せば、美術という名前の領域が大きく拡大されたということである。先程いった形態と様式の多様性は、その現象的なあらわれにほかならない。この位置の多様化は、今世紀のヨーロッパ美術が示してきたことであり、その影響を決定的に受けたわが国の美術も、同じ道を歩んできたのである。

たとえば、美術が宗教という体系の一環として存在する場合には、一定の位置というものが確定できた。あるいは、美術が道徳や倫理の図解として存在するというなら、それもまた一定の位置を保有することが可能である。その場合も道徳や倫理の体系という背景が位置を支えているからである。しかし、今世紀のヨーロッパ美術は、そうした背景となるべき体系から可能なかぎり自由になろうとした。それが美術の自立性の確立ということをもたらしたのだが、同時にそれはまた作品の位置の限定化を捨てるということを意味した。どんな作品をつくりだすこともできると

國安孝昌《大地の塔》一九八九年

いう可能性を獲得したかわりに、作品の位置についての思考は棚上げにされてしまったのである。いや、棚上げにされたというのは正しくはない。そのことを思考した美術家は少なからずいたが、最早、位置の共有ということは実現するすべがなかったというべきだろう。皮肉なことだが、ナチス・ドイツやかつての日本、あるいは社会主義リアリズムの支配におかれた時期のソビエトの美術などのほうが、美術作品の位置を強制的に明確にしたのだった。

ここで問題は背反的なかたちで生じざるを得ない。そうした強制的な位置の確立ということを肯定しないとするなら、作品の位置といったことはまったく美術家の恣意にゆだねられるべきなのかどうか。いってみれば、美術家のお好きなようにという事柄に属するのかどうか。そして、ひとびとは美術という領域へジャンプして垂直に降下してくればいいということになるのかどうかという問題である。むろん、それでいいのだという見解もあるだろう。そして、そうだとするなら、現代の美術に接するにはジャンプが必要ですということにならざるを得ない。ジャンプができないというひとにとってはそれは無縁だということで終わりである。

実はこのジャンプというのは難しいことではない。生活感覚から跳躍して、現代の美術というものはこんなものかというように受容してしまえば、それで事は始まるからである。しかし、私はこのジャンプに組みしないひとりである。美術作品が生活感覚という基準点から距離をへだてたものであることは当然だと考えるが、そこまではジャンプでなく歩いてゆくものだと思うからである。だからこそ、位置を問題にしているのである。

美術館という施設は、多分この位置の違いを見えなくしてしまう可能性を濃厚に持っている。というのも、美術館は美術という領域の守護者という役割をになっている場所であり、そこではどのような作品もその領域の住人として同列化され、作品の形態と様式の違いが目立つような場所だからである。いわば、見るひとを不可避的に美術への垂直の降下者、あるいは空中からの侵入者とみなす場所だからである。しかし、本当は作品の位置を測る場所でもある筈である。

この展覧会は作品の形態と様式の比較が主眼ではない。作品の位置の多様性に焦点を据えた企画である。「作法の遊戯」というタイトルは、二三人の美術家が共通する作品制作の規範を持たず、いわば各人各様の方法と素材によって作品をつくりだしているということをいいあらわすべく選択したが、これまでの私のいいかたに従えば、各人がそれぞれに作品の位置を模索しているという意味合いの言葉といいたい。「作法の遊戯」とは「位置の模索」と同義なのである。

3

ところでこの美術作品の「位置」いうことだが、実はそれは一種類しかないというわけではない。たとえば、過去の美術作品については、私たちはそれを文化遺産として位置づけるという位置のとりかたをおこなっている。この位置づけは別に面倒な問題を引き起こさない。この展覧会は「作法の遊戯」というタイトルに加えて「'90年春・美術の現在」というサブタイトルをもっている。今もし、これが「六〇年

青木野枝《無題》一九八九年

代の美術の回顧」といったサブタイトルをもっているとすれば、ひとびとはそこで見られる作品にたいして文化遺産という位置づけをするだろうと思う。そして、「作法の遊戯」はそのまま六〇年代の美術作品の形態と様式の多様性としてとらえられるにちがいない。同時代にもっていた位置の多様性は、文化遺産という位置づけによって表立たなくなるからである。

　文化遺産としての美術作品というのはひとつの領域を形成している。むろん、そこでも分類や比較がおこなわれる。美術史というのは分類の一方法であり、図像学や様式の比較論は比較の方法である。作品を遺産という位置づけからひっぱりだし、それがうみだされた時代のなかに戻して眺めようとすれば、ふたたびその時代における作品の位置がクローズアップされざるを得ない。それは当時のひとびととどのような関係をもつものであったかという問題である。

　現在うみだされている作品にたいして、私たちは文化遺産という視点をもちあわせない。梱包の仕事でしられるクリストは、そのことを積極的にとらえ、美術作品には寿命があるという考えを主張している。つまり、どのような作品もいつかは遺産という領域に送り込まれてしまう。そしてそうなれば、文化遺産のひとつという位置づけが与えられる。それは作品がうみだされたときのその時代の位置づけとは別のものである。つまり、作品は同時代の位置づけにおいてのみ生きるというのである。そうした考えから「もの」としては残らない一過的な仕事をおこなってきた。

　クリストのような考え方とは逆に、現在の美術を文化遺産の先取りという見方もあり得よう。あらかじめ文化遺産という領域に属するものとして位置づけるという

大竹伸朗《影I》一九八七年

見方である。作品を絵画、あるいは彫刻の本質という視点に照らして見ようとする見方には、こうした遺産の先取りという思想がないとはいえない。何故なら、本質というのは遺産の総体から抽出されるひとつの仮説というほかないものだからである。

どのような美術作品も文化遺産としての美術とまったく無縁ではあり得ないことはいうまでもない。そもそも、美術という概念自体そこから形成されたものである。結果として現在の美術も遺産の増額に寄与することにはなるだろうが、そして作品をつくりだすに際して遺産のなにかを参照することがあるのは当然のこととしても、作品を文化遺産という位置づけにのみ依拠させるというわけにはゆかない筈である。遺産ではなく、いわば今日の美術としての位置というものを想定しないわけにはゆかないと思う。

たとえば、彫刻がモニュメントという位置づけを失ったということがいわれて久しいが、それでは現在屋外に見られる作品はどのような位置を占めるのだろうか。それは風景の一部を改変する修景として位置づけられるのだろうか。もし修景だとするなら、屋内での彫刻の位置とはどういうものだろうか。屋内は仮の発表の場所だろうか。こういう問いを発するのも、最近では屋外、屋内に同種の作品の展示を見る機会が少なくないからである。

あるいはまた、壁に懸けられて展示されるという作品は、たとえば印象派の絵画と今も変わらず同じ位置に属するのだろうか。そして違うのは様式と素材なのか。それとも、壁に懸けられるとしても、まったく別の位置に立つものだろうか。非再現的な絵画はカンディンスキーの絵画と同じ位置にあるのか、それとも絵画として性質を異にするものなのかどうか。

こういう設問は、とりようによってはたいしたことではないと聞こえるかもしれない。しかし、現在の美術作品を秘教的なものと規定するなら別だが、そうでなければ一見それがどのように末梢的な設問と見えようと、実際にはいささかも末梢的とはいえないのである。私はここで美術の大衆性をいっているのではない。大衆性をもった美術は、それはそれでひとつの位置を確定している。それは生活感覚と著しく近い距離にある美術ということができる。「現代美術」は距離が遠いというわけではない。距離がはっきりしないということそのことが、あたかも特質のように見えるのである。

4

この展覧会は一言でいえば総花的な展覧会である。ただし、総花的とはいっても一応の限定はある。戸谷成雄、西村陽平などを別とすれば、大半の美術家は八〇年代に作品の発表活動を始め、しかもその作品が注目されるに至った顔ぶれを選んだ。しかし、前にも述べたように、これらの美術家の作品の形態と様式の多様性を明らかにしようとして企画したわけではない。わが国の現在の美術の形態と様式の多様性に焦点を据えるなら、それこそ先に述べた大衆性をもった美術家を含めたもっと幅広い人選が妥当だった筈である。そこまで人選を広げなかったのは、現在もっとも尖鋭的と思われる作品をうみだしている美術家に限定したからである。これらの

戸谷成雄《森の象の窯の死》一九八九年

美術家の作品が一堂に会するのは、この展覧会が最初の機会である。その点に本展のもっとも大きな特色があるかと思う。

しかしまた、こうして一堂に集めることによって、作品の違いが如実に感じられるにちがいない。その違いは用いている素材の違いや作品の形態の違いにすべてが帰せられるのではなく、それ以上のなにかの違いを感知されるのではないだろうか。それが私がこの小論で述べてきた「位置」の違いである。基準点からの距離と方角の違いである。現代の美術はそうした位置の多様性があるということを、本展はそのまま投げだしている。それもまた「美術の現在」である。別のいい方をすれば、この展覧会は文化遺産としての美術作品という視点をまったくとっていない企画である。

さらに付け加えて記しておきたいことがある。本展は総花的だと述べたが、ここに出品した美術家の作品はその採用する媒体においても限定されている。「美術の現在」といえば、写真やテレビなどの映像を用いた作品、あるいは電子テクノロジーなどいわゆるハイ・テクノロジーを利用した作品も逸することができないが、前者については本展につづいて開催予定の展覧会で紹介することにしているので、本展には包含しなかった。後者についてもまた展覧会を考慮している。そういうわけで、この展覧会は広い意味での絵画、彫刻の作品に集中している。

私が述べてきた現代の美術の位置に困惑して接触を放棄することなく、観客のほうもまた作品の距離を測るべく、生活感覚という基準点からてくてく歩いて作品と接していただきたいと衷心から思う。

展示とのたたかい

一九六〇年代は美術館の時代だといわれたことがありました。それは美術館が収蔵した作品、いわゆるコレクションの公開展示以外に企画展を開催することが目立ったことによっています。もっとも美術館が企画展を開催するのは六〇年代にはじまったわけではなく、たとえば一九二九年に開館したニューヨーク近代美術館も最初にアンリ・マチス、つづいてディエゴ・リベラの回顧展[編1]を企画開催しています。

六〇年代における美術館の企画展がことあたらしく注目されるにいたったのは、それが個人あるいは流派の回顧展ではなく、同時代のいうなればできたての作品に着目し、それらを集めてひとつの動向としてクローズアップした点です。たとえば、レーヴァークーゼン市立美術館「モノクロームの絵画」[編2]、チューリッヒ工芸美術館「動く芸術」[編3]（六〇年）、アムステルダム市立美術館「動くもの、動かされるもの」[編4]（六一年）、ニューヨーク近代美術館「アセンブリッジの芸術」[編5]、ミュンヘンのノイエ・ガレリー「ヌーヴォー・レアリスム」、ホイットニー美術館「アメリカの幾何学的抽象」[編6]（六二年）、ユダヤ博物館「あたらしい抽象へ向かって」[編7]（ハード・エッジ）（六三年）、グッゲンハイム美術館「シェイプト・キャンバス」[編8]、ロサンゼルス・カウンティ美術館「ポスト・ペインタリー・アブストラクション」[編9]（六四年）、テルアビブ美術館「芸

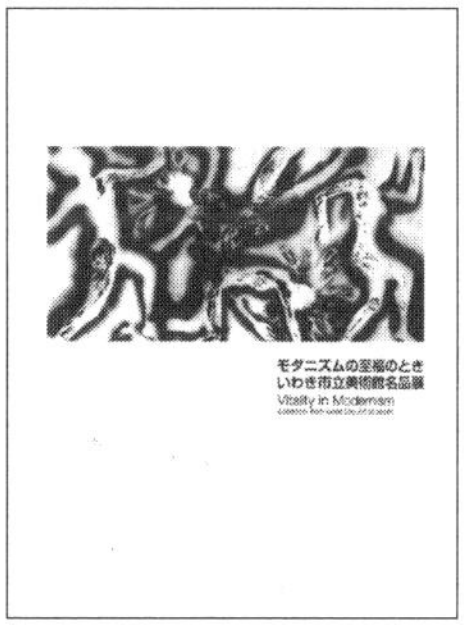

初出　宇都宮美術館編『モダニズムの至福のとき──いわき市立美術館名品展』宇都宮美術館、二〇〇二年、一四─一七頁。「モダニズムの至福のとき　いわき市立美術館名品展」（宇都宮美術館、二〇〇二年九月一五日─一一月四日）のカタログに発表された文章。

編1　Henri Matisse, Museum of Modern Art, New York, 1931. 11. 3.-12. 6.
Diego Rivera, Museum of Modern Art, New York, 1931. 12. 22.-1932. 1. 27.

編2　Monochrome Malerei, Städtisches Museum Leverkusen Schloss Morsbroich, 1960. 3. 18.-5. 8.

術と運動——光の芸術と動く芸術」[編10]、ニューヨーク近代美術館「応答する眼」[編11]（オプティカル・アート）（六五年）、アイントホーフェンの市立ファン・アッベ美術館「芸術・光・芸術」[編12]、ユダヤ博物館「プライマリー・ストラクチャーズ——若いアメリカとイギリスの彫刻家たち」[編13]、グッゲンハイム美術館「システミック絵画」[編14]（六六年）、ハーグ市立美術館「ミニマル・アート」[編15]（六八年）、レヴァークーゼン市立美術館「コンツエプチオン——コンセプション」[編16]（概念芸術）、ベルン市立美術館「態度が形になるとき」[編17]、ホイットニー美術館「アンチ・イリュージョン」[編18]（六九年）などなど。これはごく一部にすぎませんが、それでも各地の美術館がいわゆるあたらしい動向のクローズアップにたいへん力をいれていたことが知られると思います。

因みにこうした美術館の動きは六〇年代とともに終結したわけではなく、なおしばらく継続しています。その例をあげるなら、パリ市立近代美術館「シュポール／シュルファス」[編19]、ニューヨーク近代美術館「インフォメーション」[編20]（七〇年）、ミュンヘン美術館「アルテ・ポーヴェラ」[編21]（七一年）など。

もし美術館のこうした活動がなかったとしたら、六〇年代にうまれた美術作品のわれわれのうけとり方はずいぶんと違ったものになっていたのではなかったか。これら美術館の企画展にはヌーヴォー・レアリスムから概念芸術まで、六〇年代の動向がほとんど網羅されています。いいかえれば、六〇年代の動向が整頓され、それぞれの特徴がきわだって見えるように分類されたのでした。われわれはそうした分類にしたがって美術作品に接したということができます。つまり美術館はそうした見方への指導力を発揮したわけです。それらの企画展がなければ、われわれは六〇

編3　Kinetische Kunst, Kunstgewerbemuseum der Stadt Zürich, 1960. 5.-6.

編4　Bewogen Beweging, Stedelijk Museum, Amsterdam, 1961. 3. 10.-4. 17.

編5　The Art of Assemblage, Museum of Modern Art, New York, 1961. 10. 4.-11. 12.

編6　Geometric Abstraction in America, Whitney Museum of American Art, 1962. 3. 20.-5. 13.

編7　Toward a New Abstraction, Jewish Museum, New York, 1963. 5. 19.-9. 15.

編8　The Shaped Canvas, Solomon R. Guggenheim Museum, New York, 1964. 12. 9.-1965. 1. 3.

編9　Post Painterly Abstraction, Los Angeles County Museum of Art, 1964. 4. 23.-6. 7.

編10　Art et Mouvement: Art Optique et Cinetique, Musee de Tel Aviv, 1965. 5.-6.

編11　The Responsive Eye, Museum of Modern Art, New York, 1965. 2. 23.-4. 25.

編12　Kunst Licht Kunst, Stedelijk van Abbemuseum Eindhoven, 1966. 9. 25.-12. 4.

年代の美術を、ただ混沌として受取ったに違いありません。

しかし、美術館のこうした活動はもうひとつの側面をももっていました。それはあらゆる動向を生まれるといちはやく美術の歴史にくりこんでしまうという側面です。というのも美術館というのは美術史の守護神という役割をになっているのであり、美術館に展示されることは美術史への導入の第一歩でもあるからです。その意味でかつてのハプニングやイヴェント、あるいはアースワーク、ランド・アートのように「展示」という概念と無縁な現象・動向が六〇年代に生まれたのは特徴的といえると思います。それらは美術史へすぐさま導入されることからの離反的方向を内包していました。

*

美術館における「展示」は近代美術を成立させる根本的要素でした。たとえば美術館でインダストリアル・デザインの展覧会といったものがあります。しかし、いうまでもなく、インダストリアル・デザインにとって「展示」は根本的要素などではありません。それにたいし、展示と無関係な近代絵画、近代彫刻はあり得ない。あらためていうまでもなく、それは自明なのですが、それが自明であることと、それについて一考しないということとは同じではありません。

われわれは絵画にしろ彫刻にしろ、作品の本質についてしばしば語ろうとします。しかし、展示ということについてはほとんど触れることがなかったといっていいと

編13 Primary Structures: Younger American and British Sculptors, Jewish Museum, New York, 1966. 4. 27.–6. 12.
編14 Systemic Painting, Solomon R. Guggenheim Museum, New York, 1966. 9. 21.–11. 27.
編15 Minimal Art, Gemeentemuseum Den Haag, 1968. 3. 23.–5. 26.
編16 Konzeption–Conception: Dokumentation einer heutigen Kunstrichtung, Städtisches Museum Leverkusen Schloss Morsbroich, 1969. 10.–11.
編17 When Attitudes Become Form: Works-Concepts-Processes-Situations-Information, Kunsthalle Bern, 1969. 3. 22.–4. 23.
編18 Anti-Illusion: Procedures / Materials, Whitney Museum of American Art, 1969. 5. 19.–7. 6.
編19 Supports-Surfaces, Musée d'Art Moderne de la Ville de Paris, ARC, 1970. 9. 23.–10. 15.
編20 Information, Museum of Modern Art, New York, 1970. 7. 2.–9. 20.
編21 Arte Povera, Kunstverein München, 1971. 5. 26.–6. 27.

思います。くりかえすことになりますが、それは自明であり、論ずべき問題ではないとされてきたからです。六〇年代の美術館の時代は、じつはこの美術館の展示ということが問われる予感を感じさせはじめた時期だったと思うのです。

美術館に展示されるという根本的条件は、絵画にしろ彫刻にしろその形式に限定を課します。その限定を破ろうとすれば、当然展示という根本的条件からの離脱を顧慮せざるを得ないということになります。ジャン・ティンゲリーが一九六〇年、ニューヨーク近代美術館の彫刻庭園をつかって《ニューヨークへの賛歌》(編22)という一時的インスタレーションの作品を発表したのは、そうした離脱のいちはやい宣言でした。クリストの一九六一年に発表された公共建造物の布による梱包という発想も、美術館での展示という条件からの離脱でした。ティンゲリーの作品もクリストの発想も、きわめて奇抜に思われますが、それは美術館での展示から作品を解放するという考えのあらわれのせいです。

もうひとつこの展示という条件からの離脱をあらわしている動向は、いわゆる概念芸術です。この動向の作品は文章や数字、あるいは写真を主体にしていますが、それらは印刷というメディアに適しているのであって、展示ということを本質としていません。概念芸術をとりあげた展覧会もいくつか開催されましたが、それはこの動向を旧来の展示という形式にはめこんだ所産でした(ただし、これはこれであたらしい意味をもつにいたるのですが、それについてはあとで触れます)。

前に近代美術は展示ということと切り離せない形式だと書きました。しかし、事態はもう少しこみいっていて、この展示ということに生じている変質に触れないわ

編22 Homage to New York: A Self-Constructing and Self-Destroying Work of Art Cinceived and Built by Jean Tinguely, The Museum of Modern Art, New York, 1960. 3. 17.

けにゆきません。というのも、展示というのは今やものをひとびとに見せる媒体的形式としてひろく一般化して、美術作品が独占するものではなくなっているからです。美術展というのは展示という催しのひとつだという認識がゆきわたりつつあります。簡単にいえば展覧会というのはじつに多種多様あって、歴史遺産の展覧会もあれば切手の展覧会もある。生活用品の展覧会もあればランの花の展覧会もあるし、恐竜の化石のそれもあるといった具合です。

展示というのはニュートラルな媒体であって、そこへはいろんなものを送り込むことができる、というのが今日の通念ではないでしょうか。ちょうど印刷という媒体にはさまざまなものが送り込めるというのと同じように。となると、美術作品の展示物としての独自性はどのようにして保たれるのかと思わざるを得ません。

*

現在の美術の遭遇している問題は、形式のふるいあたらしいということではなく、この展示の問題だとわたしは見ています。つまり美術館の展示物として美術作品を位置づけるのか、それからの離脱を探索するのかどうかということです。川俣正の仕事はその一典型ですが、サイト・スペシフィックな作品は展示からの離脱のあらわれです。

さて、今回のいわき市立美術館の所蔵作品による展覧会ですが、海外と国内の美術家の作品の二本立てになっています。海外はジャン・デュビュッフェやイヴ・ク

（展覧会出品作品より）
ジャン・デュビュッフェ《仕事と遊び》
一九五三年

ラインといったフランスの美術家、ルーチョ・フォンタナやエンリコ・カステラーニのようなイタリア勢も見られますが、大半はアメリカの美術家たちです。そしてその作品はほとんどが六〇年代のそれです。それにたいし、国内の美術家の作品は一九四〇年代から二〇〇〇年にいたる幅のひろさを示しています。

その違いはまた形式についても見られ、海外の美術家の作品が絵画と版画であるのにたいし、国内のそれには立体作品もふくまれています。といったような違いがあるので、それら両者を単純に比較するのにはいささかの無理があるようにも思います。

そこでこれらの美術家をわたしのいってきた展示からの離脱という視点で触れてみたいと思います。フォンタナは一九四〇年代の後半に「空間主義」という宣言文をだしていますが、その根本は「絵画でも彫刻でもなく、空間を伝播する形、色彩、音響そのもの」を作品とするという点にありました。四〇年代末から五〇年代はじめにかけてのネオン管を使って空間全体を用いたいくつかの作品は、その実践です。

フランスの画家デュビュッフェは、逆に最晩年の六〇年代末からポリエステルに彩色し、それを組み合わせて建築的スケールの作品を制作するようになります。これは人間がそのなかへはいるという構造のもので、眼で見る展示物という性格を一掃した作品でした。

アメリカの美術家はプレ・ポップの美術家などといわれたりするジャスパー・ジョーンズやロバート・ラウシェンバーグ、それにつづくアンディ・ウォーホルなどポップ・アートの顔ぶれによって占められていますが、このなかで美術館での展示物という性格からの離脱を意識していたのはウォーホルでしょう。ウォーホルが牛や花を主題にした同じ作品を壁面いっぱいに埋めつくしているのは、一点として作品を見ることの否定にほかならないからです。つまり、それは展示としては不純なやり方です。

高松次郎はこの点、展示への固執とそこからの離脱の意識の双方を抱えていました。〈影〉の連作や〈遠近法〉の連作は、この展示物としての美術作品を視覚の問題として整理してとらえようとした所産です。しかし、一九七〇年代の《THESE THREE WORDS》や《この七つの文字》、あるいは《ALPHABET》などは非展示物的作品というべきです。それらは概念芸術の一種にほかなりません。展覧会に展示すればどうなるか。それらは見本という一面をおもてにだすように感じられるでしょう。いうまでもなく複製が可能だからです。

今「見本」ということばをつかったので、それに関連したことに触れておきたいと思います。それはアート・フェアー、いわゆる芸術見本市のことです。日本でもNICAFという名称の見本市が開催されていますが、スイスのバーゼル、パリ、シカゴなど世界のあちこちの都市でフェアーが開かれています。フェアーはいうまでもなく作品の購入を前提として開催されているわけですが、その形態は展覧会とかわるところがいささかもありません。そしてそこでは展示ということが決め手になります。展示と無縁なものは排除されざるを得ないわけです。ということはアート・フェアーは今日展示を根本条件とする作品の最大のよりどころとなっているということです。

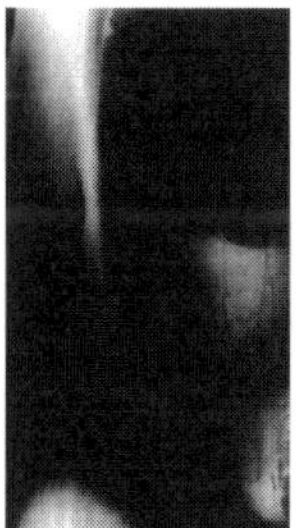
イヴ・クライン《火の絵画》一九六一年

わたしはこれまでしつこいほど展示ということに触れてきたので、なかにはなぜそんなに展示に敵意をもつのかといわれる方がおられるかもしれない。むろん、敵意などはまったくありません。逆に展示という形式が、現代文化で占める役割を評価しています。しかし、美術にとってはどうかというのがわたしのいいたいところです。近代美術は展示ということをよりどころにしてきた。そしてそのことが美術を一方では純粋化するのにおおきく貢献したのですが、他方では垣根となってきた、というのがわたしの考えです。

＊

ここで冒頭の美術館の時代の話しにもどりますが、そこでも触れたように七〇年代になってもそうした美術館の活動はつづいたのですが、美術館の企画展はハイパーリアリズムやニュー・ペインティングのように具象的絵画に焦点をあてるようになります。というのもそれらは展示ということがきわめてはっきりしている動向だからです。

そして、この展示からの離脱という方向は、美術館においてではないもうひとつの展覧会で重視されるようになります。ヴェネツィア・ビエンナーレを筆頭とする国際展、そしてカッセルのドクメンタへの関心の増大です。つまり美術館の時代は終りをつげたというわけです。「パリ―ニューヨーク」(編23)からはじまるポンピドゥ・センターの国立近代美術館の企画展は完全に回顧展に復帰しました。カッセルは

編23　Paris - New York, Centre national d'art et de culture Georges Pompidou, 1977. 7. 1.–9. 19.

一九七二年のハラルド・ゼーマン、七七年のシュネッケンバーガーをコミッショナーとした企画で、一躍現代美術の催しとしてクローズアップされることになりました。ついでにいえば、この種の国際展への関心は年々増大し、その数も増えています。

こうした国際展は美術館での企画展と違って、そこへ出品することによってそれが美術史への導入の第一歩だということをほとんど感じさせないということがあります。つまりは一過性の催しだという印象が強いということです。その点を指して、そのために投げやりの作品が増えているという指摘もありますが、わたしはそういう作品は批判すればいいのであって、別に一過性的な特徴のせいにするのはあたらないと思います。

クリストは作品には寿命があるという名言を吐きましたが、たしかにそういえるのであって、作品は一定の期間が経過すると、文化史的資料という性格を帯びざるを得ない宿命にあります。たとえば、この展覧会に並んでいるジャスパー・ジョーンズの数字の作品も、いまでは数字をモチーフにした作品のひとつとして位置づけされてしまうということが避けられません。はじめてそれに接したときはそんな歴史的位置づけは念頭になかった筈です。じっさい数年前、ドイツで今世紀に見られる数字をとりあげた作品を集めたおおきな回顧展がありました。

この展示に関しては、さらに別のおおきな問題があります。それは周知のように美術といえばヨーロッパ、おくれてアメリカが中心的地域と目されてきたわけですが、現在ではアジア、アフリカ地域の美術も関心が注がれるようになってきました。

アンディ・ウォーホル《一六のジャッキーの肖像》一九六四年

しかし、こうした地域に属するすべての国において美術館が多くあるとはいいがたい。となると、美術館の少ないところでは美術活動は成立しないのかという問題が生じます。この問題のカギは美術館における展示という意識の有無だけです。アジア美術への注目とポストモダンの問題が結びつけられたのは、この点だったとわたしは考えています。美術館に展示されなければ美術作品として容認されないのかという問いにたいし、そんなことはないという答えがかえってきて不当ではありません。一昨年キューバのハバナ・ビエンナーレ（編24）では、市内のあちこちを会場にしていました。それで一向に問題はなかったと思いました。

編24 Séptima Bienal de La Habana, 2000. 11. 17.–2001. 1. 6.

*

これを要するに、現代の美術にとって美術館はどういう役割を果たすべきかがはっきりしなくなってきたということです。あるいは美術にとって美術館は唯一の特権的な場所ではなくなってきたといっても同じでしょう。

わたしはポストモダンということばをほとんど使わないのですが、ポストモダンの問題はなにも美術作品に限定されるわけではない。それは美術館の問題でもあるし、美術批評の問題でもあるわけです。ポストモダンというとどうも美術作品だけ問題にしている傾向があるように思います。

さてそこで、先に概念芸術を展示することについて、これはこれであたらしい意味をもつと書いたことに触れたいと思います。このあいだ第一一回カッセル・ドクメンタ[編25]へいったのですが、今回のコミッショナーであるナイジェリア出身のオクウィ・エンヴェゾーの企画には注目しました。ハンネ・ダルボーフェン、河原温らの概念芸術と写真、映像が主となった構成でしたが、わたしはああ一品制作という神話を壊したなと思いました。みんな複製化が可能だからです。展示しなくてもいいものを集めて、美術の展示性を否定しているように感じました。ドクメンタ全体が一過性のものだということをよく示していたように思います。

こんなことを書いていると、この美術館での今回の展覧会からますます遠ざかってしまうようなので、すこし後戻りして。

これまで展示の問題に触れて、美術家がそれをどう考えるかということを主にして書いてきました。しかし、本当は美術館もこの問題をかぶっているのです。美術館自体が展示ということをどのように考えているか。これも大きな問題です。

カッセルの後、ポンピドゥー・センターの国立近代美術館で開催されたダニエル・ビュレンヌの展覧会[編26]のオープニングにでかけました。すべて新作でしたが、展覧会のタイトルは「美術館は存在しない」というもの。これは館内の作品でしたが展示性は皆無の作品ばかりといっていい。縞模様で知られるビュレンヌがポンピドゥーで展覧会をやるということを聞いて、どんなことをするのかと思いましたが、展示されている作品などはないという展覧会で、そのタイトルをなるほどと思いました。

現代の美術はそれとなく大きく変動しつつあると思います。たとえば、国際展に写真や映像が多いというのもそれを示すひとつの現象でしょう。あれはジャンルの

編25 Documenta 11, Museum Fridericianum, Kassel, et al, 2002. 6. 8.–9. 15.

編26 Daniel Buren: Le Musée qui n'existait pas, Centre national d'art et de culture Georges Pompidou, 2002. 6. 26–9. 23.

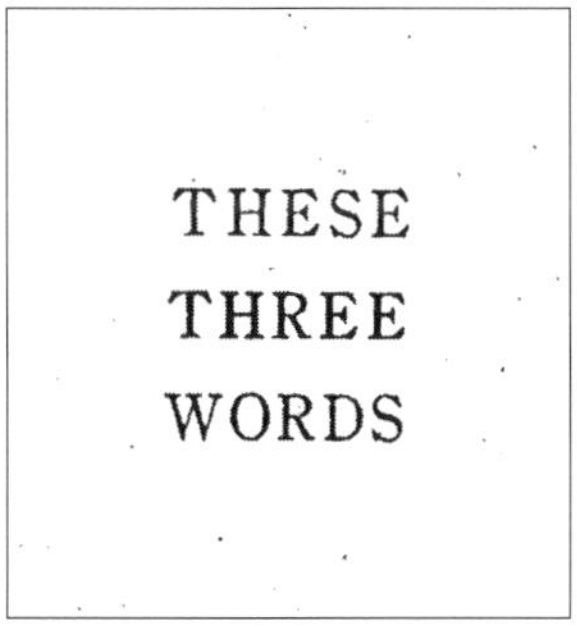

高松次郎《英語の単語》一九七〇年

移動の問題ではなく、美術展そのものの変貌という問題だとわたしは見ます。写真や映像が多すぎるといって批判されるのは、そもそもそれらが絵画のような展示性をもたないからです。にもかかわらず、それが増加しているのはなぜか。これを美術展という文脈で考えてみる必要があると思います。

こうした変動を背景にして見ると、近代絵画や近代彫刻はそれ以前の絵画、彫刻との連続性が前面に押しだされてくるのを感じさせます。つまりそれらは一種の完成度をもっているといっていい。その完成度が作品の歴史的普遍性を保証しているように見せる理由です。それはまた作品が展示という根本的条件と結びついていることとつながっています。

いわき市立美術館の所蔵作品は、こうしたことをあらためて考えさせるひとつのよすがです。それらはあたらしさをはっきりと示していますが、同時にある古典的な安定性をも示しています。つまり展示を前提とした完成度の高い作品群が集められているということです。それらに近代美術という概念の瓦解の兆しを見いだすかどうかは、観客の眼に依存していると思います。さて、あなたはどう見ましたか。

第四章　都市空間と芸術

反恒久的なものを

建築と美術の関連について

建築と美術の総合が提唱されて久しい。いまからほぼ一〇年前、それはひとつの論潮をかたちづくった。そのさい、しばしば言及されたものに、丹下健三設計による東京都庁にはめこまれた岡本太郎の陶板壁画《日の壁》《月の壁》《建設》がある。丹下健三の建築と岡本太郎の絵画の組み合わせという例は、そのまま、当時建築と美術の総合というテーゼの内容を象徴するものだった。それは単純化していってみれば、建築という不動のものと、絵画・彫刻という不動のものを加え算するということである。総合というのは、この加え算を意味した。そこであるひとは、すこしからかい気味に、それを「お手々つないで式」総合といったのである。しかし、そういうひとが「お手々つないで式」でない総合についてのイメージがあったかとなると、それはたいへん疑わしいといわねばならない。

それ以後、この総合の提唱は断続的にくり返されている。それはかならずしもジャーナリズムのうえでの声高い論潮として続いているわけではないが、ほとんど絶えることなく持続しているといっていい。声高い論潮として聞えなくなったのは、建築と美術の総合ということが姿を消したからではなく、逆にそれが大小さまざまなケースでかなり一般化してきたからである。質のよしわるしではなく、現象

初出『建築年鑑一九六八年版――新しい時間のなかへ』宮内嘉久編、建築ジャーナリズム研究所、一九六八年、一七八―一八四頁。「焦点」欄に発表された文章。

としてみると、美術家がなんらかのかたちで参加した事例は、圧倒的に増加しているといえる。壁画、モニュメント、インテリア・デザイン、緞帳、照明、その他さまざまの例があげられる。さらに、最近では、建築家と美術家の仲介をとろうという新しい業者あるいは一種のコンサルタント的仕事をやろうというひとも生まれつつある。仲人である。私はこういう事態を楽観的にも悲観的にもみようとは思わない。おそらく、こうした趨勢はとどまることはないだろう。総合の無意味さが、よほど説得的に、しかも強力に提唱され、それがひとつの社会的な力とならないかぎり、とどまることはあるまい。

私もまた、この趨勢を支持するが、しかし、いくつかの点に条件をつけないわけにゆかない。この一文は、私の考えるこの条件を述べるのが目的である。建築と美術の総合というテーゼは、それ自体非難する余地はない。しかし、このテーゼは「総合」ということにポイントがおかれているけれども、建築とか美術についてはどのような規定もない。どのような規定もないということは、建築とか美術については漠然たる一般概念が適用されていることを意味している。一般概念とは時代を超越した抽象的なものなどではなく、ただこれまでにつくられたものを拡大・一般化したものにすぎないのである。それは「歴史的」なものを「超歴史化」したものにほかならない。具体的にいうなら、建築と美術の総合というとき思い描かれるのは、これまでの建築とこれまでの美術を加え合わせるというイメージである。「お手々つないで式」といわれる根拠はここにある。たとえば、壁画は絵画を土台としている。しかし、ここで絵画という形式が崩壊し、反絵画的形式があらわれてくると、壁画はどういうことになるだろう。総合のひとつの例として「壁画」を思い浮べるひとは、絵画というこれまでの形式をとりあげ、それを「美術」の名をもって建築と総合しようというわけである。あるいは、こういう反論があるかもしれない。新しく生成された美術形式は不安定なものであり、そういうものと建築との結合は無謀きわまりないと。こういう立場に立つならば、総合とはつねに古い美術形式を建築に適用するということを意味するほかかない。誤解を避けるためにいっておきたいのだが、私はここで、ミロの壁画は古く、ポップ・アートのそれは新しいなどということをいっているのではない。そうではなく、古い美術形式を建築に適用するのは、建築を広い意味での美術館にしてしまうということであって、そういう総合に、はたして意味があるだろうかということである。

建築とは、なんといっても不変のものである。私は美術との総合とは、そこへ可変的要素をつくりだすこととして考えたい。もっとも、私はこれをただ理念として考えているのではなく、現代美術そのものが、美術を一種の過程的なもの、ひらかれたものとしてとらえつつあるという現象から、そう思うのである。こういうことの一例としてふさわしいかどうかわからないが、ここで、昨年の秋ニューヨーク市が主催しておこなわれた「環境のなかの彫刻」(編1)という催しについて触れてみたい。これはマンハッタンのあちこちの場所に、二四人の彫刻家の作品を置いたもので、広い意味での屋外彫刻展とみてもさしつかえない。しかし、だだっぴろいマンハッタンに点在している作品は、むしろ、一種のモニュメントとしてみたほうがふさわしく、たとえば、市立図書館の前には、ジョージ・リッキーの巨大な五つのモ

編1　Sculpture in Environment, various places in New York City, 1967. 10. 1.–10. 31.

ビール、シーグラム・ビルの前には、ピラミッド型の上に逆さになったオベリスクが、頂点どうし接しているといったバーネット・ニューマンの作品、リンカン・センターにはトニー・スミスの作品、ユニオン・カーバイドビルの玄関の前には、クレーンのようなデイヴィッド・フォン・シュレーゲルの作品、その他、CBSビル（ルイーズ・ネヴェルソン）、タイム・ライフ・ビル（レス・レヴィーン）、セントラル・パークほかいくつかの広場などなどに、いずれも巨大な作品が置かれている。型破りは、メトロポリタン美術館の裏に穴をほったクレス・オルデンバーグ、トムキンス公園から四本のサーチライトを投射したフォレスト・マイヤーズの作品（?）であろう。オルデンバーグ、マイヤーズを除けば、いずれも彫刻作品ではある。タイトルにあるように、都市環境のなかに置かれ、しかも都市環境になにものかをつけ加える彫刻といっていい。私ははじめ、いずれも、それらのビルが買いとって、それぞれの場所に半恒久的に設置したものかと思った。しかし、それはひと月あまりで撤去された。モニュメンタルというよりモメンタリーなものだったのである。

なるほど、彫刻作品そのものは恒久的なものである。しかし、都市環境に景観をそえるものとしては恒常的でなく、モメンタリーであるというのは、いかにも都市環境にふさわしいといわねばならない。むろん、ニューヨーク市がそこまで考えたかどうかは疑わしい。しかし、意図はともかく、都市環境のなかの彫刻が、出現しやがては姿を消してゆくというように、過程的なものとして並べられたことは、たいへんおもしろいと思う。モニュメントというと、まさに字義どおり恒久性が考えられる。それは消えてゆくものを固定し、不滅のものとする仕事である。しかし、そういうモニュメントは、いってみればはじめから死物でしかないのである。モスクワの各地に立っているゴーリキー、マヤコフスキー、プーシキンをはじめとする有名人士の銅像の前には、毎朝市民の手によって色あざやかな花が捧げられている。それは、モニュメントとしてふさわしい行為であるかもしれない。銅像はイコンとなり、一種の宗教的感情すらよびおこすものとなっている。しかし、銅像がイコンとなるというのは、銅像そのものから生れてくることがらではなく、むしろ、民族性とか文化の構造とか、社会の性質その他、いくつもの因子が複合してつくりだされたもので、それはかならずしも普遍化できるといったものではない。たとえば、現在、モニュメントが失われつつあるので、なんらかのかたちで復活させようというのは軽薄であって、モニュメントがイコンとして成立するには、美術外の因子がなければならない。それを人工的につくりだすのは不自然であり、かつ作為的であり、たとえば、明治百年を記念して明治天皇の銅像を大量につくるなどというのは、およそ愚行というほかないのである。

話がそれたが、このモメンタリーという性格こそ、建築と美術の総合ということにふさわしいことではあるまいかと思う。そこではまず、美術が過程的なものとして参加している。過程的というのは、いいかえれば、総合を美術館的なものとしてとらえないということである。あるいはこうもいえる。もはや、モニュメンタルでないものを、形式だけモニュメンタルなものとしてとり扱うことの不自然さである。壁画はそのいい例で、現在、それはなんらモニュメンタルでありえないものを、恒久的なかたちに凝固させようとすることからくる破綻を、多かれ少なかれ避けることはできない。くり返すようだが、私はこれを一般論としていっているのではない。美術そのものの変質からそういうのである。しかし、はじめにもいったように、建築と美術の総合といっても、その建築も美術も超歴史的なものではなく、時代の刻印、あるいは歴史性・時間性をまぬがれるわけにはゆかない。したがって、美術の変貌は、総合ということの内容を変えないわけにゆかないのである。

最近、美術の「環境化」ということが指摘されている。なかには「環境芸術」ということばをとらえて、そんなものはないというひともある。おそらく「環境芸術」などという独立したジャンルはないだろう。一方に「環境」といういくぶん規定しにくいものがあり、他方に「芸術」という、これまた、より規定しがたいものがある。その規定しがたい二つのものに一種の複合的現象がみられるということである。「視覚芸術」といういいかたがあるように、この「環境芸術」といういいかたがあるとみるべきだろう。この「環境芸術」のひとつの特徴は、ふつう「視覚芸術」というばあいの空間が抽象化されたそれであるのに対し、空間を具体的にとらえるということにある。たとえば、各種の電光を用いたいわゆる「光の芸術」も、ネオンとか螢光燈などの光そのものというより、その光によって空間が条件づけられるというところに特徴がある。やはり、昨年の秋、ニューヨークのある画廊でロバート・ホイットマンという作家が、レーザー・ビームを用いて「暗闇」という個展(編2)(?)をやったが、これは会場内を暗黒にし、その中央にレーザー・ビームの発振器を置き、部屋の壁を赤い光線の帯で切るといっただけのものだった。暗闇のなかのレーザー・ビームは、光そのものではなく、逆に暗闇をきわだたせ、それを意識させるという、

編2　Robert Whitman: Dark, Pace Gallery, 1967. 10. 17.–11. 7.

ふつうの光と逆の性格をもっている。つまり「暗闇」は、周囲の暗い空間を規定し、それを意識化させたのである。これとて、モメンタリーなもので、電源を切れば、暗闇はただの暗闇と化してしまい、そのときわれわれは光を求めるだろう。ホイットマンのこの個展は、「光の芸術」が空間を条件づけ、それを自覚させるということを、「暗闇」を通して逆説的に語ったのである。

「環境芸術」におけるこうした空間の条件づけ――「暗闇」にこだわることはいささかもないが――は、建築と美術の総合のひとつのありかたの先取りといえる。空間はそこでは抽象的ではなく、きわめて具体的なのである。具体的というのは、そこが同時にわれわれの行為の場だということを意味する。高松次郎は昨年、新宿のあるクラブ[編3]の内壁に、ざまざまなポーズをした人間の影を描いたが、その古典的な壁画は、その同じ壁面に、そのなかにいる人間の影を映すことによって、壁画としての独立性を失い、そのなかの空間と連続するものとなった。つまり、壁に描かれた影は、なかの空間そのものを自覚させる媒介となっているのである。これも、興味あるひとつの事例といっていい。しかも、この手描きの壁は、そこにつけ加えることも、消去することも可能だという性格がある。つまりモメンタリーな性格をもっているのである。

これまで、総合というばあい、可変性とか可換性ということは、ほとんど考慮されなかったものだった。建築に参加する美術はつねにスタティックであり、いわばできあがった美術家の作品は、それそのものとして――それは壁面彫刻にしてもそうである――自足し、たまたま建築のひとつの壁をふさぐということでしかなかっ

編3　デザイナーの倉俣史朗が内装を手がけ、高松次郎が店内の壁画制作を行った東京・新宿二丁目のバー「サパークラブ・カッサドール」。

た。いってみれば「視覚芸術」的な参加でしかなかったのである。にもかかわらず、壁面彫刻にしろ壁画にしろ、それらのはめこまれた壁は、建築にとっての部分でしかなく、それはなんら視覚的なものではない。じっさい、美術館の壁にかかっている一枚の作品をみるように、ひとびとは建築の壁を眺めないのであって、それは視覚的とはいいがたいのである。もし、視覚的参加ということに徹するなら、壁画とか壁面彫刻でなく、壁そのものを一枚の絵にするという極端な形式をとるほかない。マツダ・ビルの地下にみられる横尾忠則の壁画は、そういう徹底化したもので、その湾曲した壁は、空間の仕切りというよりは、横尾忠則の作品がそこにあるとしかいいがたい性格をもっている。それは、「見るため」の壁であり、コンクリートに描かれた絵画である。

しかし、こういう例も一方的に普遍化すべきではない。というのは、それはたんに芸術家の視覚芸術的参加という意図だけでなく、それにマッチした空間を必要とするからであり、そのどちらが欠けても成立しないからである。ところで、この「視覚芸術」的参加にもかかわらず、建築と関連した美術というのは、環境的でないわけにはゆかない。「お手々つないで式」総合を超えるイメージは、この点にこそ根拠をおかなければならないだろう。つまり、非視覚的空間に視覚的に参加するということの矛盾である。しかし、この矛盾に立ち向かうには、美術そのものの変貌が必要だった。もちろん、現代美術の変貌は、建築との総合という課題に即して生じたわけではない。ハプニングをふくめて、美術が孤立した系を破り、次第に明白な境界を失なって、その領域をひろげようとする現象は、現代社会の性格と切りはなせないものであり、むしろ、こうした現象のなかにこそ建築との結びつきを見出すべきなのである。あるいは、もっと端的にいうなら、環境芸術と建築との総合ではなく、環境芸術のなかから建築との結びつきを見出すべきである。環境芸術ということばにこだわる必要はない。要は、美術が境界を失なってゆくことのなかに、建築空間を発見すべきだということである。

ニューヨーク市の「環境のなかの彫刻」という催しは、現代彫刻がプライマリー・ストラクチュアという動向によって、その性格に新しい明確さを獲得したことがなければ、実現しなかったろう。プライマリー・ストラクチュアは、彫刻を眺められる物体でなく、ひとつの関係的なものであることを明らかにしたのであった。それは、たんに作品と人間の動的な関係というばかりでなく、空間と物体の関係、天井と床の関係、方向、力、中心と末端、といったさまざまな関係そのものに注意を向けるのである。ある作家が、私の作品は天井と床の間のギャップに橋わたしをする観念だという意味のことをのべているが、このことばはプライマリー・ストラクチュアの性格を象徴している。つまり、それは関係への注目を通じて空間を意識化させるものといっていい。プライマリー・ストラクチュアにみられる、ひとびとと作品との動的な関係とは、これらさまざまな関係の網の目のなかに、われわれ自身もくりこまれているということである。この反凝縮性こそ、都市環境のなかへモメンタリーなものとして置くことを可能とする点である。たとえば、銅像を可換的なものとして置くということは、現実には可能ではあるが、しかし、もともと凝集の的であり、焦点の中心にあるような銅像をモメンタリーに置き換えてもナンセンスというほかない。つまり、反恒常的な彫刻の設置は、それを可能とするような性質が、彫刻自身に備わっているということである。モメンタリーであるには、作品そのものがひらかれていなければならないのである。

建築空間という与えられた状況に適応するのでなく、それをひとつの状況として新しく意識化させるような役割り、それこそが、総合ということの意味ではないかと思う。「光の芸術」やプライマリー・ストラクチュアは、その可能性をもった形式である。ニューヨークの夜空に、サーチライトを照らすというような彫刻(?)は、もはやソリッド彫刻ではないけれども、空を意識化させるということでは、考えられる形式のひとつである。あるいは、地上に彫刻をつっ立てるのではなく、地下に向かって穴を掘るという彫刻(?)にしても、それによって、われわれははじめて地面と自分の関係というものに気づくだろう。つまり、これらは媒介としての役割りをもつ仕事なのである。こういうことが「美術」という名によっておこなわれ、われわれの行動している空間の自覚化、意識化をもたらしている以上、それが建築――というより、生活空間に押しひろげられていけない理由はまったくない。というのも、生活空間というのは、それがあるということで、われわれにはもっとも自覚されず、われわれはつねにそこに埋没させられているものだからである。

話はもっとひろがる。もし、この空間の意識化ということになるなら、われわれはさらに醒めて、観念のなかでそれをおこなうことすら不可能ではない。先に例をあげた穴ぼこ彫刻のオルデンバーグは、一連の巨大な都市のモニュメントを考案している。それは、あるものは、パーク・アヴェニューにそそりたつ巨大なアイスクリームであり、セントラル・パークにどっかと腰をすえた巨大なおもちゃの熊であり、グランド・アーミー広場におかれた焼きじゃがいもであり、タイムズ・スクエアにそそりたつ、皮をむいたバナナといったたぐいのものである。そのほか、オスロ、ロンドン、トロントと、オルデンバーグの空想はひろげられている。もちろん、じっさいに、そうした巨大なモニュメントが立てられるはずはない。それらはあくまでイマジネールなものである。しかし、どうだろう。銀座四丁目の交差点にそそり立つ巨大なバナナのモニュメントを想像するのは。こうやれば、大都市の繁華街、公園、港は、各人各様のモニュメントで飾られるのである。しかも、これらは、イマジネールなものであることによって、どのようなものとも変えることができるし、もしお好みとあれば、時々刻々に変化してゆくモニュメントでもたてることができる。あなた自身がつくりだすモニュメントであり、これを実現させるのはあなた自身のなかにおいてだとはオルデンバーグのことばだが、こういうモニュメント、非存在のモニュメントすら考えられるのである。私は美術と建築あるいは都市との結びつきを、ここまで自由に考えたい。しかも、そう考えるには美術館的発想から、さっぱりと手を切る必要があるだろうと思う。

　話がひどく空想的になったが、われわれの意識をひろげるということで、この程度まで思考と想像の自由度を拡張することとは、とりわけ、建築と美術の総合というようなテーゼにとっては必要ではあるまいか。それは、これまでの建築とこれまでの美術との加え算という考えをこわすためにも必要だろうと思う。オルデンバーグに会ったら、かれはそれをほんとうに建てたいような口振りであった。しかし、どうやっても不可能だというとき、人間の想像力はいちばんふくれ上り、いわば現実的ともいえるような力とリアリティをおびるのである。

ロケイションの思想

今年の東京ビエンナーレ(編1)の参加者のひとりであったクラウス・リンケをデュッセルドルフに訪ねたさい、リンケは、物置き然としたかれのアパートの一室に並んでいる一二個のドラム缶を私に指し示した。同じ大きさの一二箇のドラム缶は完全密封され、そのひとつひとつに札がつけられていて、札には、日付けと時間、それに地名が書きこまれており、なかに入っているのは、ライン河の水だというのである。

昨年の六月二八日、リンケはデュッセルドルフから始め、ライン河の河沿いにある一二の都市——デュッセルドルフ、ケルン、ボン、コブレンツ、カウプ、ビンゲン、マインツ、ヴォルムス、ルートヴィヒスハーフェン、シュパイアー、カールスルーエ、シュトラースブルクで、それぞれドラム缶にいっぱいづつの水を汲みとった。札に書かれている日付けと時間は水を汲んだ日時であり、地名はその採水の場所である都市の名というわけである。

何故わざわさ水を汲むのかという問いは、およそ無意味であろう。東京ビエンナーレにおいても、都美術館の玄関で放水をしたり、また、カメラをたずさえて、都内を歩きまわり、水道の蛇口や消火栓のあるところを見つけては写真を撮りまくり、さらに太平洋の写真を撮りたいといっていたこの男には、水にたいするふしぎ

初出『三彩』第二六二号(一九七〇年九月)、六〇—六五頁。連載「人間と物質の間」の第一回として発表された文章(連載は第一回で終了)。

編1 「第一〇回日本国際美術展」東京都美術館、一九七〇年五月一〇日—三〇日ほか巡回(主催=毎日新聞社ほか)

なオブセッションがあるとしかいいようがないからである。たしかに、「ライン河の水の汲み入れられた一二箇のドラム缶」という作品も、奇態といえば奇態であろう。しかし、私にはそこに並んだドラム缶の列よりも、ライン河沿いの一二の都市を移動しながら、水を汲んだというリンケの行為のほうに興味を感じた。もっとも、こういういい方は誤解を招くかもしれない、私の興味は、水を汲んだという行為そのものより、それが一二の都市ならびに特定の日時に結びつけられていたという事実に対してであったというべきだからである。

もし、ライン河の水を汲むということだけなら、一二の都市を移動する根拠もないといわねばなるまい。たとえ、一二の都市を移動するとしても、それを一二のドラム缶に汲み分ける理由もまた稀薄だといいきって差し支えないだろう。先にも述べたように、リンケにとって水を汲むという行為は、かれの水に対するオブセッションのあらわれであるが、それを一二の異なった場所で行ったのは、かれがその行為を時間と場所に結びつけ、それによって、その行為が時間的にも場所的にも互換不可能なものであることを確認するてだてであったにちがいない。一二箇のドラム缶は、いわばその証拠物体として残されたのである。

私はそこに「ロケイションの思想」とでもいうべきものがみられるように思う。リンケにとって水を汲むという行為は、望みさえすれば、くり返して行うことが可能であろう。しかし、そのくり返し可能な行為を一回限りのものとして絶体化するのは、日時と場所による限定をおいてはない。というより、日時と場所の限定によって、その行為は行為一般ではなく、そのとき、その場所で行われた行為として

DÜSSELDORF	7.15 Uhr
KÖLN	11.25 Uhr
BONN	12.50 Uhr
KOBLENZ	16.52 Uhr
KAUB	18.25 Uhr
BINGEN	19.12 Uhr
MAINZ	20.30 Uhr
WORMS	10.45 Uhr
LUDWIGSHAFEN	11.50 Uhr
SPEYER	13.47 Uhr
KARLSRUHE	15.40 Uhr
STRASSBURG	17.47 Uhr

Zwölf Faß geschöpftes Rheinwasser
28. 6. 69 Klaus Rinke

Beginn der Aktion, Samstagmorgen 6 Uhr, auf der Rheinwiese Düsseldorf-Oberkassel

クラウス・リンケ《ライン河の水》デュッセルドルフ、一九六九年

客体化されるのである。つまり、ライン河沿いの一二の異なった場所で水を汲んだという事実は、リンケにとって他のなににも置換できないものとしてあったといわねばならない。

しかし、ひとりの男にとってかけがえのないこの行為を、「作品」だとする理由もまたないといえよう。たしかに、それは一風変わった行為ではあるが、だからといって、それが「作品」であるといういわれはない。むしろ、「作品」という概念をもちだすならば、水の汲み入れられた一二箇のドラム缶のほうがそれに該当しよう。ただし、これらのドラム缶は「もの」として「見る」限り、なかになにかが密封されている金属製の容器という以上でも以下でもない。それがライン河の水であり、一二の都市で採水されたものであり、ある日ある時汲みとられたのだというのは、その水とひとりの男の関係についての「インフォメイション」である。リンケと同行して、かれの行為に立ち合い、それを目撃したのなら別だが、たとえば私にとって、それら一切はインフォメイションとして知らされるというほかないものである。それなら、そのインフォメイションが「作品」なのかといえば、これまた「作品」とはいいがたいだろう。インフォメイションはここで事実についての記録を語っているだけだからであり、第一、それはまったく無形のものなのである。

つまり、ここには次のような状況がくりひろげられているのだ。クラウス・リンケにとって互換不可能なのは、一二の都市で特定の日時にライン河の水を汲んだという行為であり、われわれにとってこの眼で確認できるのは、一二箇の密封されたドラム缶でしかないということである。リンケにとって、ドラム缶はいわば必然的に残された証拠物件であり、われわれにとって、かれがいつ、どこで採水したかは無形のインフォメイションとしてのみある。こういう状況と酷似しているのは、たとえば犯罪のように思われる。犯行は日時と場所の限定において成立する。しかし、誰もが犯行を目撃するわけではない。この眼で確認できるのは残された証拠物件だけであろう。しかし、証拠物件は犯行そのものではない。しかも、犯行は事件後、インフォメイションによって再構成できるだけである。

「作品」という概念が確固とし得なくなったのは、われわれがこういう状況のなかに置かれているからではないか。こういう状況のなかで、もっともかけがえのないものとして浮かび上るのは「ロケイション」ということではないだろうか。ただし、私はこの「ロケイション」ということばを局所的な場所ということだけにとどめず、時間を包含したニュアンスで用いたいのだが、そういう意味での「ロケイション」が、行為とそれについてのインフォメイションと残された証拠物件をつなぎあわせるのである。リンケにみられるのが「ロケイションの思想」というべきものだと書いたのも、そういう意味からであった。

この「ロケイション」は、それをどのような形式でインフォメイションに置き換えるにしても、決して抽象化し得ないところにその本質があるといわねばならない。一九六九年六月二八日のデュッセルドルフ市のライン河に面した一つの場所は、他のどのような時空の点でもない。それは交換不可能な時空点である。そして、リンケの行為はそれと結びつけられて、切りはなされることがない。というより、行為はそのようにして行為であり得たのである。

「ロケイションの思想」とは、いいかえれば行為のアイデンティフィケイションといってもいいだろう。オランダのスタンリー・ブラウンのいくつかの試みも、この「ロケイション」という思想に根ざしているように思われる。たとえば、ブラウンが《This Way Brouwn》と題して行った試みは、アムステルダムの特定の一点を決定し、そこから日時を決定して、いくつかの都市の方向へ歩くよう指示するものだが、これは歩くことのアイデンティフィケイションにほかならない。それは、歩行一般ではなく、歩くことの限定なのだ。あるいは、これをハプニングやイベントと同じものと見ることも可能には違いない。しかし、それはどこで行われてもいいのではなく、特定の時間と場所が決定的な要素として立ちあらわれるのである。

閉ざされた体系としての作品の基本的要素が、かたち、量感、全体の統一性などであるのにたいし、人間と物質の関係を「強調」し、あるいは「体験」するものとしてのこれらの作品では、状態、位置、場所、配置、過程、時間などが重視されている。というのも、それらは、人間と物質の触れ合う状況をつくりだす要因だからである。それはまた、多くの参加者が、アトリエのなかであらかじめ作品をつくり、それを展示するのではなく、直接、場所をたしかめ、その状況を知った上で、仕事をするという行為とも結びついている、場所もまた抽象的なものではなく、この人間と物質の触れ合いのなかに包含される無視できない要素だからである。おそらく、この臨場主義とでもいうべき態度も美術作品の根底的な変貌を指し示すひとつのあらわれといえるだろう。この臨場主義

スタンリー・ブラウン《This Way Brouwn》一九六九年

は、単に作品のディスプレイということを意味しているのではない。それは作品と場所を結びつけ、それらが切りはなすことのできない関係をもっていることの自覚なのである。

長い引用になったが、これは東京ビエンナーレのカタログにつけた「人間と物質」と題する拙文の一節である。(編2) 今、「ロケイションの思想」と関連づけて、拙文をいくぶんいいかえるなら、臨場主義は「作品と場所を結びつける」というより、「作品は場所からうまれる」といったほうがより妥当ではないかという気がする。あるいは、「作品とはロケイションの具体化そのものだ」といったほうが、いっそう妥当するかもしれない。私の列挙した「状態、位置、場所、配置、過程、時間」などは、いってみれば「ロケイションの具体化」のもつさまざまな原性といえるものだからである。

今年の四月から八月にかけて、ニューヨークの文化センターでひらかれた「観念芸術と観念的傾向」という展覧会(編3)は、ニューヨークにおいてはじめて組織された「観念芸術」の展覧会といわれたものだが、そのさい出品者のひとりであった河原温は、そうした傾向を開拓した最初の芸術家のひとりとして位置づけられ、一二年間にわたる河原温の作品がいわば特陳というかたちで展示された。河原温を「観念芸術」のもっとも早い開拓者という評価は、私もまた異論をもたないが、しかし、私は「観念芸術」一般というより、かれが私のいう「ロケイションの思想」をもっとも早く自覚したひとりであったことにおどろかざるを得ない。日付けだけを描いた絵画が

編2　中原佑介「人間と物質」『第一〇回日本国際美術展』中原佑介、峯村敏明編、毎日新聞社、一九七〇年。のちに中原佑介『見ることの神話』(フィルムアート社、一九七二年)に再録された。本選集第五巻に所収。

編3　Conceptual Art and Conceptual Aspects, The New York Cultural Center, 1970. 4. 10.–8. 25.

そうであり、「私ハ午前何時何分ニ起キタ」という文面の絵ハガキがそうであった。前者は場所が一定しているからこそ、河原は日付けをかけがえのないものとし、後者は、場所を移動することによって、場所をかけがえのないものとみなしたのである。半年にわたる南米旅行のさい、かれは場所を移動するたびに、日付けと場所を銘記し、「私ハ午前何時何分ニ起キタ」という絵ハガキを送ってよこした。リンケの例と同じように、この絵ハガキもまた証拠物件であり、かれがたとえばブエノスアイレスの、とあるホテルの一室で何日の何時何分に目覚めたという事実そのものではない。それはインフォメイションをともなった証拠物件なのである。したがって、それを「作品」とみなすのは理由がないといえば、ないといえるのだ。起床という事実、それを知らせる絵ハガキ——ここにはどこを探しても作品となる手がかりはない。ただ、その全体を結びつけるものとして、「ロケイション」という思想が浮かび上がってくるのである。

このロケイションという意識をもっとも端的に物語るのは、そのインフォメイションに地図をともなったものが多く見られるようになったという現象であろう。レッテルづくりに急ぐものは、これを「マップ・アート」などと名づけるかもしれないが、ともかく現象として地図をともなったインフォメイションの急増は否定することができない。ここには、その例を図示してあるが、ほんの一例というに過ぎない。

このうち、ダグラス・ヒューブラーのそれは《ロケイション・ピースNo. 11》と名づけられ、次のような内容のものである。一九六九年の七月一日、ロサンジェルスの地図のフィゲロア通りとウィルシャー通りの交叉するところにヒューブラーは点を打った。この点の場所は、地球の自転によって一日に二〇、六四三マイル動くことになる。それから九月三〇日までの九二日間に、移動の距離は全体として一、八九九、一五六マイルに達する。その場所を指し示す地図をその点の写真と、上述のステイトメントをまとめてひとつのインフォメイションとするというのである。

ダグラス・ヒューブラーのこのインフォメイションと河原温の試みとは同質のものではない。しかし、ヒューブラーにあるのも「ロケイション」という、問題意識であることだけは疑えない。そして、この場合にも、どれが、作品であるということはできない。ただ、局所的な場所とかなりの期間にはわたるけれども時間の限定と、地球の自転とともに移動するその場所に存在する一切のものが、ロケイションという意識で結ばれているのである。ただ、ヒューブラーはそのロケイションという意識をより多く想像の世界にとりこんでいる。地軸の回転による場所の移動というのは、たしかに疑えない事実ではあるが、われわれの感覚にとって直接的だとはいいがたいからである。

稲憲一郎のそれは、東京の高田馬場駅を指定し、そこでの気候、風力、風向などのデータを記録し、地図とその点の写真とをひっくるめてインフォメイションとするというものである。ヒューブラーと較べてより素朴といえば素朴である。しかし、ここにも時空の限定によるロケイションという思想が根底に横たわっている。ただ、これらには行為のアイデンティフィケイションということが介在しない。現象の限定として、ロケイションという発想が登場しているのである。

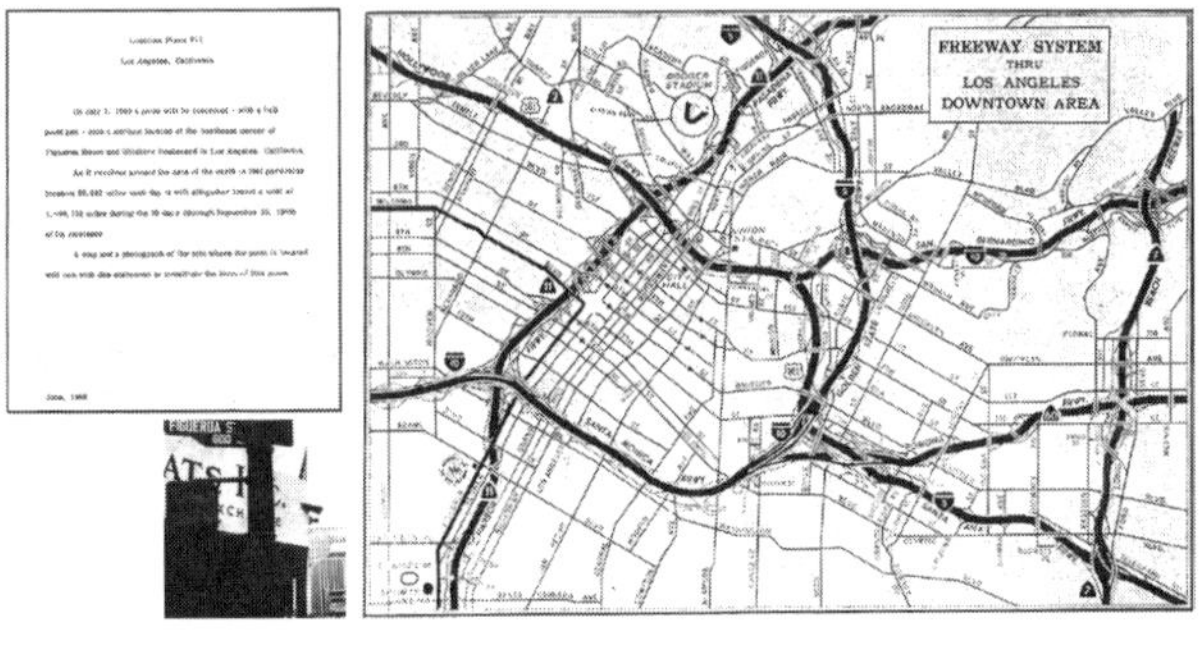

ダグラス・ヒューブラー《ロケイション・ピースNo.11》一九六九年（地図と写真とドキュメント）

いくぶんロマンチックないいかたをすれば、このロケイションという思想は、生きることは旅をすることだというような意識に根ざしているように思われる。イギリスのマーク・ボイルが世界地図の上に、まったくアトランダムに一〇〇〇個の点を打ち、その点のつけられた場所の——それが陸地であればその地表の、それが海面であればその点の海水の、写真、複製、採集その他の手段によってインフォメイションをつくりだすという試みを、「地球の表面の旅」と名づけたのは象徴的といっていいだろう。旅であればこそ、その軌跡のアイデンティフィケイションとして時空の限定ということが海をあらわすのである。旅をいいかえれば、それはわれわれの生における流離感とでもいうべきものだ。その流離感に歯止めをすべく、ロケイションということにこだわらざるを得ないのである。

私は東京ビエンナーレに「人間と物質の間」というタイトルをあたえたが、このあたり前といえば何の変哲もないタイトルを選ばせたのも、この流離感に根ざしていたかもしれない。ロケイションという意識を措いて、人間と物質のどのような関係を探ってみても、つねにある空漠とした抽象性をともなわないわけにゆかないのである。東京ビエンナーレで、「作品」という概念から一番遠くに位置するかに思われたリチャード・セラの仕事が、かえってもっとも抽象的でなかったのは、それがロケイションということにきわめて深く結びついていたからであった。ここで、セラの仕事、たとえば公園の一隅に植えられた杉の木が、リンケの例で述べたように、証拠物件としてのみわれわれに残されたことを思いだすべきである。杉の木はいかなる意味でも「作品」ではない。そして、それをセラが植えたという事実はわ

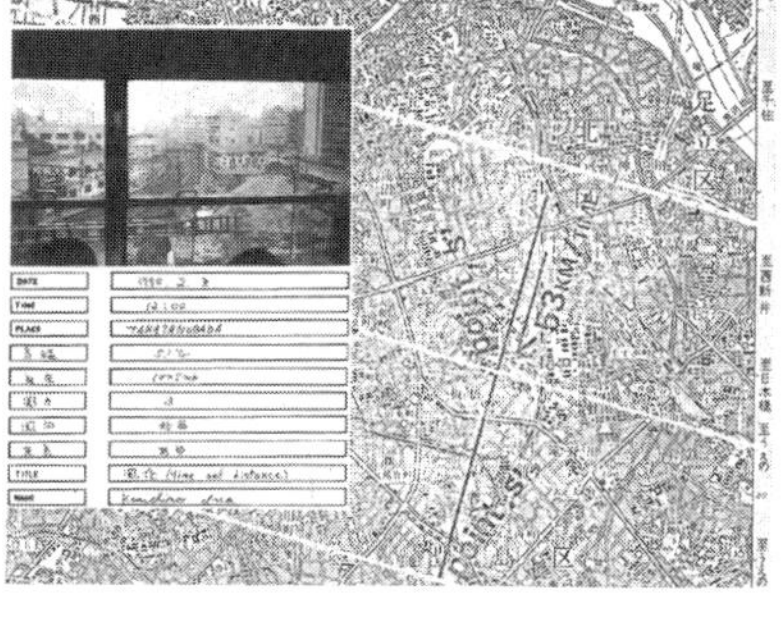

稲憲一郎《風化》一九七〇年（部分）

われわれにとってインフォメイションとしてのみ存在する。こういう構造をより鮮明に示したのは、セラがひと知れず残していったとある仕事であろう。ここでは、インフォメイションと残された証拠物件は、確然と分断されているのである。いったいそれは、ほんとうにセラが手をかしたものなのか？　木を植えるということは、セラにとっての行為のアイデンティフィケイションであって、われわれにとってはひとつの事実にすぎない。つまり、事実としてみる限り、それはセラという名前でない誰でも同じことなのだ。しかし、誰であれ行為の当事者にとっては、それは絶対的な行為である。つまり、セラの試みたのは、その行為をロケイションと結びつけ、外在化することであった。杉の木はその媒介物なのであり、だからこそ証拠物件として残されたのである。

（因みに、証拠物件は残るとは限らない。その例は、ニューヨークのメトロポリタン美術館の裏に四角い穴を掘って、それを再び埋めてしまったクレス・オルデンバーグの仕事である。[編4] この場合、インフォメイションしか残されていない。行為とロケイションを結びつける穴は、埋めるというもうひとつの行為によって消されてしまった。つまり、オルデンバーグはここで掘ることと埋めることの二つの行為を行ったのである。もし、セラが杉の木を再び抜いてしまったら、似たようなことになったであろう。）

美術で「空間」という概念はなじみのものだが、ロケイションという思想は、この空間概念を美術の枠から開放しようとする一面をもっている。われわれは、空間をつくりだすのでなく、空間を選びとるのである。というのも、空間は具体的なも

編4　Claes Oldenburg, *Placid Civic Monument* in Central Park, New York, October 1, 1967.

のであり、われわれのあらゆる行為はそこに生まれそこで消えてゆくものだからである。

美術館という空間が相対化されはじめたのも、根本はここに起因している。それは、単に美術館が歴史をもちすぎて、重苦しい桎梏になりつつあるといったことからではない。美術館もまたわれわれの生の流離感をいささかも減少させないことに気付いたとき、美術館はその機能が疑われるに至ったのである。

東京ビエンナーレのさい、イタリアのクネリスが、美術館の一室の入口を石を積んで封鎖しようとする試みをみて、私は興味深く思った。おそらく、それを見て、美術館に対する造反などと感じたものはいまい。既にイタリアで同じことを行ったクネリスは、美術館でも同じようにそれをやろうとしたのである。入口のあるところなら、美術館の一室であろうと民家の一室であろうと、変わりはないのだ。それは入口でありさえすれば成り立つ行為である。入口でさえありさえすれば！

つまり、クネリスにとって美術館は完全に相対化されている。入口がクネリスの行為を触発するのである。

（クネリスの石積みは実現しなかったが、あの場合、技術的な問題を別とすれば、石の積みかたなどどうでもいいのである。積みかたによる造型美などが問題になり得るだろうか。あれはまた、証拠物件というにふさわしいものでしかない。）

人間と物質を結びつけるものとして、私は今、ロケイションということに関心をもつ。それは様式化できないものなのだ。

ひとつの思想あるいは底流のようなものとしてはあるが、決して単一のものではない。

そして、こういう底流と無縁な現象は、それがいかにイリュージョンを否定するといっても、容易に新しい造型と化してしまうことも間違いのないことだと思う。そういう現象は、われわれの周辺にもいくつも見ることが可能なのである。

彫刻は都市に住めるか

「都市と彫刻」というとき、しばしば指摘されるのは、日本とヨーロッパの落差である。ヨーロッパの都市ではどこへ行っても彫刻がふんだんにみられるのにたいし、日本の都市ではそれがきわめて稀である。そして、日本の都市に屋外彫刻が少ないのは、ヨーロッパの都市のように広場や公園が多くないからだとよくいわれる。日本の都市に広場や公園が多くないというのは否定し得ない事実であろう。しかし、屋外の彫刻が乏しいというのは、そうした事実だけにもとづくのだろうか。もしも、そもそもわれわれ日本人は屋外の彫刻というものを欲することが根本的に少ないのであるなら、公園や広場があったところで、必ずしも屋外彫刻が盛況を呈するということにはならないだろう。

たとえば、現代では以前よりも都市における広場とか公園とかが留意されている。しかし、そうかといって、それらの場所に彫刻が数多くみられるようになっているかといえば、必ずしもそうとはいえない。つまり、ヨーロッパの都市には広場や公園が多く、したがって屋外の彫刻も多いが、日本ではそうした場所が少ないので、それに比例して屋外彫刻も少ないということであるならば、これは屋外彫刻の量の多少の問題ではなく、結局は都市の構造というものに対するイメージの違いという

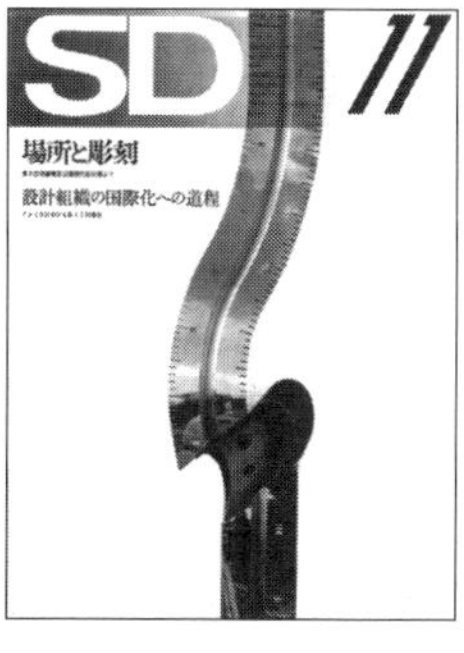

初出『SD』第九八号（一九七二年一一月）、四〇—五二頁。特集「場所と彫刻」に発表された文章。

ことになる。しかし、問題はそれだけに帰せられるのだろうか、ということである。

日本とヨーロッパを比較しながら、日本における屋外彫刻の乏しさを指摘する思考の根底には、当然、日本の都市にももっと多くの彫刻が置かれて然るべきだという前提がひそんでいる。しかも、ヨーロッパでみられるのと同じようにという具合にである。しかし、問題は、日本の都市でも公園が皆無ではないのに、なぜ彫刻が極めて少ないのかということの方にあるだろう（たとえば、博物館や美術館が集中している東京都の上野公園を想いうかべてみればいい）。財政上の問題だろうか。為政者の無理解のためだろうか。もっとひろく、一般の人びとの無関心のせいだろうか。一言でいえば、その場所に彫刻を必要としないと思っているからである。むろん、こういえば屋外彫刻は「必要、不必要」といった次元の事柄ではないという反論もあるにちがいない。私の真意はこうである。ことさら公園に彫刻など置かなくてもいいという一般的心情がわれわれにはあるのではないかということである。

ヨーロッパの都市にみられる彫刻からひきだされる屋外彫刻の特質は、それがそこに住む人びとにとって歴史的なモニュメントであるか、コミュニティのシンボルだという点にある。ヨーロッパを訪ねて、モニュメントの前に立つとき、われわれはそこに歴史を感じとることができるし、広場に立っている現代彫刻から、その地域生活の共同性といったものを想いうかべる。私は今、われわれは都市の公園に彫刻を必要としないと考えているのではないかと述べたが、それなら、われわれはそうしたモニュメントとかシンボルを持つことなく生活しているということになるのだろうか。しかし、都市が巨大な集団生活の場である限り、われわれだけがモニュメントとかシンボルを一切持たないということは考えられない。とすれば、考えられるのは、われわれにとっての都市におけるモニュメントとかシンボルは、屋外彫刻とは異なったものではないかということである。

われわれもまた、都市のなかに多くのモニュメントとかシンボルを持っている。しかし、それは公園のなかに立ってはいない。公園を前にしていることもないではないが、彫刻ではないのである。われわれにとって都市におけるモニュメントとかシンボルとなっているものは何か。それは建築そのものだと思う。レンガ造りの東京駅は、それ自体がモニュメントあるいはシンボルであって、その前にことさら彫刻を立てる欲求をひきおこさない。明治以来のいわゆる洋風建築は、それが公共のものであればある程、日本の木造建築とはまったく異質な外観、異質な素材、その巨大さによって、都市のモニュメントなりシンボルとなってきた。この建築がモニュメントであるという思想は、現代でもいまだに尾をひいているように思われる。つまり、それは既にして巨大な彫刻なのである。寺院建築などが一種のシンボルとしての性質を持っているということは、洋の東西を問わないだろう。しかし、日本の場合、こうしたモニュメントあるいはシンボルとしての建築は、宗教建築に限られなかった。ホテルすらもそうだったのである（かつての帝国ホテルをみよ）。

ヴァルター・ベンヤミンのことばを借りれば、たしかに「建築物にたいする接しかたには、二重の姿勢がある。すなわち実用と観察、より正確にいえば、実際型と視覚型である」ということになろう。(編1) そして、「視覚型の姿勢でさえ後者すなわち習慣によってつよく規定される」というのが当然のあり方にちがいない。しかし、

編1　ヴァルター・ベンヤミン「複製技術の時代における芸術作品」高木久雄、高原宏平訳、『ヴァルター・ベンヤミン著作集第2巻――複製技術時代の芸術』晶文社、一九七〇年、四三頁

われわれ日本人にとって、この視覚型の態度は、建築をモニュメントにまで上昇させる働きとなったのだった。むろん、古い建築が不可避的にモニュメンタリティを獲得することはわれわれも知っている。しかし、日本の公共の洋風建築は新しいままモニュメントとなったのである。こうした特定の建築にたいする態度と、屋外彫刻が（歴史上の有名人の銅像を除いて）なかったという事実とは深く関係しているように思う。屋外彫刻が余計なものに思われるのは、既に巨大なそれが存在しているからである。

私はここで、こういう建築観を是正して、われわれのモニュメントを屋外彫刻としてうみださなければならないとは思わない。建築をモニュメントとしてとらえるというとらえ方の是正は、屋外彫刻とは無関係になされるべきである。むしろ、逆にここからうまれる、屋外彫刻はモニュメントでもシンボルでもないという考え方に着目したいと思う。先程引用したベンヤミンのことばをひっくり返していえば、われわれの屋外彫刻にたいする態度は視覚型というよりは実際型なのである。実際型といってもそれを使用するというわけではない。つまり、「精神の緊張と結びつくよりは、むしろなんでもないふとした印象と結びつくことのほうが多い」というべきだろう。別のいい方をすれば、それはモニュメントやシンボルではなく、「現象」に属するのである。

屋外彫刻がモニュメンタルなものではなく、モメンタリーなものであるという考え方は、皮肉なことに現代の都市を考える場合、より適したものといえるのである。モメンタリーということでは、それはウィンドウ・ディスプレイと変わらない。むろん、屋外彫刻とウィンドウ・ディスプレイがまったく同じものだというのではない。ただ、モニュメントやシンボルになり得ないという点では、それらはきわめて似通った時間的・空間的構造を背負っているということである。たとえば、屋外彫刻との関連でひき合いにだされるのは野外彫刻展である。野外彫刻展といえば、山口県宇部市の野外彫刻美術館での「現代彫刻展」(編2)、神戸市の須磨離宮公園での「現代彫刻展」(編3)、箱根・彫刻の森美術館における「現代国際彫刻展」(編4)（これは昨年の第二回展をもって終止符を打った）などが挙げられる。彫刻を美術館の館内から野外へと置換し、野外における彫刻展示の可能性を試すということでは共通しているが、こうした野外彫刻展の特徴は、彫刻をモメンタリーなものとしてみるという態度にほかなるまい。

　モメンタリーというのは、彫刻が日向の氷のように溶けてしまうというようなことではない。それはモニュメントのように「永遠性」を帯びてたちはだかるのではなく、「現象」として過ぎ去ってしまっても構わないという性格を帯びているということによる。もともと、特定の場所で関かれる野外彫刻展と都市のどこかに置かれた屋外彫刻とは同じものではない。美術館の室内から外へでたということでは共同していないでもないが、野外彫刻展が展覧会という特別な催しであるのにたいし、都市のなかの彫刻は特別な催しとはいえないからである。しかし、それがどこか同質のもののように感じられるのは、いずれもモメンタリーなものだという性格を感得できることにもとづくのである。

　「都市と彫刻」という問題の新しい様相は、日本にはヨーロッパのように屋外彫

編2　「第一回現代日本彫刻展」宇部市野外彫刻美術館、一九六五年一〇月一日—三一日（主催＝毎日新聞社ほか）。以降、二年に一度開催（二〇〇九年よりUBEビエンナーレと改称）。

編3　「第一回神戸須磨離宮公園現代彫刻展」一九六八年一〇月一日—一一月一〇日（主催＝神戸市ほか）。以降、一九九八年まで二年に一度開催。

編4　「第一回現代国際彫刻展」彫刻の森美術館、一九六九年八月一日—一〇月三一日（主催＝彫刻の森美術館ほか）

「第三回須磨離宮公園現代彫刻展」受賞作品と都市空間のモンタージュ（井上武吉《都市論のための拡大定規》一九七二年）

刻がないという次元ではなく、こうしたモメンタリーなものとしての彫刻をどのように都市に適応させるかということにあるだろう。それは、都市のなかに屋外彫刻を置くのは自明だということと一直線には結びつかない。もしも、問題が屋外における彫刻を増やすということだけであるなら、現状がそうではないとしても、可能な限りそういう機会をつくるよう努力してゆくというだけのことである。しかし、屋外における彫刻そのものの意味が今や変化してきているのである。先にも書いたように、建築にモニュメントやシンボルをみているわれわれには、屋外彫刻といえば、この変化がまず出発点となるといわねばなるまい。しかし、この問題についてすぐれた先例があるというわけではない。「都市と彫刻」の企画は古いといえば古い事柄だが、その関係は時代や地域を通して画一的なものというわけにはゆかないのである。

*

須磨離宮公園における「現代彫刻展」は、今年が三回目である。第一回は「水と彫刻、光と彫刻、風と彫刻」をテーマにし、第二回は「夜と昼」をテーマにして開かれた。今年の第三回展のテーマは「都市空間のなかに」である。その主旨に次のようにいう。「これは、須磨離宮公園野外彫刻展の当初からの企図のひとつであり、単に公園内の野外彫刻展にとどまらず、都市の広場、公園、その他公共施設をふくめた都市空間のなかに、新らしい彫刻形態とそのあり方を確立する意図をもつもの

「第三回須磨離宮公園現代彫刻展」受賞作品と都市空間のモンタージュ（井上武吉《都市論のための拡大定規》一九七二年）

であります。都市空間のなかに、現代彫刻の機能がもついろいろの可能性を、ここに見ようとするにあります。それに従って、神戸市のなかに、その機能を実現しようとしております」。

つまり展覧会ならぬ「都市空間のなか」での彫刻のあり方を探ろうという意図である。確かにこれは注目すべき試みといっていい。ところで、ここに参加し出品した一〇名の諸氏の作品が、そうした「都市空間のなか」での彫刻のあり方を示唆するものであるかどうか（別掲、モンタージュ写真によって、作品を都市空間のなかにはめこんであるので(編5)、それを参考の一助にしていただきたい）。たとえば、どういう場所へ置こうとするのか。その点では、各出品者に仮空の設置場所を指定させて、それを写真とか地図で並示するといった方法が採られて然るべきだろう。もっとも、この点については次のような意見もあるにちがいない。

二年前、国際鉄鋼彫刻シンポジウム(編6)に参加した各国の彫刻家とともに座談会をもったことがあった。(編7)話は当然「都市と彫刻」に及んだが、その際アメリカのケネス・スネルソンが次のように発言したことを覚えている。「私は、場所をあらかじめ決められて作品をつくるのは不本意だ。作品は場所と無関係につくられるべきだ」。この発言は、一見「都市と彫刻」の結びつきなどどうでもいいとも受けとれるが、その本意はある作品をどこかに置きたければ、それにふさわしい場所を選べばいいのだということにあったのだろう。なるほど、こうした考えも一理がないではない。というのも、ひとりの彫刻家が適当に場所を指定されて、そこにふさわしい作品をつくれといわれても、必ずしもそれに適応させることができるかどうかは解

編5　「場所⇄彫刻——第3回須磨離宮公園現代彫刻展より」（グラフ構成：山田脩二＋『SD』編集部）『SD』第九八号（一九七二年一一月）、四三—五〇頁。図版の一部を本書二四九—二五二頁の下欄に引用する。

編6　「国際鉄鋼彫刻シンポジウム」大阪・後藤鍛工内特設アトリエ、一九六九年九月一日—一一月三〇日

編7　ケネス・スネルソン、ハインリッヒ・ブルマック、ジャン・ティンゲリー、飯田善国、中原佑介（司会）談「鉄鋼彫刻シンポジウムの四人の作家に聞く」『毎日新聞』一九六九年一一月一二日夕刊、第五面

「第三回須磨離宮公園現代彫刻展」受賞作品と都市空間のモンタージュ（髙橋清《ひと》一九七二年）

らないからである。しかし、その逆にこの「現代彫刻展」などの場合には、場所の指定は不可能ではなかった筈である。

これは必ずしも技術上の問題ではない、いったい「彫刻は都市に住めるか」どうかという問題と結びついているからである。もしも、広場とか公園のみが屋外彫刻の住み家であるならば、この場合も問題の多くは解決済みとなる。あとはそれを実現するかどうかという実行上の問題だけになる筈である。そして、この「現代彫刻展」の作品についていえば、それらが須磨離宮公園に並んでいるように、適当に他の広場とか公園に移転させればいいわけである。しかも、その場合、作品は多かれ少なかれモニュメントふうな性格を帯びることになるだろう。

しかし、「都市空間」は広場とか公園だけではない。したがって、より興味ある問題は、そうした場所以外のところで彫刻を設置することが可能かどうかということの方にある。結局、この展覧会ではこうした問題には、どのような示唆もあたえられていない。伝え聞くところによると、神戸駅の近くに彫刻通りというのができて、そこへ作品が並べられるという構想らしいが、そういう構想と出品作との関連も不明のままである（しかし、この点については、その彫刻通りに作品が並んだときに、改めてまた触れる機会もあるだろう）。一観客たる私に想像し得るのは、これらの作品が都市のなかに置かれたときの漠然たる情景だけである。

都市のなかといえば、自動車の排気ガスその他による空気の汚染を避けるわけにゆかない。井上武吉が《アウター・スペース・テスト・ボックス》というステンレススチールの作品で、一九七二年の四月二〇日から翌年の四月一九日まで一年間の

「第三回須磨離宮公園現代彫刻展」受賞作品と都市空間のモンタージュ（小清水漸《表面から表面へ》一九七二年）

汚染度を作品でテストさせようと試みているのは、現代の都市における屋外彫刻というものを考える上で注目させる。考えてみれば恐しい作品である。じっさい、金属による屋外彫刻は今や空気の汚染度のテスト・ボディといってもいいというのが実情であろう。京都市庁舎の横にあったロダンの《考える人》は、名作どころか全身汚染されて、都市公害のバロメーターになってしまった。その運命に逆らえないとすれば、彫刻をその犠牲にするというのが井上の発想であったにちがいない。私は各駅の前の広場に、こうした「テスト・ボックス」を設置することを不幸なことだが提案したいと思う。まことに現代的な屋外彫刻ということになろう。

これまた、屋外彫刻のモメンタリーな性格を如実に物語る事例である。都市の彫刻は人びとに憩いとうるおいをあたえるためにあるといういい方は美しいが、しかし、はかない憩いであることを銘記すべきである。憩いといえば、空想の彫刻を想いうかべて、自らの作品で都市を非現実化してしまうのが最大の憩いというべきだろう。とすれば、屋外彫刻の現代における存在理由とは何かという問いが改めて発せられなければなるまい。私はたった今、彫刻がもたらす憩いははかないものでしかないと書いたが、はかないとしても屋外彫刻が憩いと関連しているとすれば、それは彫刻の形態のあれこれに基づくのではなく、都市空間のなかに、彫刻という無用のものによって占有された特殊な「場所」がつくりだされるという事実によるのである。その意味で、大きな公園などよりも、都市の繁華街の一隅において彫刻のつくりだす「場所」の方が、現代、より大きな価値を持つといわねばならない。このことは、都市の繁華街にある数少ないモニュメンタルな性格を帯びている彫刻を

「第三回須磨離宮公園現代彫刻展」受賞作品と都市空間のモンタージュ（土谷武《歩く鉄》一九七二年）

目撃したときに感じる、われわれの心理的反応を想起してみれば納得できる筈である。こんなところに彫刻があるのかという反応は、このような「場所」があるのかという「場所」にたいする反応を土台としている。つまり、その占有された空間は、ある種の解放感をともなった「場所」としてわれわれに映じるのである。

現代の都市における彫刻はモメンタリーである方がよりふさわしいというのも、それがなによりも場所の占有を指示することに意義が認められるからである。彫刻は都市空間における「場所」の異化機能としてのみ、都市のなかに住むことができる。屋外彫刻が美術館内の彫刻をただ都市のなかへ移転させることによって成りたたないのは、「場所」がまったく不問に付されるからである。私が「現代彫刻展」の出品作について、場所の想定があって然るべきだと述べたのも、こうした「場所」の持つ意味を考えてにほかならない。そして、もっとも望ましいのは、公園を離れて、じっさいの都市のなかの任意の場所で、各作品が設置されることであるのはいうまでもない。

「現代彫刻展」でモニュメンタルな性格を濃厚に感じさせる作品が散見されるのは、こうした現代の都市と彫刻の関係がいまだ不分明であることを物語っている。そうした作品からうかがわれるのは、「場所」をあくまで彫刻を置く物理的な空間としてのみ考えているという思考である。ところが、問題は「場所」そのものの異在ということにある。もっとも、この「場所」の異化機能としての彫刻といっても、外延的な空間をうみだすものと、内包的空間をもたらすものとがある。たとえば「現代彫刻展」における伊藤隆道の《コウ線No. 1》という作品は、内包的空間をう

「第三回須磨離宮公園現代彫刻展」受賞作品と都市空間のモンタージュ（多田美波《エピサイクル No. 2》一九七二年）

みだす一例といえよう。これは三〇本のステンレススチールのパイプを曲げて、その両端を地面につきたてたものである。このパイプの林のなかをじっさいに人が通れるというスケールが、この作品の決め手である。土谷武の《鉄と石》もまた、そうした作品といえる。土谷の《歩く鉄》は外延的な空間をつくりだす作品だが、《鉄と石》はそれと似て異質である。

彫刻の形態と場所との関連性は、その周囲の空間的諸要素に基づいて考えられるべきである。たとえば、前述した伊藤の作品は、あるいは河べりの公園ではどうかといった具合にである。多田美波のアクリルの板に円形の穴をあけた《スペースアイ》は道路の分離帯、保田春彦の上が正方形の逆台形のユニット三六個からなる《発掘II》はビルの中庭、四個のセメントの四面体による小清水漸の作品は、どこか土のある場所などが考えられるかもしれない。公園や広場は別に屋外彫刻の置かれるべき唯一の空間というわけではない。その気になりさえすれば、都市空間において彫刻の置かれるべき場所はどこにでもあるとさえいえるのである。それをそう思わせないのは、広場あるいは公園とモニュメントとしての屋外彫刻の結びつきという古典的（もしくはヨーロッパに典型的）なパターンを、今日なお踏襲しようとするからにほかなるまい。そして、一度設置した彫刻はそのまま永続的にそこに存在させるべきだという考えから解放されることが必要である。六ヶ月とか一年で換えるとか、あるいはまったく場所を変えるといった自由な発想を持つべきなのである。もはやモニュメントではあり得ない現代の彫刻が、その存在の持続という点についてだけは、モニュメント彫刻と同じように考えられるのはグロテスクとさえいえよ

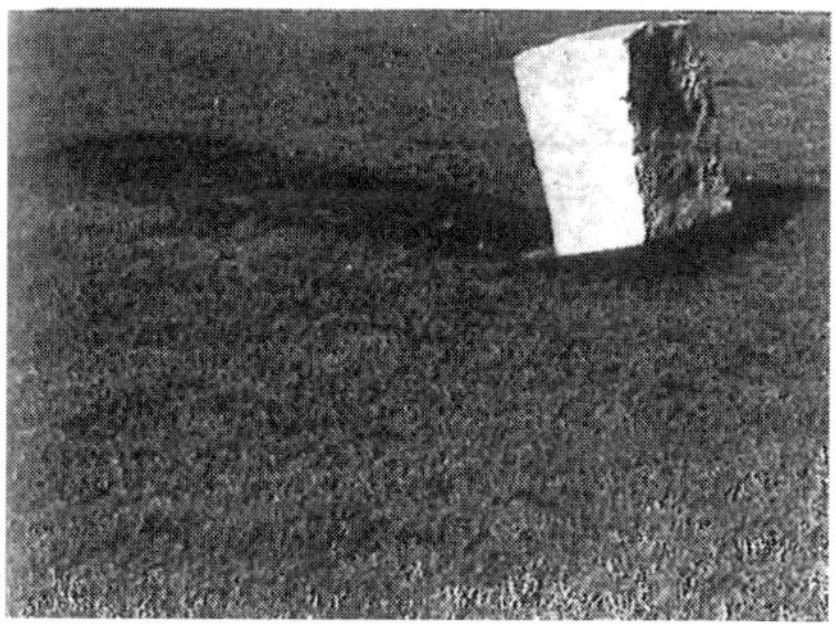

土谷武《鉄と石》一九七二年

う（そういう持続性は美術館に任せておくべきである。しかし多くの日本の美術館は、屋外の彫刻展示に関しておどろく程関心が低い。その一例は国立東京近代美術館が示している。屋外彫刻の展示空間はきわめて貧弱である）。

＊

私のいうモメンタリーな性格をあらわすということでは、始めの方でも触れたように、野外彫刻展でもそれをみることができる。しかし、野外彫刻展で欠如するのは、これまで書いてきた場所を占有することによって、その空間を異化し、都市空間のなかに特異点をつくっていくという、屋外彫刻と「場所」とのかかわりである。野外彫刻展の場合、会場全体がそのための特別の「場所」という性格をあらかじめ付与されてしまうからである。

しかし、モメンタリーであるということと、「場所」のもつ意味とを踏まえたじっさいの都市空間のなかでの彫刻は、意外なことにまだほとんど試みられてはいない。このことは、われわれの周辺に屋外彫刻が皆無だということを意味するわけではない。しかし、「都市のなかの彫刻」として想定されるタイプは多くの場合モニュメントとしてのそれなのである（ここから日本の都市での広場や公園の美しさという指摘がでてくる）。こうした状況でのひとつの実現可能な方途は、都市そのものを会場としておこなう彫刻展の開催であろう。こういう形式の試みでは、既にいくつかの先例がないではない。たとえば、一九六七年、ニューヨーク市で実現した「環

保田春彦《発掘Ⅱ（ステンレス）》一九七二年（神戸市土木局賞）

境のなかの彫刻」(編8)という試みはそのひとつである。これはニューヨーク市が主催し、二四人の彫刻家が参加したもので、それぞれの彫刻家が市内の適当な場所を選択し、そこへ作品を設置するというものだった（因みに、この試みは九月一日から末日まででという期間で開催されたが、会期が延長されたように記憶している）。あるいは、ごく最近では、イギリスのピーター・ストイフェサント財団の後援で、一七人の彫刻家による屋外彫刻展示が開催されている。(編9)この場合にはリヴァプール、バーミンガム、ケンブリッジ、カーディフ、ニューカッスル、プリマス、シェフィールド、サウサンプトンなど八つの都市（つまり、ひとつの都市に決定されるのではなく）の任意の場所二個所が選ばれている（ロンドンが除外されたのは、この巨大な都市に点の作品を設置しても、効果がほとんどないと考えられたからだという）。彫刻が置かれる期間は六ヶ月である。任意の場所と書いたが、それは彫刻家がまったく一方的に決めるのでなく、各市の建築計画局と相談しながら最終的に決定したという。そして、この企画は「都市彫刻計画」と呼ばれている。

これらの試みは、一種の展覧会という形式を採ってはいるが、美術館での展示や野外彫刻展のように、ひとつの場所に作品が集められるというわけではない。形式は展覧会だが、現実的には都市空間のなかの彫刻というべきものである。しかも、展覧会という形式であることによって、一定の期間が過ぎれば作品は姿を消してしまう。つまり、モメンタリーなものにほかならない。都市のいくつかの場所はテンポラリーに異化されるのである。私は神戸市の彫刻通りのように、都市空間のなかに彫刻のための特殊な場所を設けることに注目したいとは思う。たしかにこれも興

編8　Sculptrue in Environment, various places in New York City, 1967. 10. 1–10. 31

編9　City Sculpture Project, eight cities in the U. K., 1972. 3.–11.

多田美波《スペースアイ》一九七二年（朝日新聞社賞）

味あるものであることには間違いないからである。彫刻のある通りといえば東京の丸の内にも最近実現している。そして、こうした試みが各都市で実現するのも、「都市と彫刻」の問題にたいするひとつの解答であろう。大阪市でも同様の試みが企画されつつあるようである。しかし、それを唯一の方途とするのは「都市と彫刻」の関係を固定的に考え過ぎることの所産と思わないわけにもゆかない。屋外彫刻の伝統を持たなかったわれわれだからこそ、かえってそれを固定的に考えることから解放されているというように受けとるべきなのである。ヨーロッパの場合、たとえば先にも触れたイギリスの「都市彫刻計画」にしても、モニュメントあるいはシンボルとしての彫刻という伝統にたいするアンチテーゼという意味合いが含まれていようが、われわれにとっては、それが何かのアンチテーゼだという意味はない（なによりもそれを示すのは、日本には屋外彫刻が乏しいという指摘である。ヨーロッパでは逆にあり過ぎるというだろう）。

私がこれまで屋外彫刻といってきたのは、主としてソリッドな物体としての彫刻であった。しかし、現代彫刻の趨勢は、ソリッドな物体としての彫刻のみを唯一のものとするわけではない。そのことで、考えさせられたのは「現代彫刻展」における村岡三郎の《STORE……ING（貯蔵していくこと）》という作品である。これは、神戸市内の三つの場所（三ノ宮駅付近、ポートタワー港湾付近、長田公設市場付近）に集音マイクを置き、電話回線を使用して集音マイクの集めたさまざまな雑踏の音を離宮公園まで運び、六メートルに三メートルという鉄板の上に置かれた三つのスピーカーが、音を発し続けるといったものである。物理的に考えれば、音が伝えら

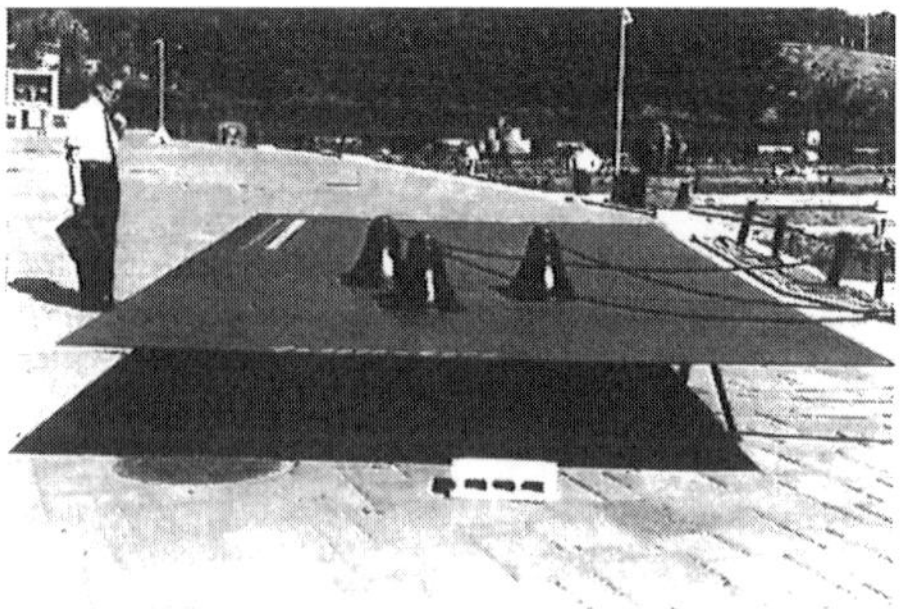
村岡三郎《STOR...ING（貯蔵していくこと）》一九七二年（神戸美術愛好家協会賞）

れ続けている間は鉄板にエネルギーが加えられ、いくぶんかは貯えられよう。しかし、音が止まっている間に発散していく。それはさておく。形態よりもエネルギーの変換システムそのものに関心が示されているこうした作品は、現代美術においてあらわれるべくしてあらわれた仕事といえる。そして、私がこの作品を採りあげたのは、屋外彫刻といっても「彫刻」の概念が急速に変化しつつあるという状況もまた考慮しないわけにいかないということからである。伊藤隆道や多田美波や保田春彦の作品も彫刻の通念からは遠いものであろう。しかし、なおそれはソリッドな作品という性格を失ってはいない。だが、エネルギーの変換システムを示そうというこうした作品になると、それらソリッドな作品とは同列に扱い切れない問題が派生する(皮肉なことに、出品作で作品の関係する場所が地図とともに明記されていたのは、村岡のこの作品だけである)。

この大きな鉄板をどこかに置けば場所の異化をひきおこすことは当然である。鉄板はソリッドな作品と同じような効果を持つからである。しかし、この作品ではその場所と同時に他の三つの場所との直接的な結びつきが不可欠であろう。つまり、これは都市空間のなかの任意のいくつかの場所の間に特殊な関係をつくりだすのである。こうした場所と場所の関連性をつくりだすような作品は、都市の彫刻といっても、単一の屋外彫刻とはまったく異質なものといわなければなるまい(村岡のこの作品は都市の繁華街と閑静な公園を電流で結びつけているが、異質な空間を結ぶという点では、室内と室外の関連という方がよりふさわしかったように思う)。しかし、室内と室外を結びつけるという場合でも、たとえば鉄板をどこか屋内に置き集音マイクを繁華街に設置することによって、都市のなかの作品ということができるだろう。音でなくテレビによる光のエネルギーというのも考えられることである。村岡のこの作品に限られないが、こうした場所と場所との関連性をつくりだすといったタイプの作品も、屋外彫刻としてあり得るだろう。私はここでこういうタイプの作品をとりわけ重視するわけではないが、「都市と彫刻」という場合、現在ではこの種の仕事も一概に排斥し得ないのである。

現代は屋外彫刻といっても、二つの要素が重なり合っている。ひとつはモニュメントあるいはシンボルとしての屋外彫刻の瓦解ということであり、もうひとつは彫刻そのものの変貌である。つきつめれば根はひとつということになるだろうが、現象としてみれば、これら二つが交錯するところに今日の「都市と彫刻」の問題の特質がある。ニューヨークの「環境のなかの彫刻」でもイギリスの「都市彫刻計画」でも、それがはっきりと示されている。彫刻についての古典的な概念を保持したまま、彫刻の置かれるべき場所を探すのも、たしかに「都市と彫刻」の問題にたいするアプローチではあるが、いったいそうした屋外彫刻が今日の都市生活によくマッチし得るものかどうかを考えてみる必要がある。

都市のなかにテンポラリーな異化された「場所」をつくりだすこと――あらゆるプラクティカルな性質から解放された特異点をもたらすこと、それが今日の屋外彫刻のもつ存在意義である。そして、それに応じた形態をつくりだすことが彫刻を決める要素である。そのためにも「都市と彫刻」の間の古典的なパターンから解放されなければならない。それは別に屋外彫刻に革新をひきおこすということではない。

それがもっとも現代の都市にふさわしい形式であると同時に、もっとも実現可能な方途だということである。広場とか公園でなくても、こういう特異点の拡張したスペースが都市には必要なのである。それがなければ、人びとはなんとなくあるいは暴力的に群がることによってそういう場所をつくりだすだろう。その特異点は一本の棒をたてることによっても生じ得る。屋外彫刻とはつまるところ、その棒の無数のヴァリエイションにほかならない。屋外彫刻の形態よりも「場所」を本質的だと思うゆえんであり、それが都市に彫刻が住み得る根拠なのである。

都市の言語《パロール》

劇団天井桟敷「地球空洞説」

　アポリネールがうみだしたドルムザン男爵は、周知のようにはなはだ人をくったパリの観光ガイドをやらかす。外国からやってきた観光客とともにバスの屋上席に陣どった彼は、オペラ座を指してまずオペラ座といったまではよかったが、そのあとは手形割引銀行を指してリュクサンブール宮殿だといい、キャフェ・ナポリタンを指してフランス翰林院だといい、リヨン銀行を指して大統領官邸エリゼ宮だという具合で、こうしてマドレーヌからバスティーユに着くまでの半時間に、ノートルダム寺院もパンテオンも、主な美術館も百貨店も、諸官庁も名士の邸宅も、つまりはパリの主だった名所旧蹟のあらかたをてっとりばやく見物させてしまうのである。

　まったくもって破天荒な観光ガイドというほかないが、当のドルムザン男爵にいわせると、彼のやっているのは並みのガイドなどではさらさらなく、自らが発明した新芸術「アンフィオニイ」という創造行為なのだと称する。「アンフィオニイ」とは都市を素材としながら都市の逍遥のつくりだす芸術であって、この半時間のパリ見物は、そのなかでももっとも労少なくして収入のいい「古代パリ」と題する破格の「アンフィオニイ」だというのである。観光ガイドの職能が、オペラ座をオペラ座といい、エリゼ宮をエリゼ宮ということをもって本分とするなら、ドルムザン男

初出『海』第五四号（一九七三年一〇月）、一八九―一九三頁。「イメージの狩猟」欄に発表された文章。

爵の自称するこの破格の「アンフィオニイ」とはまことにいかさまのガイドではある。ところが、たしかにいかさまには違いないが、もしこれを都市を素材にした「見立て」というように見るなら、「アンフィオニイ」はいささか異なった姿をもって立ちあらわれる。それはむしろ街頭芸の正統派をゆくものといえるからである。ドルムザン男爵は手近な建物のあれこれをパリの名所旧蹟に見立て、観光客の頭のなかに、それはそれとしてつじつまの合ったもうひとつのパリをつくりあげるのである。「見立て」を成り立たせるのは、いかさまを楽しむ精神と、奇抜な発想と、巧みな弁説(口上)だが、アポリネール描くところのドルムザン男爵はこれら三つの完全な具現者であった。

もちろん、これは紙の上の荒唐無稽な一篇の物語に過ぎない。現代の観光ガイドがじっさいにこの手をやってみてもうまく成功する保証はまずまずあるまい。しかし今、この「アンフィオニイ」を都市論という文脈のなかに置いて眺めると、それは必ずしも紙上の空想とばかりはいい切れないものがある。アポリネールが「アンフィオニイ」に託して語っているのは、都市を構成しているさまざまな要素と言葉の結びつきを一度解きほぐし、異なった新しい組み合わせをつくりだせば、都市は別の顔を浮かびあがらせる筈だということである。もし、この組み替えをものと画面との関係というレベルでおこなえばコラージュということになる。アポリネールが立体派のパピエ・コレの理論的推進家であったことはよく知られていることに属するだろう。「アンフィオニイ」は都市にまで拡大されたコラージュだというように見ることができる。都市の一部分を切りとって移動させ、その組合せを変えることはできないので、アンフィオン芸術家は言葉の方をひきはがしてそれを別の対象に貼りつけたのである。口上とはその貼り替えの技術にほかならない。

われわれが都市というとき、まず思い浮かべるのは言語のひとつの体系である。官庁、駅、テレビ塔、百貨店、ビル、商店街、高速道路、公園、家屋、地下鉄、映画館、美術館、野球場その他無数の単語がこの体系を織りなしている。それらの単語は都市のそれぞれの要素の機能に対応した一種の符牒という役割を果している。この符牒をどのように空間的に配置するかが都市計画というものであり、どのように配置されているかが都市の見取図というものであろう。むろん、この符牒はさらに細分化されて、ひとつひとつの固有名詞となっている。バスの窓から見る都市の観光とは、眼に映る対象とそれのもつ固有名詞とをアイデンティファイさせる行為である。「アンフィオニイ」が狙い撃ちにしたのは、このアイデンティファイという行為だった。

しかし、符牒は符牒でしかないこともまた事実である。たとえば繁華街を歩くとき、誰しも眼にする光景を、そうした符牒の集合に還元することはほとんど不可能に感じる筈である。目的地を目指して歩く人間にとっては、それ以外のさまざまな建物も場所も固有名詞をはぎとられた別のものであって一向に差し支えない。つまり、そのとき、われわれは一種の無意識の「アンフィオニイ」に足を踏み入れているといっても間違っているとはいえまい。まったく目的もなくぶらぶら歩く場合もまた同じなのだ。繁華街は活気にみちてはいるが、とりとめのないあいまいなスペクタクルと化し、われわれはそのスペクタクルに同化させられてしまうのである。

しかし、この無意識の「アンフィオニイ」も、われわれの日常感覚の延長のなかにある。都市は言語の体系から溢れでて、その表層的な言語で語りかけるが、それもまたクリシェとなった言語にほかならない。このクリシェが破られるのは、ドルムザン男爵の都市の「見立て」のような一種のたくらみによってである。クレス・オルデンバーグがニューヨークやロンドン、ストックホルムといった大都市の広場にアイスクリームや玩具や日常器具を途方もなく巨大化した空想のモニュメントを描きだしたとき、オルデンバーグは都市の新しい言語《パロール》の提示をたくらんだのであった。彼は新しい単語をつくりだしたわけではない。モニュメントという古いといえばすっかり日常化した単語を、新しい文脈のなかへとりこんだのである。都市を素材とした新芸術といえば、これも一種の「アンフィオニイ」といえばいえなくもあるまい。

しかし、このたくらみということで生きた都市ともっとも結びつき得るのは演劇ではないかと思う。演劇が街頭から発したということの故事について私は深い知識をもたない。しかし、現在見られる演劇の街頭への進出という現象に興味があるのは、それによって都市が紙上の「アンフィオニイ」ではなく、じっさいの「アンフィオニイ」をうみだす可能性を秘めているように思われるからである。街頭で人びとは歩き、立ちどまり、話し、出会い、別れ、遊ぶ。さまざまな符牒をもった都市の要素はそのときさまざまな身振りとの具体的な関係性を帯びて立ちあらわれる。つまり口上だけではなく、人間の身振りもまた都市の言語《パロール》の可変性に働きかける決定的な力を秘めているのである。このことは、あの噂に高い「歩行者天国」ですらかいま見せている事実であった。都市の大通りから自動車を一日だけ追放するという、ある意味では都市の苦肉な交通対策のあらわれといえばいえなくもない地上の一日天国だが、しかし、それはただ単に自動車のない大通りというだけではない。人びとは散策したり、飲みものを前にして休憩していたり、路面に坐りこんでいたりしていて、とりわけ奇妙で風変りな身振りをしているわけではないが、それでも、そこには日頃見慣れた街路とは微妙に異なったある空間感覚がただよっていることを否定できない。それはそういうありふれた身振りであってもそこでは演劇性を帯びているように見えるからである。

しかし、この「歩行者天国」に決定的に欠けているのはたくらみによって都市の言語のクリシェを破るということであろう。それらの身振りは周囲の建物とか街路などと新しい関係をうみだして、別の言葉《パロール》をひきだすのではなく、「歩行者天国」という与えられたステージの枠内で演じられてしまうのである。つまり演劇的ではあるが演劇ではないということであろう。

身振りとものとの生きた関係を通して、そこに通念として見ればまったくつじつまの合わない世界をつくりだしたのがハプニングであった。ハプニングの根底にあったのは、日常的な行為とありふれた物体との慣習化した関係を捨てて、まったく突飛としかいいようのない関係をつくりだすということであった。スーザン・ソンタグも指摘したように、ハプニングにおいて特徴的なのは人間に対する加虐的現象であり、同時にものを破壊するという攻撃性である。(編1) つまり、人間とものはそのレベルで同質性を獲得するのである。ハプニングが演劇であるかないかは議論の分れるところだが、この加虐性と攻撃性が人間とものとの同質的な交流に不可欠であ

編1 Susan Sontag, "Happenings: an art of radical juxtaposition (1962)," *Against interpretation, and other essays*, Farrar, Straus & Giroux, 1966.
S・ソンタグ「ハプニング――ラディカルな併置の芸術」『反解釈』高橋康也［ほか］訳、竹内書店、一九七一年

るということだけは疑えまい。

天井桟敷の「地球空洞説」(編2)を見たとき、私がまず感じたのは、この演劇の主役は街ではないかということである。ここには第一にドルムザン男爵のような口上師、あるいは狂言まわしがいる。この口上師が寺山修司流の「アンフィオニイ」をくりひろげるのである。第二に、そこでは人間に対する加虐性とものへの攻撃性に事欠かない。その一例をあげるなら地面から掘りだされる父親、地面から蜒々と引張りだされる赤いひもが指摘されよう。この二つが地面に埋められているというのは「地球空洞説」というこの演劇の内容とむろん深く結びついているわけだが、それとともに、私には場所と演劇との切り離し難い結びつきを物語っているように思われた。つまり、身振りは地面の上ではなく、地面のなかにまでかかわっているのである。

「地球空洞説」が演じられたのは、東京の高円寺東公園という小さな場所である。つまりは野外演劇ということになる。しかし、この演劇のくりひろげられている場所は、公園の内部というよりは、公園を中心とした都市の一画全体というべきであった。つまりそれは空間の一部を演劇の演じられる場所として限定し、そこにドラマを濃縮して提示するのではなく、その都市の一画で拡散的に演じられたのである。口上師は街頭芸人の伝統に忠実に、今そこで展開されていることがいかに真実のできごとであるかを述べることによって、いかさまの本領を発揮した。彼はそこが高円寺東公園という固有名詞をともなった見慣れた場所でなく、誰もがそう思っているけれども、じつはそうではないことを強調したのである。つまり、演劇の演

編2　天井桟敷市街劇公演「地球空洞説」寺山修司作・演出、高円寺東公園、一九七三年八月二、三、五、六日。戯曲は『新劇』第二〇巻一〇号(一九七三年一〇月)一〇八―一四四頁に掲載、のちに寺山修司『地球空洞説』(新書館、一九七五年)、『寺山修司幻想劇集』(平凡社、二〇〇五年)などに所収。

じられている間、公園の地面もプレイ・スカルプチュアーも便所も、その周囲の家屋もクリシェになった言語《パロール》を失って、演劇とともに関係が組み替えられ、つかの間の新しい文脈のなかで別の言語《パロール》となって姿をあらわしたのである。

　むろん、公園のある一画が一瞬魔術にかかって姿を変えたなどとは誰も思わない。しかし、私がいおうとしているのは公園のなかの建造物とか周囲の家が演劇の小道具として使われたということではなく、演劇がその言語《パロール》を変えてしまったということである。何故なら、それはその部分を切りとってどうこうすることの不可能なものであり、いわば劇化された「アンフィオニイ」によって、その意味を変えることだけが可能だからである。

　寺山が「地球空洞説」で試みたのは、演劇の街頭化ではなく、街頭を演劇によってその相貌を変えようとすることではなかったかと思う。地球の内側にもうひとつ地表と同じような街があるという発想自体、この演劇が街を主人公にしていることを知らせずにはいない。そこでは、あらゆる身振りは街頭と結びつけられ、街頭が身振りによってつくり直されるのである。身振りが街頭からかけはなれないためには、できるだけ日常的であることが必要である。公園という何の変哲もない場所と日常的な身振りは、その両者の非現実的な組合せによって、そのいずれもが別の秩序のなかで新しいかたちを獲得する。演劇はこの非現実的な両者の組み合わせの持続したプロセスという形式をとるのである。

　こういう形式が演劇の内容にどれほどの自由度を与えるものか、私には測りかねる。「地球空洞説」について見るなら、それは観客へのありふれたインタヴューに始まり、その観客のひとりが銭湯から帰って見ると、アパートの自分の部屋が失くなっていたというところから始まるという仕組みである。こうした日常生活との連結性に始まるという演劇の組み立ては、あきらかに、公園とその周囲の言語《パロール》を変えるという意図と切り離し難く結びついていることが想像される。何故なら、都市とはきわめて日常的なものであり、そのクリシェとなった言語《パロール》を変化させるために、その日常性から入ってゆくというのは、考え得るひとつの手段にほかならないからである。

私は先に「地球空洞説」が公園を中心として拡散的に演じられていると書いたが、このことにも無視し得ないように思う。たとえば、この公園を宗教的な儀式の場所としてしまうこともまた、公園に日常性とは異なった文脈を与えることになるだろう。儀式は空間全体をひとつの秩序と化してしまう。儀式によって秩序と化した空間は集中的であって、いわば空間の中心をもっている。しかし、この俗な非現実的なるドラマにおいては中心は存在しない。ベンヤミン風ないい方をするなら、それはいささかも瞑想的ではないのである。祭りの見せものの群れとか縁日がそうであるように、それはわれわれの眼をたえまなく移動させるといえるだろう。出来事はそれがすべてを集約的に示すのではなく、観客が出来事を出来事との間を想像でつなぎ合わせるのである。

街が主人公である演劇とは、想像によって街頭の空間を占有するということである。それは役者が演劇の場としてそれを占有することではなく、街頭を限定された機能から一時的に解放し、いわば公園を別の空間に変貌させてしまうことを意味する。極端ないい方をするなら、演ずるものはその変貌の媒介に過ぎないともいい得るのである。公園で遊ぶのではなく、公園を遊ぶというのはそういうことを指すのではないかと思う。多分、そのつかの間、われわれは都市が符牒の大系であることとまったく無縁であり、いわば都市のもっとも自由な言語《パロール》に接しているのである。「地球空洞説」がもたらしているのは、あるいはよりいっそう強くもたらそうとしているのは、そういうことのように私には思われた。アポリネールのいう「アンフィオニイ」とは都市の都市的演出ともいうべき所産だった。街を主人公とした演劇は、都市生活の都市的演出ということができるだろう。それは都市生活を都市という観点から劇化することを意味する。都市生活には都市へ流れこんだもののさまざまな記憶が渦まいている。それを都市という一枚のかたい平面で同質化しているのは、符牒の大系としての都市なのである。おそらく、誰しも追憶という時間的アンフィオニイとは無縁でない筈である。

都市の自由な言語《パロール》と接したいというのは、別に都市改造とは関係ない。それは都市の要素としてはめこまれ、同時に都市という言語の大系の要素としてわれわれに限定的にかかわるさまざまな都市の空間を、われわれにとって可動的なものにしたいということのあらわれである。しかも、それを楽しみとともに果たしたいということのあらわれにほかならない。扮装、人形、歌、からくりなど、つまり演劇という人工の世界は人間を都市から想像的に解放する手段かもしれないのである。少なくとも、そういう手段として無能ではない。「地球空洞説」はそのことを示した演劇だったように思うのである。

建築への美術家の寄与

高松次郎と多田美波の場合

建築にたいする美術家の協力、あるいは美術家の寄与の仕方にもいろいろある。しかし、もっとも多く見られるのは、建築のエクステリア、インテリアを問わず、その「壁面」を受けもつということであろう。アレクサンダー・カルダーには、カラカス大学の大講堂の天井から多くの巨大な花弁状のフォルムを吊した《アウラ・マグナ》という仕事があるが、美術家が天井を受けもつという例は数少ない。「壁面」への協力には大別して二通りがみられる。ひとつは主として画家による「壁画」であり、もうひとつは主として彫刻家による「壁面構成」もしくは「レリーフ」である。

カルダーが天井を担当したのは、彼の「モビール」が天井から吊るされるという原理のものだからであり、つまり、カルダーの仕事からいって天井よりもふさわしい場所はないからであった。美術家が天井を受けもつことの少ないのは、吊りさげるということを原理として作品をつくっている美術家が少ないことに帰因しよう。このことは、美術家が「壁面」に協力することの多い事実を説明する。それは、彼らの作品が壁にかけられるということを大前提にしているからである。

もっとも画家の絵画はそうではあるが、彫刻家の作品は壁にかけられることを大

初出『SD』第一一六号（一九七四年四月）、三五―四七頁。特集「ある〈建築〉外思考」に発表された文章。

前提としているわけではない。したがって、彫刻家には「壁面」ではない部分への協力の仕方があっておかしくはないともいえるかもしれない。しかし、現実にはそれはきわめて難しい。というのも、「壁面」をはなれると、彫刻家の作品は彫刻の展示という性格を帯びてしまうからである。そこで、彫刻家の建築への寄与は、「壁面構成」か「レリーフ」のような「壁面」への同化ということになるのである。彫刻が台座を捨てるようになって久しいが、しかし、彫刻家が建築の床を受けもつというような例はあまり聞かない。床へはめこむということも可能性としては充分考えられることだが、今のところ大多数は「壁面」へ関心が向けられているというのが実状であろう。

こう見ると、美術家の建築への協力の仕方にもいろいろあるとは書いたものの、その形式は意外に限定されていることが知れる。たとえば、インテリア・デザイナーと較べて美術家の仕事に差異が見られるとすれば、それは美術家の仕事の形式が今いったような意味でごく限られているということに求められそうである。美術家の寄与といっても、主として建築においてはひろい意味でのインテリア（もしくはエクステリア）・デザインの一環としてに他ならない。そうだとすれば、美術家が建築に協力するとは、ある限定されたインテリア（もしくはエクステリア）・デザイナーになるということである。

しかし、もう少し違った意味での協力、あるいは寄与の仕方はないだろうか。そういうことを幾分考えさせるのが、磯崎新の設計した福岡相互銀行の本店における高松次郎の《影の部屋》である。これは同行の五階のエレベーター前の空間の一隅にセットされたもので、その仕組みのあらましをいえば次のようである。

そこは廊下とつながったオープン・スペースであるが、その三方の壁に人物群像の影の描かれたキャンバスをはめこみ、床には同様、影の縫いだされたカーペットを敷き、一種の擬似的な部屋としたものである。廊下と仕切るために戸棚が置かれているが、これも白く塗られ、その棚にはなにも置かれていないにもかかわらず、花びんや本の影が描かれている。壁の人物の影といい、棚の物体の影といい、高松次郎の仕事としてよく知られているものに他なるまい。この仕切られた小空間にはテーブルと椅子が置かれていて、機能としてはちょっとした談合、あるいは待合いのためのスペースということになるのであろう。もうひとつ技巧が加えられているのは、テーブルが上下逆になっていて、普通なら表面であるべきところがカーペットに接し、上向きになった四本の脚の上に厚いガラス板が置かれていることである。

一種のトリッキーな空間である。もっとも私見をいわせてもらえば、影の描かれた周囲の壁や戸棚と、逆さになったテーブルとはあまり直接的な関連は見出せない。もし、上下逆転したテーブルを主にするなら、壁に描かれた人物群像の影も上下を転倒させ、ちょうどエッシャーの描くトポロジカルな部屋のイメージのように、この小空間全体が天地逆になっているようにした方が、より一層トリッキーな効果をうみだしたに違いない。その時、足の下の影の編みだされたカーペットは、この空間の天井となった筈である。

つまり、この高松のつくりだした空間は、上下感覚の錯乱という点では首尾一貫していない。もっとも、これは私見であって、作者の意図はそこにはなく、あくまで影を主にした幻影的空間の形成、ということであったかもしれない。

ところで、この仕事には二通りの感想が湧く。ひとつは、それがオープン・スペースではなく、クローズド・スペースで実現されていたら、より効果的ではなかっただろうかという推測的感想である。その時、影は四面の壁をおおい、人びとには、その幻影的空間のなかにいるという印象がより強まっただろうからである。ただし、この場合には、始めにもいったように、それが影の描かれた部屋というきわめて独得なものではあるが、ひろい意味でのインテリア・デザインということになるだろう。

もうひとつの感想は、それがオープン・スペースにあるということで、その空間全体が高松次郎の「作品」のように見えるという臨場的感想である。ここでとくに「作品」というのは、美術作品というニュアンスを含めて用いている。むろん、それは普通の意味でのタブローやオブジェと同じというわけではない。しかし、ある人が舞台装置のようだと批評したのにも正当さは含まれているのであって、それは「見られるもの」という要素が著しいからである。ただし、この舞台装置における俳優とは、それを見る観客と同一人物に他ならない。

このことを、私の文脈でいうなら、この高松次郎の仕事は、そこに人が入り得るような「作品」を建築の一隅にもちこんだということである。それはインテリア・デザインの一環として建築に同化しているのではなく、建物のなかで小空間としての「作品」を展示しているように感じられるといってもよい。そこで、インテリア・デザインの一環として美術家の建築への寄与を考えるという視点から見ると、それ

高松次郎《影の部屋》一九七四年

は美術作品に過ぎるという印象もうまれ得る筈である。これがクローズド・スペースであったなら、より一層効果的であったに違いないという、先の推測的感想もそのことと無縁ではない。

くり返すようだが、「作品」といっても、これは美術館で見るのと同じようなものだというわけではない。それはじっさいに利用される空間である。しかし、同時にそれは「作品」としても「見る」ことのできる余地を充分もっているということである。こういう二重性を強く感じさせるのが、この仕事の特徴ではないかと思う。私が先に、「もう少し違った意味での協力、あるいは寄与の仕方はないだろうか」と書いたのは、じつはこのことを考えたからであった。空間というのは、虚構なしには自覚し得ない。インテリア・デザインというのは空間に装飾を加えるのではなく、空間をつくりだす仕事である。裸のコンクリートの空間も、既に虚構としてうみだされた空間である。しかし、その空間を外側から見るという観点が設定された時、虚構としての空間はもうひとつの虚構性を獲得する。いわば二重の虚構性である。一方をフィクシャスといえば、もう一方はイマジナリーとでもいうことができるだろう。つまり、この《影の部屋》の特徴はフィクシャスであると同時にイマジナリーでもあるという二重性において著しいのである。それに対し、インテリア・デザインではもっぱらフィクシャスという意味での虚構性が注目される。美術家の仕事は、その本質においてイマジナリーなものである。このイマジナリーという性質は、必ずしもイメージという非実体的なものに集約されるだけとは限らない。物体と物体の時空的関係という不可視的なものもまた、そこでの本質的な要素に他な

高松次郎《影の部屋》一九七四年

らない。
こうした虚構の二重性を強く感じさせる仕事、これも美術家の建築への協力あるいは寄与の仕方として、もっと考えられて然るべきではないだろうか。それは拡張された「作品」の展示という概念であり、同時に空間の視覚性を重視したインテリア・デザインである。この高松次郎の仕事と直接的には関連はないが、同じようなことを考えさせられたもうひとつの例がある。それは東京銀座における多田美波の仕事である。

銀座に九階建ての《銀座リービル》というのが完成したが、この建築は一個の巨大な彫刻のように見える。ただし、彫刻といっても、この建物の通りに面した前面はS字形に湾曲したハーフミラーの鏡面でおおわれていて、いわば半透明の素材でつくられた立体造形といったほうがいいかもしれない。設計は郭茂林だが、多田美波とほとんど協同というかたちでこれをつくりだしたという。湾曲したハーフミラーは、昼間は街の光景を歪曲して映しだし、夜になるとビルの各階にある樹枝状の照明が輝いて、ビル全体が巨大なライト・アート然として見える。湾曲した鏡面、それに照明というのは多田美波のなじみの仕事である。したがって、このビルには多田の作品の基本概念がきわめてストレイトに浮きでているといえそうである。

このビルは巨大な彫刻のように見えると書いたが、改めていうまでもなく、それはモニュメントや広告塔ではなく、れっきとしたビルである。しかし、ここでも感じられるのはこの建築のもつ二重の虚構性ということである。ただし高松次郎の仕事が建築のなかへ設置された小空間としてのそれであったのにたいし、多田美波の建築への寄与は、建物全体を拡張された「作品」の展示という概念に従わせようとしているところが違う。この場合、展示は街のなかというアウター・スペースでおこなわれているのである。正確ないい方ではないが、高松の仕事が建物のなかに入った「作品」であるなら、多田のそれは「作品」のなかに入れられた建築とでもいうことができるかもしれない。

これは、建築の外壁の一部を受けもつという意味でのエクステリア・デザインとまったく同一ということはできない。S字状のハーフミラーに多田美波の仕事の基本概念が浮かびあがってはいるが、それは建築全体と密接に結びついているのである。これもまた、建築にたいする美術家の協力、あるいは寄与の新しいひとつのあり方といえるように思う。多分、それはどのような建築においても可能だというのではなく、このビルのように夜の社交場というべき特別の目的をもっている場合においてより可能だということになろう。このビルは夜間にその能力を発揮するのである。ハーフミラーの使用はそれと無関係ではあるまい。この半透明の素材は昼間は内側が見えず、いわば堅いソリッドな建物を感じさせ、夜になると照明によってなかから光り、建物はその輪郭を消してしまうという効果をつくりだすからである。ここには、明らかにライト・アートを踏まえた発想がある。建築全体がライト・アート然としているというのは、必ずしも比喩ばかりではない。それは昼間はフィクシャスな空間という性質が強く、夜間はイマジナリーな空間という特徴を発揮するという意味で、この場合の二重性は時間の推移に対応してあらわれるというように見ることも可能なのである。ただし、ここでも私見をいえば、樹枝状の照明がそ

多田美波による《銀座リービル》のエクステリア・デザイン

れほど効果的だとは感じられないところがある。

もともと建築とは使用されるものであると同時に、見られるものでもあるという二重性をもつものとして存在している。したがって、このビルの場合に限ってその二重性があらわれるということになるわけではない。しかし、私がことさらその二重性を強調するのは、その二重性の距離ともいうべきもの、あるいはその間のテンションのようなものが著しいことをいいたいためであった。そして、美術家の寄与においてそれが強められるのは、美術家の仕事はイマジナリーなものを「見る」ということを土台にしているからである。たとえば、唐突に見えるかもしれないが、私はこのことと関連して、タトリンの《第三インターナショナル記念塔》を想起する。タトリンの塔はモニュメントとして発想されたもので、建物一般と同列視し得ないかもしれないが、しかし、それは「見られる」ということを大前提としながら、使用されることをもあわせて考慮された建造物であった。それは虚構の二重性のきわめて著しい塔であるといえる。今日、それが建築史の一頁として論じられると同時に、彫刻史の一頁として論じられるのも、そういう二重性を分極化してのことである。同じ塔といっても、エッフェル塔ではそういうことはあり得ない。エッフェル塔が彫刻として論じられることはまず皆無なのである。

建築への美術家の協力とか寄与に関して、美術の側からしばしば持ちだされるのは、美術の社会的機能の回復という大義名分である。建築と結びつくことによって、美術は社会的機能のひとつを獲得するというのである。この議論はなんとなく説得的で、その通りだと思わせるところがある。

しかし、たとえば美術館の壁にかけられたタブローは社会的機能が定かではなく、建築に固定された壁画ではそれが定かだというのは、一見その通りのようにも思われるが、もう一歩踏みこんで考えてみると、その違いは必ずしも判然としない。前者は美術家が自発的に描いたものがたまたま美術館の壁にかけられているに過ぎないが、後者はあらかじめ場所が指定され、美術家がそれに合わせて描くところが決定的に違うといわれるかもしれない。つまり、タブローは可換的なものであって、美術館という建物の一部ではないのにたいし、壁画の方は非可換的であり、その建物の切り離し得ない一部だというわけである。しかし、これを一方はだからあってもなくても同じだが、もう一方はそこになければならないものとして存在しているから機能があるのだというようにいうと、誇張になろう。あってもなくても同じだという点では、壁画もタブローも変わりないともいえるからである。

壁画の例は特殊だとしてもいい。それなら壁面レリーフ、あるいは壁面構成ではどうか。それらは同じく「壁面」を受けもっているとはいえ、建物にたいする密着度がより高いといいえそうだからである。しかし、この場合も、彫刻家の彫刻は機能が不鮮明で、レリーフや壁面構成ははっきりとした機能をもっているというい方は一面的でしかない。機能といえば、それが「壁面」ということであり、レリーフや壁面構成の造形そのものはなお恣意的なものである。つまり、造形という点ではあってもなくても同じだといい得るのである。

美術家の建築への寄与には、本質的に「作品」の展示ということが秘められている。もし、そういう要素が全然なく、インテリア（あるいはエクステリア）・デザインということと同質化してしまうものであるなら、「美術家」の寄与ということをことさらいう必要もない筈である。それはデザインという次元で一元化して論じればいいことがらである。私はここで美術とデザインとの間に上下の序列を設けていっているわけではない。モンドリアンのように、美術もデザインも建築を媒介にして一元化してしまう理想社会を想定することも不可能ではあるまいが、しかし、それはなお遠いユートピアの夢にとどまるだろう。われわれは美術とデザインとの間に微妙ではあるが根本的な差異を感じている。そして、そのことは建築にたいするそれら二つの分野の協力のあらわれの違いとなってあらわれているのである。

その根底に「作品」の展示ということが秘められている限り、美術家の建築への寄与にはイマジナリーな要素が持ちこまれざるを得ない。そして、それは機能という概念に還元し難いものなのである。壁画が壁画であるのは、なにもない壁面ではなく、それがイマジナリーな要素をもった壁だということを措いてはないだろう。それは壁面レリーフや壁面構成についても同じことである。とすれば、くり返して述べてきた虚構の二重性ということが、建築と結びついた美術家の仕事の特質ということになるだろう。確かにそれはフィクシャスな空間形成に寄与しているということで機能をもってはいるが、もう一方のイマジナリーな要素によって反機能的な性格をも失わない。というより、機能にのみ還元し難いのである。

この二重性は、建築そのものが既にフィクシャスな空間であることを考え合わせると、美術家の仕事はそこへイマジナリーな要素をつけ加えることだといってもいいかもしれない。ここで採りあげたのは、このことを改めて考えさせる例のように思う。むろん、こうした二重性を際立たせるのにはいろいろな形式があるに違いない。高松次郎の仕事は無理をしてはめこんだというものであったかもしれないが、そうだとすれば、それは期せずして虚構の二重性を際立たせることになったのである。多田美波の場合には、その仕事の性格からしても、建築家との密接な協力がなければあり得なかったに違いない。

フィクシャスとイマジナリーというこの虚構の二重性は、空間としてはフィクシャスな部分がごく当り前のものと感じられ、イマジナリーな部分が特別のもののように感じられる。いわば、空間のなかでイマジナリーな部分だけが実在感を感じさせるのである。逆説のようだが、それが「見る」ことの意識化と結びついているからである。フィクシャスなものは見ることよりも感じられる空間としてある。《影の部屋》についていえば、そのなかにいる時、空間の幻影的雰囲気は感得する他なく、それが視覚的対象となるときは、「作品」という一面をあらわにするのである。《銀座リービル》の場合には、それは見る建築という一面としてあらわれる。それが見えるのは、S字状のハーフミラーに映る歪曲した外界のイメージによってであって、反射像という非実体的なものによって建築が「作品」として視覚化されるというのは、虚構の二重性の興味深い逆説というべきであろう。

美術と機能のあいだ

東京都立川市のＪＲ立川駅から徒歩五分程のところに、「ファーレ立川」という名称の新地域が出現した。返還された立川基地跡の一区画が住宅・都市整備公団東京支社によって再開発されて誕生した地域である。ファーレとは、英語のdoにあたるイタリア語のfareに由来し、fareの意味のうち「作る、創造する、生み出す」を借りたのだという。そのfareに、さらに立川のイニシャルであるtを最後にくっつけて、横文字では「FARET TACHIKAWA」というのが正式の表記になっている。FARETという綴りのなかにはARTという言葉も含ませているという。

なかなか凝った命名ではある。しかし、説明を聞かなければ、ファーレがFARETであり、それがどういう意味であるのかさっぱりわからない。名称はシンボル・マークのようなものであり、それで定着すればいいのであって、意味を詮索する必要などさらさらないといわれればそれまでだが、あまり誉められた命名の仕方とは思われない。住宅・都市整備公団といえば、このあと西新宿の再開発地域には「新宿アイランド」という名称をつけている。アイランドというから英語の「島」のことかと思うとさにあらず、I-LANDと綴って、Iには日本語の「愛」が懸けてあるという。これもいわれてみなければまったく見当がつかない。アイランドとい

初出　北川フラム監修『別冊太陽　パブリックアートの世界』平凡社、一九九五年、七二―七九頁

えば「島」と思い、英語でＩとあれば「私」のことだと思う人が大半であろう。私は別段、横文字による命名に目くじらを立てるほうではないが、いくらなんでもこんな奇妙な新造語までをもいいとは全然思わない。「ファーレ立川」についても同様である。

パブリックアートの批評

名称のところで長々と足踏みをしてしまったが、この新しい市街地「ファーレ立川」の呼びものは、美術作品による街づくりである。構想はコンペティションによって決定され、北川フラムのプランが採用された。彼からプランのあらましを聞いたのはかなり早い時期だったが、できるだけ世界の多くの国から美術家を選びたい、それと現在隆盛をきわめている野外彫刻のように、単に作品を屋外に並べるというのではなく、標識、ベンチ、照明、その他さまざまな機能を帯びた作品として設置したい、というのがその骨子だった。私はそのいずれの観点にも同感した。前者は国際的視野での人選といいながら、多くの場合欧米の美術に偏重している美術界の現状を是正することであり、後者は都市と美術の結びつきに関してあまり前例のない実験的な試みだと思われたからである。

作品の設置は昨年の一〇月に完了した(編1)が、私が現地を訪れたのは今年の六月である。既に各社の新聞が紹介記事を載せ、雑誌でも取り上げられていて、いずれも機能をもった現代美術の登場という点に焦点を置いた好意的な内容のように受け取られた。公共的な美術事業についてのこうした新しい試みが、ジャーナリズムで取り

編1　ファーレ立川は一九九四年一〇月一三日竣工。立川基地跡地関連地区第一種市街地再開発事業で造成されたオフィス、ホテル、デパート、映画館、図書館など一一のビルを有する約五・九ヘクタールの街区に三六ヶ国、九二名のアーティストによる一〇九点の作品が設置されている。パブリックアート計画について、木村光宏、北川フラム監修『ファーレ立川アートプロジェクト――都市・パブリックアートの新世紀』現代企画室、一九九五年が詳しい。

上げられるのはきわめて望ましいことだと思う。そして、さらに必要なのは、紹介に止まるのではなく、それにたいする批評や評価であろう。公共的に設置された美術作品はそれが良くても悪くても、一度設置されてしまえばあれこれいっても始まらないという声をよく聞く。しかし、屋内外を問わず、公共的美術（パブリックアートの名で通用しているもの）が増える程、それに対する批評の必要性が増大して当然だと思う。

というような気負いを持ってでかけたわけではないが、初夏の一日、この美術作品のある新しい街を訪ねた。北川フラムのプランがどのようなかたちで結実したかということについての密かな期待もあった。再開発地域の面積は約六ヘクタール。ほぼ矩形の地域に、オフィス、デパート、図書館、郵便局、映画館などを含むビル、それにホテルなど、合わせて一一の建物が並び、それらを歩行用デッキが結んでいる。そのあちこちに、三六ヶ国からの九二人の美術家による総数一〇九点の作品が配置されているというのが全体の構図である。

もっとも、ここは市街地の一画であって、野外美術館といった特別な場所ではない。したがって作品をくまなく見なければならないという法は全然ないが、住宅・都市整備公団では「ファーレ立川アートマップ」というパンフレットを刊行していて、それを手にして歩くと、作品を全部見てまわることができる。美術の愛好者にとって便利なガイドブックである。ひとつひとつをゆっくり見て歩けば一時間は要するだろう。私は集団見学者と一緒に三時間近くをかけて一巡した。

ジャン＝ピエール・レイノー《オープンカフェテラスのためのオブジェ》一九九四年

聖性の消滅

全体的な印象を先にいうならば、この新しい市街地のうみだしている景観は、美術との結びつきにおいて前例を見ないものといっていい。それはいわゆる野外彫刻の配置された市街空間とはまったく異なっている。その違いにはいろいろな理由があると思われるが、そのひとつとして考えられるのは、街なかに設置されている彫刻の多くが記念碑性を失ってしまったとはいえ、まだどこかに聖なる性質を温存しているように感じられるのにたいし、ここにある作品群を見ると、それをほとんど感じさせないということである。先程触れた「アートマップ」が、作品の特徴を五つに分類し、その筆頭に「触って感じるもの」という特徴を挙げているのも、このことと無関係ではあるまい。

北川フラムの当初のプランでは、作品は機能を帯びたものにするというのが原則だったが、行って見るとすべての作品が機能を持っているというわけでもなかった。鑑賞のための純粋な美術作品も並んでいる。「アートマップ」は、親切にも作品を見て回るスタート地点を示しているが、立川ＴＭビルの北側のその地点である広場にゆくと、赤い巨大な植木鉢がでんと置かれているのがいやでも目に入る。フランスのジャン＝ピエール・レイノーの作品である。デパートに面したカフェのオープン・テラスのためにつくられたものだというが、この高さ五メートルの植木鉢の機能はと問われても答えに窮しよう。作品としてみれば、設置空間に合致した規模の、いい作品である。

その隣には、ガラスのケースに入った自転車が、やや高いところに飾られている。

サンデー・ジャック・アクパン《オブジェ（見知らぬ人）》一九九四年

アメリカのロバート・ラウシェンバーグの《自転車もどき》という作品で、暗くなると車体をかたどったネオン管が輝いて、電光による自転車が浮かび上がるという仕組みである。美術の分類ではライト・アートといわれるものだが、ここではそれが駐輪場のサイン・ボード（夜はネオン・サイン）として利用されている。

これをはさんで赤い植木鉢の反対側には、ナイジェリアのサンデー・ジャック・アクパンによる人物像が設置されている。民族衣装で正装した等身大のナイジェリアの首長たちだという。「アートマップ」によると「見知らぬ人」というカテゴリーに入れられているが、ハイパーリアリズム風の堂々とした人物彫刻である。そしてこの広場の真ん中には、フランスのニキ・ド・サンファルの色鮮やかなベンチがある。これはベンチというはっきりとした機能を持った作品である。広場の西北の隅には、階段のある建築の一部のような大きな作品が見える。イギリスのリチャード・ウィルソンの作品で、これは共同溝の入口であると同時に排気口をも兼ねている。因みに建造物を思わせるような作品というのは現代美術では珍しくない。この広場には、さらに植松奎二の石と鉄による彫刻、白井美穂の写真を用いたパーキング・ランプの看板、山口啓介のこの土地の変遷を示すパネルが設置されている。

それはデュシャンからはじまった

広場とその周辺にある作品を列挙したのは、これら八点の作品にも機能のあるものとないものの混在が見られるからである。作品は三つのタイプに大別できるように思う。（イ）機能を負っている作品。（ロ）視覚デザイン的な作品。（ハ）機能を持た

ニキ・ド・サンファル《会話》一九九四年

ない作品。「アートマップ」は作品の特徴を分類して、「触って感じるもの」の他に「夜間照明がつくもの」、「座るベンチとしての機能をもつもの」、「音が聞こえるもの」、「道祖神として置かれたもの」を挙げているが、この分類は機能の有無とは関係しない。たとえば、「道祖神」として分類されているアメリカのジョナサン・ボロフスキー、スペインのエステル・アルバルダネ、ブルガリアのゲオルギー・チャプカノフなどの作品は、特別な機能を持っているわけではなく鑑賞される作品であるし、「触って感じるもの」についても、機能を帯びているものもあれば、いないものもある。

私の印象では、これら三つのタイプの作品の混在によって、「ファーレ立川」は多彩で賑やかな景観を生みだしているように思う。しかし同時に、その混在はまた別種の問題を提出しているようにも思われた。これが全作品がなんらかの機能を負っているというのであれば、ここでいう問題は表立たない。曲者は美術作品と機能の関係である。というのも、既製品の白い便器が美術作品だと公認されて以降の現代美術だからである。今日では神話化しているこのデュシャンの《泉》というタイトルの彫刻は、逆に見れば、便器という機能を持った美術作品の登場を意味した。つまり、機能を持つ持たないという区分がはっきりしなくなったのである。ラウシェンバーグの《自転車もどきVI》はサイン・ボードでもあるし、サイン・ボードという機能から自由になった作品としても成立する。そう見れば、アクパンの人物彫刻と同じカテゴリーに属してしまうのである。

安田火災ビルの北側の道路に沿って、四点の作品が並んでいる。チェコのヴェゼ

ロバート・ラウシェンバーグ《自転車もどきVI》一九九四年

リーのベンチ、インドのアニッシュ・カプーアの彫刻、藤本由起夫のベンチ、ドイツのウルリッヒ・リュックリームの彫刻である。ベンチは当然座ることができるが、しかし、これら二つの作品は機能を持たない、奇妙な形態の彫刻としても見ることが可能である。カプーアやリュックリームの彫刻と並んでいると、そういう見方をいっそう誘発されるような気がする。こうした作品の両義的ともいえる性格が、タイプの混在によって助長されているのではあるまいか。

因みに、この美術作品と機能の関係のパラドックスそのものを主題にした美術家がいる。中国出身の牛波《ニュウポ》である。牛波は《泉》と同じ形の便器をつくってそれをトイレットで使用できるように設置し、さらにジャスパー・ジョーンズの標的を描いた絵にほんものの銃弾を射って、絵を実際の標的に還元してしまった。後者であるその牛波の《標的の裏側》という作品が、ここでは換気塔を覆う壁画として用いられている。標的という機能が与えられた絵画の機能のさらなる変換である。

作品と場所の関係

さてその機能だが、はっきりした機能を担わされた作品で、一番点数が多いのは「車止め」で三〇点近く見られるが、そのなかには、山本正道、深井隆、それに異色の車止めといっていいアメリカのヴィト・アコンチの作品のように「ベンチ」を兼ねているのもある。ベンチ専用の作品は意外に少なく、先に触れたニキ・ド・サンファルの他、チェコのアレシュ・ヴェゼリー、アメリカのマーティン・プーリエらによる四点だけである。「車止め」の美術家はアメリカ、イタリア、イラン、ウ

ヴィト・アコンチ《車止め（ベンチ）》一九九四年

ルグアイ、オランダ、カナダ、韓国、ジンバブエ、スペイン、日本、ポーランドと国際色豊かな顔ぶれで、作品の並ぶ街路は「ギャラリーロード」と命名されている。車止めを彫刻に替えるというのはひとつのアイディアである。多様な作品が道路の両側に等間隔に並び、一見小品彫刻の展示場といった趣を呈しているが、惜しむらくは車止めの間隔が広くないのでかなり窮屈な感じがする。一人一点に限定せず、数点を並べるというのでもよかったのではないかと思ったりした。あるいは、車止めの等間隔の配置を考慮して、ミニマル・アート風の作品をつくっている美術家に数個の車止めをまとめてまかせるという考えもあり得たと思う。車止めの配置はミニマル・アート的だからである。

「車止め」についで多いのは、「換気口」、「換気塔」である。こちらの方は「車止め」と違って、スケールの大きい作品が主となっている。リチャード・ウィルソンと同様、川俣正も吸気口を兼ねた共同溝入口の作品を設置している。もともと機能性のあるようにも見える空間的な作品を手掛けている面々であり、その延長上に生まれた作品といえよう。とりわけ機能を意識させせない。「換気塔」では発光ダイオードによる宮島達男、鉄彫刻の青木野枝の作品がある。これらは換気塔の覆いという機能を持ったものだが、先に述べた現代美術と機能ということでいえば、これらも自立した作品といって通用する。「換気口」でも、新宮晋、田中信太郎、岡崎乾二郎らの作品は機能を詮索させせない。

ところで、「換気口」の作品において気になった点に、作品と場所の関係ということがある。たとえば、立川TMビルの地下駐車場の出口脇に設置されている伊

川俣正《無題(工事用フェンスの家)》一九九四年

藤誠の作品は、どう見ても無理な場所への設置としか思えない。この作品と場所の関係については、「換気口」だけでなく、気になった箇所が少なくなかった。「換気口」のある場所ということから、場所が限定されたということかも知れないが、空間の形状や場所の特徴から見て、設置しない方がいい場所というのがあると思う。そうした場所への設置は、大抵の場合、なにか作品が過剰ではみだしているといった印象を与えてしまうのである。

「車止め」、「換気塔」、「換気口」以外の機能を帯びた作品には、「階段の看板」、「機械搬入口」、「散水栓のカバー」、「照明サイン」、「送水管のカバー」、「街灯」などが見られるが、それぞれの数は多くない。「街灯」はドイツのマーティン・キッペンベルガーとフランスのグループイーエフペーによる二点。意外に少ない気がした。電光による作品は先に挙げたラウシェンバーグの他、ギリシャ生まれのスティーヴン・アントナコスのものがある。ネオン管の使用で知られるアメリカの美術家である。アントナコスは壁面に設置された巨大な表示サインと、歩行用デッキの天井に沿った夜間照明を手掛けている。表示サインは市街景観を彩る美しいもののひとつといっていい。

電光といえば、イスラエルのメナシェ・カディッシュマンがデッキに沿う壁に切抜きによる鉄板でレリーフをくっつけ、夜になるとその裏側に電光がつくという作品を制作している。これは壁の飾りといっていいものだが、電光の利用のアイディアとしておもしろかった。ただ、引きがないため全体を遠望することができない。これは、同じくデッキの壁を用いたイギリスのトニー・クラッグのレリーフについ

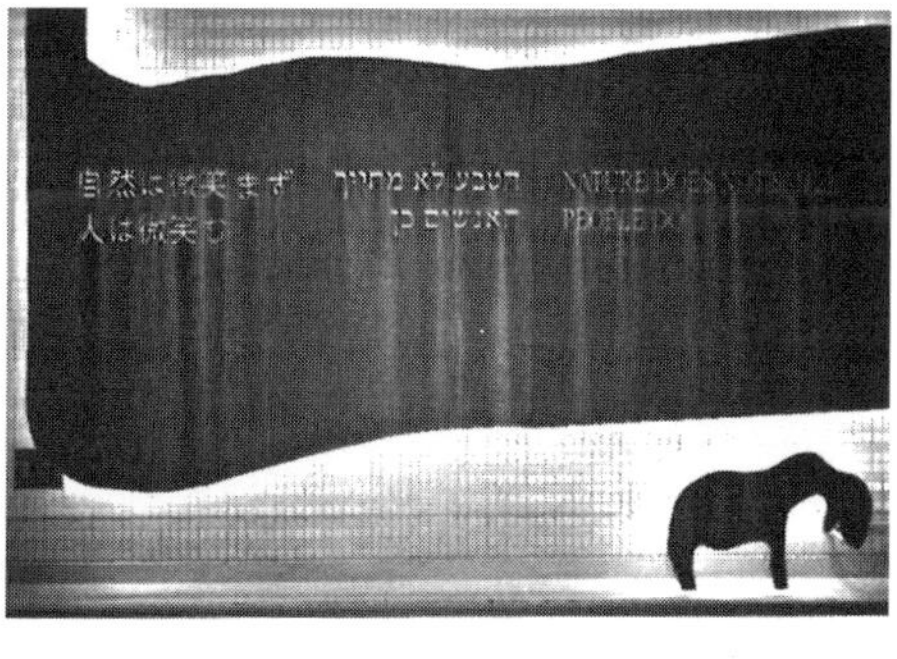

メナシェ・カディシュマン《自然は微笑まず、人は微笑む》一九九四年

てもいえることである。

「視覚デザイン的な作品」では、アントナコスの表示デザインもこの部類に属するが、スイスのフェリーチェ・ヴァリーニの一種のだまし絵的作品が興味深かった。これは壁や天井の連続する凹凸の顕著な空間に線を引き、それをある一点に立って見ると円としてつながって見えるといった作品である。ひとつはビルの屋上のペントハウスに、他の二点はデッキの裏側と脚柱に描かれている。特にビルの屋上のそれは壁面の飾りとしてもなかなかのものである。ただし、仕組みに気付かなければ、この作品の面白みは通じない。

「機能を持たない作品」は、「アートマップ」では「オブジェ」という名称が与えられている。「道祖神」を合わせると二〇点近く見られ、彫刻からインスタレーションにわたる作品があちこちに配置されている。この市街地で見られるもっとも野外彫刻的な作品群である。しかし、それらは「機能を持たない作品」として特別な扱いを受けていない。それが「聖なる性質」をほとんど感じさせない所以だが、それがまた機能の有無を巡る作品の両義性をもたらしているのは、既に述べた通りである。

これらの「オブジェ」にはこれまで触れたアクパン、カプーア、リュックリームらの他、アメリカのクレス・オルデンバーグのポップ・アート的な《リップスティック》、篠原有司男の《ケンタウルス・モーターサイクル》、ドイツのレベッカ・ホーンの《禅庭のためのエネルギー・バロメーター》、片瀬和夫の《星座又は星の宿》、セネガルのウスマン・ソウの《倒れた人》、アルゼンチンのパブロ・レイノソの《ジャ

フェリーチェ・ヴァリーニ《背中あわせの円》一九九四年

ガイモを収穫する人》などが含まれている。オルデンバーグの作品は通りの交差するコーナーに置かれていて場所を得ているが、レイノソやハイチのパトリック・ヴィレールの《人間肘掛け椅子》などは無理な場所に設置されていると思う。作品は壁に押しつけられ、正面性を強制されているようで窮屈そうである。

機能を持っているというべきか、それとも持っていないというべきか判断に苦しむが、「アートマップ」では「ゲート」となっているのが柳健司の作品である。ファーレイーストビルに通じるデッキの入口あたりに、巨大な赤い笠木が立っているのが遠くからも目につく。この赤い鉄の角柱はデッキの手摺に沿って堅い血管のように伸びてゆき、ビルの出口でまた屹立している。建築の空間表示記号とでもいうべきだろうか。その赤い色の印象が強烈だが、夜になるとネオンがつくという仕組みである。これも出色の作品といっていい。

一〇九点は多いか、少ないか

こうした一定面積を持った市街地に美術作品を設置する場合、どれくらいの数が適当かというのは難しい問題である。この「ファーレ立川」についてみても、これら一〇九点が適当なのか、それとも多過ぎるのか、あるいはまだ少ないのかというのは、容易に判断し難い。しかし、一巡してみた感じでは、作品の設置に関して場所による粗密があり、ある場所には多くの作品を詰め込み、また他の場所では十分余裕があるといった光景が見られるように思う。多くあるところを普通だと見れば、余裕のある場所はやや寂しく、こちらを平均的だとすれば、多くある場所は狭く

柳健司《笠木》一九九四年

騒々しいということになる。一〇九点の作品の配置というのは大変な作業だが、これはディスプレイに課せられた問題である。

もっとも、それはたまに見にくる一観客の印象であって、ここで仕事をしている人々、頻繁にやってくる人々は、やがて景観に慣れて、とりたてて気になるようなことではなくなってしまうのかもしれない。しかし、私はディスプレイを重視する。

できるだけ多くの国から美術家を呼びたいという計画は充分みたされている。正直にいって、私の知らない美術家も少なくなかった。日本でもよく知られている、たとえばラウシェンバーグの作品と、多分知られることの少ないセネガルのウスマン・ソウの作品を共存させるというのは勇気のいる決断である。その決断に賛成したい。

一巡の終わる頃、夕暮れになってネオンや電光が輝きだした。ひょっとすると「ファーレ立川」の景観はこの夕暮れ時がもっとも映えるかもしれないという気がした。あるいは一〇九点の作品との付き合いにくたびれて、ネオンの光が生き生きと感じられたせいかもしれない。たしかに歩いてゆっくりと見てまわるのは楽ではなかった。

第五章　地域と美術——越後妻有アートトリエンナーレ

脱都会の美術の活力

「大地の芸術祭　越後妻有アートトリエンナーレ二〇〇〇（編1）」は、現代の美術についての壮大な実験であった。ここで実験といったのは、それが前例を見ない画期的といっていい企画とその実行だったことによる。どういう点において画期的であったのか。

（一）地域振興事業の一環として企画されたこと。
（二）六市町村というきわめて広範囲にわたる地域を対象としたこと。
（三）都会美術として推進されてきた現代美術に非都会美術の可能性を開いたこと。
（四）美術展という形式の再検討を示唆したこと。
（五）この企画によって地域住民だけでなく、参加した美術家自身もまた意識の変化を受けたこと。

以下、これらの項目を軸にして、「越後妻有アートトリエンナーレ二〇〇〇」（以下、「越後妻有トリエンナーレ」と略記）について記したい。

初出『大地の芸術祭――越後妻有アートトリエンナーレ二〇〇〇』越後妻有大地の芸術祭実行委員会、二〇〇一年、九―一一頁

編1「大地の芸術祭　越後妻有アートトリエンナーレ二〇〇〇」新潟県十日町市・津南町・川西町・中里村・松代町・松之山町全域、二〇〇〇年七月二〇日―九月一〇日

1

「越後妻有トリエンナーレ」のいうアートトリエンナーレとは、いうまでもなく三年を単位として開かれる国際美術展の意味である。ということは、この企画は今回限りでなく、三年後に第二回展が開催されるということが想定されている。トリエンナーレという形式の美術展は周知と思われるが、たとえばインド・トリエンナーレはよく知られているし、二〇〇一年の秋には日本では初のトリエンナーレとなる「横浜トリエンナーレ」が開かれる。名称だけでいえば越後妻有の企画もそれらと同列ということになる。

ここでついでにいえば、より知られているのは隔年毎に開催されるビエンナーレという形式の国際美術展であろう。なかでももっとも有名なのは、イタリアのヴェネツィアで開催されてきたもう一〇〇年以上の歴史をもっヴェネツィア・ビエンナーレである。というよりこの展覧会がビエンナーレという名称をともなった国際美術展の手本となり、第二次世界大戦後に開幕したブラジルのサンパウロ・ビエンナーレを筆頭とする各地でのビエンナーレ続出という現象をうむ原動力となった。昨年末、私は中国は上海ビエンナーレとキューバのハバナ・ビエンナーレを見る機会があったが、現在世界各都市で開催されているビエンナーレと名のつく国際美術展は二〇を越すのではあるまいか。

このビエンナーレ・ブームともいうべき現象については私見をもっているが、ここでは触れない。ここで述べておきたいのは、これらビエンナーレ、トリエンナーレの大半、というよりそのすべてが現代美術の振興と国際交流ということをモットーとして開催されているという事実である。いうまでもなく開催地の地域住民と展覧会の関係が深く考慮されるということはまず見られない。これらの国際美術展でなによりも重視されるのは、展覧会の国際性ということであり、開催地の住民の問題ではない。一九七〇年代、サンパウロ・ビエンナーレのコミッショナーとして現地へいった際、ヴェネツィアに次いで当時有名だったこの新興の国際美術展の観客が、結局は地元の住民が大半であり、その問題を提起したが反応はなかった覚えがある。

「越後妻有トリエンナーレ」は、それらのビエンナーレ、トリエンナーレとはまったく違った理念によって企画された。企画の張本人は北川フラム氏。

アーティストは地域住民と協働しながら場所に根ざした作品を制作し、継続的に地域の展望を拓く活動に関わることを目指します。

こういう基本理念をうたったトリエンナーレを私はかつて知らない。画期的という所以である。ここには現代美術の振興といったことばはまったく見られない。このトリエンナーレが地域振興の一環事業として計画されるに至った経緯は、別項で説明されると思うので再説しないが、基本理念のなかに「地域」ということばが二度も登場するというのはきわめて特徴的といえよう。

ただし、地域振興事業として現代美術をもってきたけれども、結果として地域の活性化にならなかったのではないかという批判のあったことは私も知っている。そこにはいくつかの視点がこめられていると思う。第一は美術などという役にたたないものになぜ地域振興のための経費を使うのかということ。第二にその上まったくわけの分からない現代美術をことさらもってくるということの意味。正直にいって第一の指摘に十分説得力をもって応えることはむずかしい。この葛藤はいつも残るというほかはない。第二の指摘については私見を後述する。

2

十日町市、川西町、津南町、中里村、松代町、松之山町の一市、四町、一村を包含する広地域。私は会期のはじまる前に、この全地域の主たる場所を二日間にわたって案内してもらったが、里山、棚田、森林、河川、畑といった風景の多様さにもまして、その全地域をおおう面積の広大さに、どうやって作品を見てまわれるのだろうかという一抹の危惧を抱いたことを忘れられない。

しかし、のちに参加作家をまじえたシンポジュウムの席上、フランスのダニエル・ビュレンヌが「なにも全部を見なくてもいいんだ」と発言したときに、ああそうかと思った。展覧会というと、全作品を見なければという一種の強迫観念に近い気分におそわれがちだが、この広域にひろがる作品を、美術館のなかで作品を見てまわるようにすべてを見ようという考えがおかしいんだというのがビュレンヌの指摘である。私のような職業の人間は義務的にも全作品を見なければと思うが、そういう義務感をすべての人が抱く理由はない。このトリエンナーレはこれまでの美術展とは違うところが大きいからである。

ただし、そうかといって私はなにがなんでも広範囲の地域が望ましいなどというのではない。広域六市町村が協力する地域振興プロジェクトの一環事業であるため地域の広大さは避けようがないが、本心をいえばやはり広過ぎたという思いはある。しかし、それと裏腹になるが、その広地域のゆえにこそ、作品の設置場所がきわめて景観、環境、起伏の多様性に富んだものとなったことは特筆されよう。ひとつの企画展示で、これだけ場所の多様性に富んだものも前例がない。これは都会美術では見ることのできなかった特徴である。

3

改めていうまでもないことだが、二〇世紀の美術は都会を拠点とし、都市生活をモチーフの母体として展開してきた。ヨーロッパ美術が主導的であったのは、都市文化がヨーロッパにおいてもっとも典型的に開花したからである。美術館は都市の象徴的施設となり、美術家は都会を目指し、都市が美術の中心地となった。都市は美術の先進国ならぬ先進地であり、農村を主とした地域は後進地にほかならなかった。

美術のそういう推移からみると、大都会とはまったく無縁な今回の「越後妻有トリエンナーレ」は、ほとんど無謀もしくは無理な企画とみえておかしくはなかった。

ダニエル・ビュレンヌ《音楽、踊り》
二〇〇〇年

しかし、私が興味を抱いたのは、ほかならぬその同じ無謀と無理と思われた点によってだった。というのも、現代美術の脱都会というのは、すでに少しずつ見られる現象であって、それをこういう集団的規模で実行してみることに強い関心をそそられたからである。ごく単純ないいかたをすれば、美術家にやらせてみようじゃないか、と私は思ったのだ。

確かに大きなリスクはある。都会環境から脱都会環境へという転換に、美術家がどういうように、またどこまで応え得るかというのは予想し得ないところが多かったからである。周知のように都市を舞台としたいわゆるパブリック・アートは、多くの美術家がそれに協力している。駅前、ロータリー、庁舎前、公園、川岸などなど、それらはほぼ決まった場所に設置されている。しかし、里山や棚田となると、これには定まったパターンというものがない。名古屋の公園の舗装された地面に陶板の壁画ならぬ床画を設置したイリヤ・カバコフの屋外の作品はパリのシャンゼリゼでも見たことがあるが、あの妻有ではいったいどういう作品を発想するのだろう。あるいは死者とここにいない不在者をモチーフにしてきたクリスチャン・ボルタンスキーは、農村にどういう不在者を見るのか。

開会して私は例の義務感もあって、数日をかけてほとんど全作品を見てまわった。私はおおげさな評言を好まないタイプの人間だが、これはすばらしいと言いたいと思った。全作品が一様にいいというのではない。しかし、ここでいう作品のいい悪いというのは、作品の出来のよし悪しではなく、作品の設置されている場所とどこまで親密に、あるいは密接に関連しているかの度合いの深さによる。その度合いが

イリヤ&エミリア・カバコフ《棚田》二〇〇〇年

浅い作品はやはり訴える力に欠けるといわざるを得ない。

もともとイラストレーターとして著名であったカバコフは、棚田を一枚の絵として眺めるという視覚の装置を設定して意表をついた。ここで、先程あげた「わけの分からない現代美術」ということに触れておきたい。

この「越後妻有トリエンナーレ」は「わけの分からない現代美術」であればこそ成立したのであって、これが額縁に入った絵画や台座の上の彫刻では成り立ちようがなかったといわねばならない。棚田とそこで労働する四季の農民の姿を絵として見るという形式は、絵画という旧来の形式を捨てたからこそ生まれ得たのである。あるいは畑の上に真っ白い洗濯された古い衣服を無数につるしたボルタンスキーの作品は、そこにいない人々を喚起させるものとして強い感銘をあたえるものだったが、彫刻と無縁だからこそそれを可能にしたのである。

端的ないいかたをすると、定まった形式をもたない美術家ほど、この未知の空間と環境に触発されて発想し、それに対応した作品をうみだしている度合いが大きかったように思う。場所と密着した作品、いわゆるサイト・スペシフィックは現在美術現象として増えつつあるが、それにしても妻有のこの環境は特別といっていい。それに呼応するというのは、結局美術家の創造力の柔軟さということに帰着しよう。ここでは環境に作品を持ち込むのではなく、環境から作品を引き出すという発想が重要なのである。

今回、二つの「建物」が誕生した。ひとつはジェームズ・タレルの《光の館》、もうひとつはマリーナ・アブラモヴィッチの《夢の家》である。前者は新築、後者は

ジェームズ・タレル《光の館》二〇〇〇年

古い民家を改装したものである。タレルは川西町にある、重要文化財に指定されている古い家屋をモデルにして木造の建物を設計してもらい、そこへ光を感知させるさまざまな仕掛けを織り込んだ。タレルによれば、ここへきてうまれた発想だという。

《夢の家》を実現したアブラモヴィッチは、四つの部屋に彼女のデザインしたベッド（というより木製の寝箱）を置き、そこへ同じくデザインしたパジャマを着て寝てもらい、その夜見た夢を朝ノートに書き記してもらって、やがてそれがたまったら『夢の本』として刊行したいという。それは松之山町の伝説をつくるだろうからと。

この二人の発想も国際的というのではなく地域に根ざし、そこから引き出したものということができる。しかし、二人に共通しているのは、その根底にみられる人類の根源的な普遍性への信頼であろう。その点で地域の特殊性は消えるのである。

私はここでこのトリエンナーレが脱都会美術の手本をつくりだしたなどというつもりはない。しかし、脱都会美術が多様な可能性をはらんだものであることを示唆したという点では、きわめて大きな意義をもつものだったといいたい。「越後妻有トリエンナーレ」はむしろそのスタートラインを残したのである。

4

前にも触れたようにアートトリエンナーレは国際美術展のひとつである。しかし、この「越後妻有トリエンナーレ」はおよそ普通にいう美術展とは趣が異なる。形式

マリーナ・アブラモヴィッチ《夢の家》二〇〇〇年

的なことをいうと会場というものがない。会場を仕切る柵というものが存在しない。それに会期が終わってのち残る作品もあれば、姿を消してしまう作品もある。消えた作品は二度と同じ場所で眼にすることはあり得ない。三年後にもう一度同じ作品に遭遇するということはない。

そんなことは都会のなかでの野外彫刻展でも同様であって、会期が終われば姿を消してしまうではないかという反論があるかもしれない。しかし、違う。場所に根ざした作品は場所を離れると本質的に消えてしまうのである。たとえば、かつての信濃川の河川のかたちを六〇〇本の黄色い杭で再現させた磯辺行久の作品は、その杭を移動させればただの棒切れになってしまうほかない。しかし、都会の野外彫刻がそういう場所との不可避的な関連性をもっていることはきわめて稀有である。

美術作品と今日われわれが名づけているものの先祖はそうではなかった。それらは場所と不可分だった。だからこそ、パリの美術館で見るエジプトのレリーフはやはり異様なものであり、それは日本の博物館で仏像を見るときのいうにいえない違和感と共通している。

現在の移動可能な絵画、彫刻を否定しているわけではない。しかし、移動し得ない作品、移動によって消えてしまう作品こそ、地域住民ともっとも密接な関連をもつものだということを知る必要がある。分かりやすい例でいえば、ベルリンの国会議事堂を梱包したクリストとジャンヌ＝クロードの仕事は、ベルリン市民がもっとも強いインパクトを受けた筈である。だからこそ市民はそれに熱狂的な反応を示したのだった。

磯辺行久《川はどこにいった》二〇〇〇年

今回のトリエンナーレでも、そこに点在した作品にもっとも強い印象をうけたのは地元のひとびとだったと思う。美術展というのは美術館を巡回する展覧会だけでなく、地域住民が最初に関心をもつ作品ということを再考する必要があるのではないか。

脱都会ということだけではなく、私は現在再検討が要求されているのは美術展という形式だと思っている。それと美術館という施設。つい最近、ミュンヘン近郊のナチス第一号の強制収容所ダッハウの跡地へいったが、その展示室はムゼウムとあった。アウシュヴィッツもムゼウムとある、ムゼウム、ミュージアムとはなんなのか。

北山善夫《死者へ、生者へ》二〇〇〇年

5

町や村のひとたちが作品の制作にいろんなかたちで協力したという話をあちこちで聞いた。今の若者は縄の結び方も知らないというので、協力を買って出たというおじいさんたちのことも聞かされた。こういう行為はひとびとを作品の鑑賞者という垣根から解放する。そしてひとびとに美術というものについて思いを巡らすきっかけを注ぎ込んでゆくと思う。「なんだかよく分からんかったけど楽しかった」ということばはすばらしい。人数にしてはささやかであったかもしれないけれど、こういう体験はトリエンナーレなくしては得られなかった筈である。私はそれをトリエンナーレのもたらした成果のひとつとして評価すべきだと思う。

しかし、そのこともそのことだが、もう一方で参加した美術家自身の意識の変化というのも注目したい。カバコフもボルタンスキーもビュレンヌも磯辺も、およそああいう環境で作品を発想したことはなかったと思う。その経験はかれらになんの痕跡も残さなかった筈がない。極論すれば、「越後妻有トリエンナーレ」は美術家たちにまったく新しい経験を与えたということが、最大の功績だったということになるのかもしれない。

当初いった通り「越後妻有アートトリエンナーレ二〇〇〇」はその企画の趣旨からも自明のように、地域振興事業である。しかし、私はこの企画のアートの側面について書いてきた。そして、それは展覧会のありかたとして二〇世紀の最後に登場しながら、二一世紀の美術の動向に指標をあたえ得るものだと思っている。

それは別段、妻有のような土地環境こそ二一世紀の美術の土壌だという意味ではない。脱都会、地域との関係、脱美術館、そういったさまざまな問題の入り口としての「越後妻有トリエンナーレ」の成果の大きさのことである。

最後にこの企画を実現した協力者たちとして「こへび隊」のことにも触れたかったので一言。きみたちこそが現代美術の野心的な試みを支えたんだと最大の賛辞を呈したい。すばらしい働きぶりだった。

蔡國強《ドラゴン現代美術館》二〇〇〇年

芸術の復権の予兆

「大地の芸術祭　越後妻有アートトリエンナーレ二〇〇三」(編1)は新潟県越後妻有地域を会場として、二〇〇三年七月二〇日から九月七日までの五〇日間にわたって開催されました。この大地の芸術祭は三年前の二〇〇〇年にはじめて開催されたので、回数でいえば今回が二回目にあたるのですが、この催しは第一回、第二回といった呼び方をとらず、二〇〇〇年、二〇〇三年というように開催年の年数を名称にしています。そこで本稿では、以下この催しをトリエンナーレ二〇〇〇、トリエンナーレ二〇〇三というように略記させていただくことにします。

さて、前回のトリエンナーレ二〇〇〇の総括的文章において、私はこのトリエンナーレは「現代の美術についての壮大な実験であった。ここで実験といったのは、それが前例を見ない画期的といっていい企画とその実行だったことによる」と書き、その画期的である理由を次のように列挙しました。

（一）地域振興事業の一環として企画されたこと。
（二）六市町村というきわめて広範囲にわたる地域を対象としたこと。
（三）都会美術として推進されてきた現代美術に非都会美術の可能性を開いたこと。
（四）美術展という形式の再検討を示唆したこと。

初出　大地の芸術祭・花の道実行委員会東京事務局編『大地の芸術祭――越後妻有アートトリエンナーレ二〇〇三』現代企画室、二〇〇四年、八―一一頁

編1　「大地の芸術祭　越後妻有アートトリエンナーレ二〇〇三」新潟県十日町市・津南町・川西町・中里村・松代町・松之山町全域、二〇〇三年七月二〇日―九月七日

(五)この企画によって地域住民だけでなく、参加した美術家自身もまた意識の変化を受けたこと。

これら五つの特徴は、今回のトリエンナーレ二〇〇三においても基本的には訂正、変更するところがまったくありません。とりわけ(一)と(二)は、この企画の根本的な性格を示すものというべきです。しかし、(三)、(四)、(五)の三つの項目については、新たな展開が見られ、注目すべき成果がもたらされました。トリエンナーレ二〇〇三はその点において、トリエンナーレ二〇〇〇よりもその画期的性格を倍増、強調することになったように思います。そこで、まずそのことをとりあげます。

1

なによりもまず指摘したいのは、トリエンナーレ二〇〇三はそのさまざまな作品によって、芸術作品のグローバリゼイションへの疑問をはっきりと提出したということです。ここで芸術作品のグローバリゼイションというのは、場所を問わず世界中に通用し得るような作品のことです。特別なことではなく、われわれが今日現代美術といっているものは、そういう性格のものです。あるいは別のいい方をするなら、それは上から地上に降ってくるような芸術作品とでもいえるかもしれません。

今回のトリエンナーレ二〇〇三は、上から降ってくるのではなく、特定の地面から湧き出す作品ということを顕著に示したといえます。それは前期の(四)にいう「美術展という型式の再検討を示唆したこと」という特徴のひとつを具体的にあらわしたものにほかならないのですが、どこにでも適用し得る作品形式というものが大前提とされるなら、新潟県越後妻有地域でのこの催しも、それはどこでも見ることのできる作品をたまたまこの地域に集めた、ひとつのグローバルな国際展ということに過ぎない筈です。里山や棚田を場所にしていても、それは非都会的な特殊な空間における国際展にとどまるほかありません。

たしかに、三年前のトリエンナーレ二〇〇〇ははじめての企画でもあり、なおグローバルな国際展という性格がかなり色濃く見られたことは否定できない点がありました。しかし、トリエンナーレ二〇〇三はそういう性格が稀薄になり、ほかの場所に移転させることができない、いわば越後妻有地域と密着した作品が多く登場したことが特徴として注目されたと思います。別のいい方をするなら、越後妻有トリエンナーレはトリエンナーレ二〇〇三によって、その独自性をはっきりと示すにいたったということです。

よく知られているようにアートトリエンナーレとは、三年毎に開催される国際美術展のことです。越後妻有アートトリエンナーレという名称も、そういう意味を土台として採用されています。しかし、このアートトリエンナーレは、その独自性をはっきりと示しはじめるのと並行して、その名称に新しい意味と内容をあたえるようになったといえます。

私はそれを次の三点に集約してみたいと思います。

(1)作品形式の多様化。

(2)創造という行為と鑑賞という行為の二極化の解体。

磯辺行久《信濃川はかつて現在より二五メートル高い位置を流れていた》二〇〇三年

(3)芸術と教育の統合。

2

(1)の作品形式の多様化はトリエンナーレ二〇〇〇でも見られたことですが、それについてははじめに触れたトリエンナーレ二〇〇〇の総括で私は次のように書きました。「この「越後妻有トリエンナーレ」は「わけの分からない現代美術」であればこそ成立したのであって、これが額縁に入った絵画や台座の上の彫刻では成り立ちようがなかったといわねばならない。〔……〕端的ないいかたをすると、定まった形式をもたない美術家ほど、この未知の空間と環境に触発されて発想し、それに対応した作品をうみだしている度合いが大きかったように思う」。トリエンナーレ二〇〇三では、この多様化はより徹底していました。ここでいくつかを例示します。

磯辺行久の作品《信濃川はかつて現在より二五メートル高い位置を流れていた——天空に浮かぶ信濃の航跡》は、考古学と地層学と視覚芸術の融合ともいうべきもので、浸食によってできた崖の表面を選んで、信濃川の水位の変化を知らせるというものでした。

あるいは、彦坂尚嘉の《田麦集落四二戸物語》。十日町の田麦集落の廃屋に移住したこの美術家は、その廃屋内に集落の歴史と関連したものを展示し、なおかつとなりに田麦茶屋を設営して開店しました。

あるいはオーストラリアのジャネット・ローレンスによる《エリクシール/不老

彦坂尚嘉《田麦集落四二戸物語》二〇〇三年

不死の薬》。地元の薬草を用いてつくった薬草酒を飲ませるショット・バーの開設。

これ以外にもさまざまな作品がありますが、これらはトリエンナーレ二〇〇〇では見ることのできなかった形式でした。そもそもこれらは美術作品というカテゴリーに収めることができるのかどうか。確かなことは、いずれも都市のなかでは実現不可能な発想であるという事実です。そして、彦坂やローレンスの場合には視覚だけでなく、嗅覚や味覚も取りあげられていることが特筆されます。といって、私は嗅覚や味覚を取りあげていること自体を、美術の革新あるいは美術の解体などといって改めて問題にするつもりはありません。ここでとりあげたのは、これらの作品がこの越後妻有地域と切り離すことができないものとしてうみだされたことの典型といっていいからです。そして、あとでまた触れたいと思うのですが、ここには芸術のコミュニケーションという、あのつかみどころのない問題がひそんでいると思わないわけにはいきません。

(2)の、創造という行為と鑑賞という行為の二極化の解体というのは、ややおおげさないい方だという気もしますが、しかし、この問題はトリエンナーレ二〇〇三で作品の制作に協力した地域のひとたちに聞くのが一番分かりやすいだろうと思います。どのようなかたちにしろ制作に協力したひとたちは、もはや作品に対する第三者としての、いわゆる観客という立場には立てなかった筈です。

制作に協力するというのは、現在いうところのコラボレーション(協力、共同制作)ということですが、わたしはこのコラボレーションということは、もっと重視すべきではないかと考えています。そしてこのコラボレーションという行為はより

ジャネット・ローレンス《エリクシール／不老不死の薬》二〇〇三年

拡大して解釈すべきではないかというのが私の見方です。

たとえば、前回のトリエンナーレ二〇〇〇の際、地元のひとから多くの白い下着を貰って、畑の上に洗濯物のように並べたクリスチャン・ボルタンスキーの作品は、地元のひとびととのコラボレーションの産物にほかなりませんでした。あの下着を提供したひとびとは、第三者という観客としてあの作品を見なかった。われわれの作品という意識があった筈です。

今回のトリエンナーレ二〇〇三で、小学校の廃校を使ったボルタンスキーとジャン・カルマンの《夏の旅》も、かつて在学した小学生の服やノートや教科書を用いることにより、かつての小学生たちとのコラボレーションによって実現した作品でした。因みに、これは今回のトリエンナーレできわめて強烈な印象を残した作品のひとつだったと思います。小学校の廃校を使った作品としては、トリエンナーレ二〇〇〇の北山善夫の作品も印象に残るものでしたが、これらはこのアートトリエンナーレの双璧といっていいかと思います。

このコラボレーションということを別のかたちで実現したのが川俣正の《松之山プロジェクト》です。川俣正はここで二重のコラボレーションをおこないました。木造の小さい小屋を学生とともに作り（それが第一のコラボレーション）、それらを道路脇のあちこちにおいて地元のひとたちの自由な使用に委ねたわけです。その小屋を野菜の売り場その他に使用したひとびとは、その小屋のもうひとりのコラボレーターになったということになります。二重のコラボレーションといった意味です。

クリスチャン・ボルタンスキー＋ジャン・カルマン《夏の旅》二〇〇三年

こういう作品はしばしば観衆の参加型の作品といわれます。しかし、私はコラボレーションによる作品といったほうがいいと思います。というのも、参加型の作品といういい方には、作品を作るひとと作品を鑑賞するひとびとという、いわば二重構造のイメージが根底にあり、鑑賞するひとの参加ということをことさら強調するおもむきが感じられるからです。コラボレーションという考え方には、創造する人間があり、その人間によってつくりだされた作品を鑑賞する人間がいるという二極構造の通念を壊す要素が潜在していると私は思います。

この創造者と鑑賞者という二極構造を壊すということを、今回のトリエンナーレ二〇〇三がもっとも分かりやすく示したのは、新築された、まつだい雪国農耕文化村センター「農舞台」のピロティで演じられた《越後妻有版・真実のリア王》でした。この演劇の出演者は全員が地元の老人たちでしたが、出演者たちはそれを見ている地元のひとたちと交換が可能だったからです。つまり演ずることと見ることが可換だったということが、この芝居の最大の魅力だったと思います。

私は芸術のコミュニケーションの根本は、この可換性という点にあると考えています。そして可換性のひとつのあらわれとして具体的に見られるのが、コラボレーションという行為だと思うのです。

そして、このことと関連して次のことを指摘しておく必要があると思います。それはこの越後妻有アートトリエンナーレは、アーティストがいて作品があり、その作品を見る観客がいるという、いってみればリニアー(線形)な構造ではなく、一種の非線形的構造をもっているということです。私も典型的なそのひとりにほかな

川俣正《松之山プロジェクト》二〇〇〇—〇三年

らないのですが、新潟の妻有地域へ来てこのトリエンナーレを見るひとたちは、作品を見ると同時に地域のひとたちのコラボレーションの成果にも触れているという多重構造がそこにはあるからです。

これもまたこのトリエンナーレが「美術展という形式の再検討を示唆した」ということと関連しますが、同時に冒頭に触れた五つの特徴のうちの（五）の、「この企画によって地域住民だけでなく、参加した美術家自身もまた意識の変化を受けたこと」とも関連しています。

この私のいう非線形的構造というのは、きわめて重要なことだと私は考えています。というのも、このコラボレーションということこそが芸術のコミュニケーションの土台だと思うからです。芸術作品のグローバリゼイションはこのコラボレーションの喪失によって、同時にコミュニケーションということを稀薄にしてしまいました。越後妻有アートトリエンナーレ二〇〇三は、この芸術のコミュニケーションという問題について大きな示唆を提供していると私は見ます。

3

さて、最後は（3）の芸術と教育の統合という問題です。大学で長いあいだ美術の教育に携わった経験で得た考えですが、今回のトリエンナーレ二〇〇三でその実現のひとつの可能性を見いだしたような感じがしたことを、最後に触れておきたいと思います。

《越後妻有版「真実のリア王」》クリスチャン・バスティアンス作・演出、まつだい雪国農耕文化村センター、二〇〇三年七月一九日、二一日

美術教育ということばは一般化しているのみならず、美術についての教育の重要性は多くのひとが指摘してきたことです。しかし、今日もなお、美術教育がさまざまな観点から論じられているのはなぜか。私もまたそのことについてしばしば考えることがありました。

そして、あるとき美術教育ではなく教育美術、さらには芸術教育ではなく教育芸術というように、考え方を一八〇度ひっくり返すという発想があっていいのではないかと思ったのです。芸術について教育するのではなく、教育を芸術として位置づけるような発想。こんなことはとっくにシュタイナーが提唱したことともいえますが、私はもっとプラクティカルにそれを考えたわけです。

そういう点で、このトリエンナーレ二〇〇三をきっかけとして越後松之山「森の学校」キョロロを開設し、さらに「地球環境セミナー」をはじめとしていくつかのセミナーを実施したことは特筆しておいていいことだと思います。

私の尊敬するアメリカの文明評論家のルイス・マンフォードが、私にとっての最高の学校はニューヨーク市だったということばを残していますが、できれば越後妻有アートトリエンナーレが人生にとって重要な学校だったというような記憶を残すものであったらと思います。というより、芸術と教育の関係について、そうした示唆をあたえる可能性の端緒があるような気がするのです。そう思う根拠はただひとつ、都市ではあらゆること、あらゆるものが細分化されているけれども、たとえば妻有地域ではそういう細分化に抵抗できる素地がまだあると思われるからです。つまり芸術と教育の統合についてなにか考えられるのではないかと思うわけです。し

《越後松之山「森の学校」キョロロ》建築設計：手塚貴晴＋由比、二〇〇三年

かし、いずれにしても、それは容易ではない大きな問題であることにかわりありません。

今回はじめての企画として「短編ビデオ・フェスティバル」がありました。私はそのコンクールの審査員のひとりとして参加しましたが、ここではそういう新たな企画があったということを記すにとどめておきたいと思います。

もうひとつボランティアの「こへび隊」のことにも触れておかなければなりません。彼ら彼女らもまたコラボレーターにほかならない。というのも、彼ら彼女らがいることによってこのトリエンナーレ二〇〇三は実現し得たといって過言ではないからです。ここにもコラボレーターがいるということは特筆しておきたい。

最後に再度強調しておきたいのは、これがいわゆる単なる野外美術展ではないということです。むろん地域の振興事業の一環であるということはいうまでもないのですが、それにもかかわらずというべきか、あるいはそれだからこそというべきか、このアートトリエンナーレが現代の美術のあり方に、多くの、しかも大きな問題を提起しているということを私は断言してはばかりません。非都会環境での国際展ということだけではなく、芸術と地域コミュニティーとの関係、芸術とコミュニケーションの問題、さらには現代美術とはなにかという問題について、きわめて多くを考えさせる解答を提供したのが今回の越後妻有アートトリエンナーレ二〇〇三だったと私は思います。

美術は終わったという声は小さくないのですが、私は妻有で、そんなことはないでしょうという声を聞いたような気がします。空耳ではないことを。

「前芸術」の祭典

1

二〇〇〇年に開幕した「大地の芸術祭越後妻有アートトリエンナーレ」は昨年二〇〇六年に三回目を迎えました。[編1]

私は「トリエンナーレ二〇〇〇」、「トリエンナーレ二〇〇三」の記録集に続けて文章を寄せましたが、今回の「トリエンナーレ二〇〇六」の記録集にもまた文章を寄せることとなりました。以前に書いた文章を再読してみると、「トリエンナーレ二〇〇〇」のそれを「脱都会の美術の活力」と題して、この催しが大都会でおこなわれるのではなく、過疎地、廃屋、里山、棚田、森林、畑、河川などを特徴とする非都会環境を舞台として展開されているということに触れ、そこから美術展という形式の新たな可能性がうまれるのではないかといったことを書きました。

「トリエンナーレ二〇〇三」の記録集では「芸術の復権の予兆」というタイトルで、この催しにみられる特質として、美術家と地元の人びととのコラボレーション（協力、共同制作）ということをあげました。コラボレーションには、「創造する人間があり、その人間によってつくりだされた作品を鑑賞する人間がいるという二重構

初出　大地の芸術祭東京事務局編『大地の芸術祭――越後妻有アートトリエンナーレ二〇〇六』現代企画室、二〇〇七年、六八―六九頁

編1　「大地の芸術祭　越後妻有アートトリエンナーレ二〇〇六」新潟県十日町市・津南町全域、二〇〇六年七月二三日―九月一〇日

造の通念を壊す要素が潜在している」ので、それが創造のありかたを変えてゆく可能性をはらんでいると考えたわけです。

私のいった非都会環境での催し、コラボレーションという特徴は、「トリエンナーレ二〇〇六」でも変わりません。しかし三回目の催しを見て、私はこれまでにも断片的には触れているのですが、過去二回の記録集ではおもてだって書かなかったことをとりあげようと思います。それは「大地の芸術祭　越後妻有アートトリエンナーレ二〇〇六」に見られる作品の特質についてです。

じつは一回目、二回目の催しを見たときにも漠然と感じてはいたことなのですが、それをうまく言葉にいいあらわすことができませんでした。そこで、「美術の活力」といったり、「芸術の復権」といったりしたのですが、それは結局、私が「美術」という概念にとらわれ過ぎていたからだろうと思います。この催しで眼にする「作品」は、すべて「美術作品」、あるいは「芸術作品」だとする見方にとらわれていたといっても同じです。

2

一回目の記録集の文章で、私は「……現在再検討が要求されているのは美術展という形式だと思っている。それと美術館という施設。」と書きました。

美術館とは展示された「美術作品」を見るところであるというのは通念になっています。しかし皮肉にも、この通念が逆説的な現象をひきおこすことになりました。

カナリア・カイコネン《明日に架ける橋のように》二〇〇六年

今ではよく知られているマルセル・デュシャンのレディメイドのオブジェと呼ばれている便器の「作品」がそれです。厳密にはデュシャンはそれを美術館に展示したのではなく、旧兵器庫を会場とする美術展に出品したのでした。しかし、屋根のある建物ですから、美術館での展覧会と基本的には変わりません。

便器という非芸術的な器具でも、美術展に展示されると「美術作品」になるのか。こういう問いが発せられても意外ではありません。こういう問いにたいして、デュシャンは単に便器を出品したのではなく、それを横倒しにして置くという方法によって、便器の効用性を消し去ったのだという意味のことをのべました。それはそれでわからないではない説明です。

それでは、同じ便器を野外空間のどこかに横倒しにして置いても、同じように「美術作品」として見られるでしょうか。室内の美術展だからこそ、「美術作品」になり得たのではないか。私はそう思います。これはどういうことを意味しているか。美術館という施設、美術展という形式は、今日一種の特権をもっているということです。そこで展示されるものは「美術作品」であるという保証が得られます。つまり、そこでは、美術作品しか展示されないので、展示物はなんでもアートとみなされるという事実です。

といって野外、あるいは屋外はそうした特権と無縁な空間かというと、一概にそうだとはいえません。都市は徹底して人工化された環境であって、野外であっても一種の特権性を帯びています。したがって、都市の野外に展示された野外彫刻は「美術作品」として見られることが保証されているといってまちがってはいません。

杉浦康益《風のスクリーン》二〇〇六年

それはそれでいいのですが、この保証によって、作品のひとびとにあたえる力が弱まっていることは否定できません。

3

ところが、「大地の芸術祭」の舞台となっている空間は、そこに展示されたものが「芸術作品」であると保証する特権性をもってはいません。棚田にどうしてそういう特権性があるのでしょうか。先程私が触れたレディメイドの便器にもどれば、たとえばそれを棚田のそばに置いたらどうなるのか。むろん、その横に「《泉》マルセル・デュシャン」というプレートを立てたら、いわゆる「美術作品」として受けいれられるという見方もあるかもしれません。しかし美術館の展覧会で見るときと同じような反応は生じまいと思います。

私はこの「大地の芸術祭」で見られる作品の大半、あるいは多くは、ひとつの際立った特徴を示しているように思います。それは作品に「前芸術」（プレ・アート）ともいうべき性格が強く見られることです。これは芸術として、あるいは美術作品として未熟という意味ではいささかもありません。美術館や美術展で見られる作品を「既成芸術」とすれば、「既成芸術」では形式の純化のために排除されてしまうさまざまな未分化なものが色濃く混在しているのが「前芸術」です。

平ったくいえば、ここでは美術館や美術展では見ることのない作品に遭遇するということです。それはただ単純に、屋内、屋外という展示空間のちがいに帰せられ

原すがね《弾／彼岸の家》二〇〇六年

ることではありません。野外彫刻展をもじって野外美術展といういいかたをするなら、この催しは野外美術展ではない。非都会環境における「前芸術」の展示というべきものだと思います。

そして、作品のあたえる力とは芸術としての既成の度合いによるのではなく、未分化な「非芸術的」度合いの強さによってうみだされるものだと私は考えています。この催しでは作品の形式的な完成度や成熟度などは一切考慮しなくていいということです。というより、そういうことは意味をもちません。

このことと関連していると思われるのは、参加している美術家たちの、画廊で発表している作品と、この非都会環境での作品には大きなちがいの見られるものが多いことです。そのちがいは、作品の形式の完成度などにはほとんど意識を集中しているように感じられないことに見られます。

地域のひとびととのコラボレーションが成立する根拠はこの「前芸術」という点にあります。前回の記録集の文章で、私がコラボレーションをクローズアップした理由です。

作品を「前芸術」としている要因が、「大地の芸術祭」が舞台としている非都市環境にあることとは改めていうまでもありません。都市における野外彫刻展と異なった光景を見せるのはこの点によってです。「大地の芸術祭」がもたらしたのは、単なる新しい野外美術展ではなく、「前芸術」による作品と人間の関係の再構築だというように私は見ています。

スー・ペドレー《はぜ》二〇〇六年

4

私が「前芸術」といっているものも、やがて形式を純化することによって「既成芸術」の仲間入りをするという過程をたどります。未分化なものは純化にとって余計なものとして排除されてゆくからです。そして「既成芸術」は鑑賞される対象として位置づけられるに至ります。つまり、作品は「美術作品」という保証書を獲得することになるわけです。

それはまた、美術作品を見るマナーをうみだします。鑑賞の礼儀作法といってもいいものです。しかし、この「大地の芸術祭」の作品はそのようなマナーとは無縁です。逆にいえば、無縁な分だけ作品は非芸術的要素をもっているということです。「前芸術」といういささか奇異をことばをもちだしましたが、私はとくに奇異なことをいっているつもりはありません。人間のつくりだしたものがやがて芸術として位置づけられてゆくのは歴史の示すところであって、特別なことではありません。絵画は「絵画」という芸術になり、彫刻は「彫刻」という芸術になったわけです。

「大地の芸術祭」は、芸術として位置づけられる一歩前の作品を特徴としていると私は思います。むろん、そのほかにもさまざまな特徴をあげることができますが、世界各国の美術家があつまった催しなので、その作品の特質を語ることが一番重要ではないかという思いから、「前芸術」というようなことばを用いた次第。そこで、私は「大地の芸術祭」を「前芸術の祭典」と読みなおすことにしました。

クリスチャン・ボルタンスキー＋ジャン・カルマン《最後の教室》二〇〇六年

越後妻有アートトリエンナーレのもたらしたもの

1

二〇〇〇年に開幕した「大地の芸術祭　越後妻有アートトリエンナーレ」（以後、文中では大地の芸術祭と表記します）は、二〇〇九年に第四回を迎えました。(編1)

私はこの大地の芸術祭の記録集に、第一回以来毎回文章を寄せてきましたが、今回、過去三回のそれらを読みかえしてみて、私は大地の芸術祭を見る視点が回ごとに変化していることに改めて気付きました。

二〇〇〇年の第一回のそれについては、この催しが都市環境ではなく、里山、棚田、畑、森林、河川、過疎地、廃屋などを特色とする非都市環境で開かれたことに、過去に例を見ない特徴があることを論じました。

二〇〇三年の二回目の催しでは、展示作品に見られる、美術家と地元の人びととの共同制作、いわゆるコラボレーションという現象に注目して、そこに「創造する人間があり、その人間によってつくりだされた作品を鑑賞する人間がいるという二重構造の通念を壊す要素が潜在している」と述べました。

そして二〇〇六年の第三回目の催しに関しては、大地の芸術祭が美術作品、ある

初出　北川フラム、大地の芸術祭実行委員会監修『大地の芸術祭——越後妻有アートトリエンナーレ二〇〇九』越後妻有里山協働機構、二〇一〇年、一四―一五頁

編1　「大地の芸術祭　越後妻有アートトリエンナーレ二〇〇九」新潟県十日町市・津南町全域、二〇〇九年七月二六日―九月一三日

いは美術にどのような変化、もしくは変貌をもたらしているのか、もたらしつつあるのかということに注目して文章を書きました。その変化、変貌の要点は、この大地の芸術祭で見られる作品の多くは「「前芸術」（プレ・アート）ともいうべき性格が強く見られることです。美術館や美術展で見られる作品を「既成芸術」とすれば、「既成芸術」では形式の純化のために排除されてしまうさまざまな未分化なものが色濃く混在しているのが「前芸術」です」と。

今回の第四回目の催しも、作品に見られる特徴は第三回目のそれを継承していますが、さらにもうひとつ、新しい特徴が顕著になったと私は見ました。今回はそのことについて書こうと思います。

2

大地の芸術祭の会場が非都市環境であることは、最初に強調したことですが、その際、会場の一要素として廃屋を挙げました。この廃屋には廃校となった校舎もふくまれています。この廃屋への関心は、二回目の大地の芸術祭（二〇〇三年）から顕著になりだしたように思われます。クリスチャン・ボルタンスキーとジャン・カルマンが共同制作した《夏の旅》は廃校の校舎を使ったもので、興味深いものでした（二〇〇六年、同校舎に《最後の教室》が制作され、今も見ることができます）。

この廃屋の使用という現象は、最近都市環境の中でも少しずつ増えています。そのことは歓迎すべきことだと私は思っていますが、しかし、都市の中での廃屋と、過疎地の空家とはまったく同質とはいいがたい。そして、今回の大地の芸術祭で感じたのは、過疎地の空家に対する美術家の視線の変化でした。

大地の芸術祭に参加した出品者のすべてがそのように考えていたとはいえませんが、私が注目したのは、こういう考えをもつ美術家が登場してきたことです。それは、空家は単に展示空間として利用できるというのではなく、空家そのものが作品の一部だという考えです。これは、今回注目すべき動向のように思いました。

たとえば、青木野枝の作品。青木野枝は鉄の円環と蔵とを一体化した仕事を実現しました。鉄の円環は蔵の室内だけでなく外壁にも広がり、その仕事には空家の内部が展示空間で、鉄の円環が作品だという発想が見られません。いわば、建物全体が作品に変貌させせられたといえます。

この考え方は、美術作品は展示空間+作品という仕組みによって触れるという通念をくつがえします。この展示空間+作品という仕組みを土台にしているのが美術館です。美術館はいってみれば純粋展示空間であって、空間的にはそれ以外の機能をもっていません。それがまた美術館の特権性をあたえている理由のひとつです。私は現在、現職の美術館長なので、美術館という存在を否定するつもりはありません。ただ、美術館の特権性は自覚する必要があると思っています。

3

さて、私は前回、大地の芸術祭の作品について「前芸術」というういい方をしました。

青木野枝《空の粒子》二〇〇九年

しかし、最近あのいい方はあまり適切ではなかったかと思うようになりました。「前芸術」というと、何か前に戻るというニュアンスがあるように思ったからです。

私は今は「前芸術」ではなく「脱芸術」という言葉を使いたいと思っています。というのも「芸術」というのは一種の呪縛だからです。美術館へゆくのはその呪縛に身をまかせるということです。たとえば、絵画は崇高だというのはその呪縛のひとつです。あるいは絵画は理解しなければならないというのも呪縛のひとつです。私はそういう呪縛から自由にするのが脱芸術だと思っています。

大地の芸術祭の作品に感じられるのは、ある開放感です。簡単にいえば芸術からの開放感とでもいうべきものです。しかし、この開放感は大地の芸術祭の作品に接してはじめて感じられるもので、理屈の問題ではありません。私は蔡國強や川俣正の仕事を見ると、毎回この開放感を感じます。彼らの仕事は脱芸術の方向に向かっていると私は見ています。

脱芸術というのは、既成の芸術の呪縛からの開放を志向する芸術です。かつて反芸術という言葉が登場しました。日本でも一九六〇年代の前半に頻繁に使われました。周知のようにその発端はダダです。『反芸術』(編2)の著者であるハンス・リヒターが来日して、一夕かれの話を聞く機会がありましたが、ポップ・アートとダダは違うと力説していたのを覚えています。

私のいう脱芸術は反芸術ではありません。それは既成の絵画や彫刻の形式への反抗ではなく、できるだけ既成の芸術についての価値観、展示のあり方、それへの接し方などから解放される方向を目指す仕事です。

田島征三《学校はカラッポにならない》二〇〇九年

編2　ハンス・リヒター『ダダ——芸術と反芸術』針生一郎訳、美術出版社、一九六六年
Hans Richter, *Dada, Kunst und Antikunst: der Beitrag Dadas zur Kunst des 20. Jahrhunderts*, DuMont Schauberg, 1964.

都市環境のどのような美術施設でも、大地の芸術祭でのような美術の変化を実現できなかったことは、注目すべきだと思います。美術館から外に出た企画としては、個人の住宅に作品を展示するという試みが、ドイツのキャスパー・ケーニッヒによって火をつけられて以来、日本でも見られるようになったけれども、それはあくまで展示場としての住宅でした。展示場の拡張です。

大地の芸術祭も、はじめは非都市環境での野外美術展として見られていたと思われます。私も最初はいくぶんそのように感じていました。しかし、展示空間、あるいは展示環境は作品にとって受動的ではなく、逆に作品に大きな、ときには決定的な影響をあたえるということを知りました。私はこの傾向が増進されることを期待します。私の脱芸術という発想もこの大地の芸術祭から生まれました。

4

と、ここまでこの企画を全面的にサポートする文章を書いてきましたが、いくぶんの付言がないわけではありません。

それは反芸術が今日では芸術として公認されているように、脱芸術の動向も芸術として容認されるかもしれないということです。それほど、芸術という観念の呪縛力は大きい。

かつて、今日われわれが「芸術」と呼んでいるものは、長い間宗教と共生していました。共生というより一体化していたわけです。宗教になることによって、芸術

ダダン・クリスタント《カクラ・クルクル・アット・ツマリ》二〇〇六—〇九年

という名によって自立しました。この「芸術」の呪縛力の強さは絶大で、かつて共生していた宗教への寄与を宗教芸術という名で、芸術の支配下に引き入れました。私は「脱芸術芸術」などという名称の生まれないことを願います。

最後にひとこと。これはかなり大袈裟な話になるかと思いますが、大地の芸術祭はひとことでいえば農耕地域を土台にしています。いわゆる先史時代の狩猟生活の頃、人類は洞窟壁画や動物の骨や土による彫刻をつくり出しました。しかし、農耕時代になると農耕地域ではそういう行為はなくなりました。

大地の芸術祭へのもうひとつの関心は、こうした農耕地域と芸術といわれているものとの関連です。これは大地の芸術祭のみならず、世界に通用するテーマです。というのも、一九世紀以降、芸術は都市という通念が形成されてきたからです。パリを離れた印象派の画家たちの作品をパリで見るというのは、どういう皮肉というべきか。

しかし、過疎化は文明の問題であって、それに対し過疎化による空家を文化の領域に引き込むというのは、それはまたひとつの問題かもしれません。かつて廃品芸術という動向がありました。ルイーズ・ネヴェルソンの廃品家具を使った作品を私は評価していますが、大地の芸術祭の空家による作品は、廃品芸術の質的に新しい展開だと思います。

大地の芸術祭の第四回目を見て、私は本格的な芸術論が必要な時期にきたと思いました。

川俣正《中原佑介のコスモロジー》二〇一二年

解題

加治屋健司（美術史・美術批評史）／粟田大輔（美術批評）

第一章　社会のなかの美術［加治屋］

日宣美の問題（『電通報』一九五八年六月六日、六月九日）

日本宣伝美術会（日宣美）に関する文章。日宣美は一九五一年に発足したグラフィック・デザイナーの職能団体であり、日本を代表するグラフィック・デザイナーが名を連ねた。一九五三年に始まった公募による日宣美展は、若手デザイナーの登竜門として知られた。中原は、一九五六年の日宣美展の展評（「宣伝デザイナーの夢――日宣美展」読売新聞一九五六年八月一〇日夕刊）で、同展はデザイナーがスポンサーの制約から解放されて自分の主張を表現できるため、商業デザイナーの「理想」であり「夢」であると述べたが、二年後のこの文章ではその主張を撤回し、デザイナーは日宣美展に限らず、常に「スポンサー・フリー」の精神を持つべきであると論じる。中原は、日宣美が職能団体であると同時に芸術運動としての組織でもある点に矛盾があるとしたうえで、後者の方向を目指すべきだと主張する。針生一郎もその後、同様の指摘をしており（「どこへ行く日宣美展」『デザイン』一九六六年一〇月）、中原が指摘した日宣美の問題は、六〇年代半ばまでには共有されていたと思われる。日宣美は、一九六九年に日宣美粉砕共闘（多摩美術大学、武蔵野美術大学、青山デザイン専門学校の学生を中心とする団体）によって、不明確な審査基準、権力化、無思想性、商業主義の点で糾弾されて、翌年に解散した。

芸術のすすめ　これぞ大画家への道（『日本読書新聞』一九六一年九月二五日）

画家への助言という体裁で美術団体を揶揄する文章。美術団体無用論が唱えられるなか公募団体展に出品しようか迷っているNという画家に宛てた手紙の形式で書かれている。美術団体とは処世術団体であり、先輩画家にはお世辞を述べつつも、観客のことは考えずに唯我独尊で我が道を進むことを、中原は皮肉を込めて進言している。なお、この文章には行動美術展の佐藤真一《坐す人》と二科展の藤川栄子《ある》の図版が掲載されており、挑発的であったことがうかがえる。

美術団体無用論は、一九五〇年代には登場していたが（例えば、硲伊之助、福島辰夫、東郷青児が寄稿した「美術団体は無用か」読売新聞一九五二年一〇月一一日夕刊）、一九六〇年から六一年にかけて議論の高まりを見せた。『芸術新潮』（一九六〇年一一月）は「美術団体・崩れる秋」という特集を組んで美術団体の問題を指摘し、国立近代美術館（現東京国立近代美術館）事業課長で美術評論家の河北倫明は、公募展は「使命がなくなり、必然性が消えた」として、「美術界における意味はなくなるだろう」と書いた（河北倫明「団体公募展の時代は過ぎた」朝日新聞一九六一年四月五日）。瀧口修造は、美術団体が美術家の生活手段として必要なものになっている現状に一定の理解を示しつつも、画商によって支えられている欧米の作家の活動を参照しつつ、日本でも個展単位で活動するべきであると訴えた（瀧口修造「公募団体は無用か」読売新聞一九六一年九月二〇日夕刊。『コレクション瀧口修造』一〇（みすず書房、一九九一年）に再録）。岡本太郎は、二科会を脱退するにあたり、二科会が実力ではなく年功序列で運営を行っており、作家たちが切磋琢磨する「自由な戦いの広場」になっていないと批判した（岡本太郎「二科会脱退の弁」朝日新聞一九六一年八月二二日）。中原はその後、「前衛のゆくえ」（『美術手帖　美術年鑑一九六三』一九六二年一二月号増刊）、「公募展の問題」（『文芸』一九六五年一一月）、「美術団体の社会学的考察」（『美術手帖　美術年鑑一九六六』一九六五年一二月号増刊）などで美術団体の問題を考察したが、その後は長く論じることはなかった。一九六〇年代前半の美術団体無用論は、画壇に属さない前衛美術家の登場と軌を一にしており、その後、前衛美術家の活動が認知されるようになると、美術団体やその展覧会をわざわざ批判する意義が薄れていったと思われる。なお、本文に段落ごと字下げになっている個所があるが、これは原文のレイアウトを反映させたものであり、誤りではない。

「ロバの尻尾」論（『美術手帖』一九六三年四月）

ソ連のフルシチョフ首相が抽象絵画を批判した「ロバの尻尾」事件を考察した文章。一九五三年のスターリンの死後、フルシチョフが権力を掌握すると「雪どけ」の時代になり、米ソ間の緊張の緩和が見られた。文化においても統制が弱まり、ソ連の強制収容所の生活を描いたアレクサンドル・ソルジェニーツィンの『イワン・デニーソヴィチの一日』（一九六二年）の承認なども起こった。だが、一九六二年一二月、フルシチョフが抽象絵画の展覧会を訪れ、抽象絵画を「ロバの尻尾」で描いたようなものだと批判したのを機に、文化に対する統制が再び強まっていった。

中原は、フルシチョフらによる形式主義批判の背後にあるのは作家のイデオロギーを重視する考えであるが、それでは特定のイデオロギーを持ちさえすればよいことになり、社会や状況から離れて活動することになると指摘する。他方で、教条化した社会主義リアリズムを批判する画家や作家の見解も不十分とみなす。中原は、そのどちらにも与せずに、ポーランドの抽象画家やジャクソン・ポロックに注目し、彼らには近代的自我の自由に対する懐疑があると主張する。ソ連の社会主義リアリズムも、それを批判する若い作家も、ポロックらが追求した「芸術家の問題」に取り組んでいないと批判する。

中原は、一九六〇年九月、ポーランド・ワルシャワで開かれた第七回国際美術評論家連盟に日本代表として参加して以来、ポーランドの美術に関心を寄せており、上記の発言に至ったものと思われる。

戦争と美術についての断章（『季刊藝術』一九六九年一月）

戦争を描いた美術に関する文章。パブロ・ピカソの《ゲルニカ》（一九三七年）、ホアン・ヘノベス《叫び》（一九六七年）、ジャン・フォートリエ《人質》（一九四三–四五年）、ジョージ・シーガル《死刑執行》（一九六七年）［中原は一九六六年としているが、正しくは六五年から制作して六七年に完成］など二〇世紀美術を中心に考察しているが、ピーテル・ブリューゲル、アルブレヒト・アルトドルファー、レオナルド・ダ・ヴィンチ、ウジェーヌ・ドラクロワ、テオドール・ジェリコー、フランシスコ・デ・ゴヤ、藤田嗣治の絵画にも触れている。

中原はジョン・バージャーやジャン＝ポール・サルトルのピカソ論を参照しつつ、ピカソの《ゲルニカ》は、ゲルニカ爆撃の具体的な場面を記録的に描いたものではないが、表現形式が時代を刻印している点で記録性をもつと述べる。フォートリエ《人質》やジョージ・シーガル《死刑執行》にも、そうした記録性があるが、表現形式に時代の刻印としての記録性がない絵画は、道徳的な意図ばかりが目立つようになると批判する。中原は、過去の戦争はパノラマ的、鳥瞰的に描かれるのに対して、画家にとって身近な同時代の戦争はそのように描くことはできず、特定の場面が内省的に描かれると指摘する。ドラクロワやジェリコーは、ヒロイズムをもって描いたのに対して、ゴヤはヒロイズムではなく人間存在の問題を内省的に描いたとする中原は、藤田について、初期はヒロイズムをもって歴史画としての戦争画を描こうとして失敗したが、後期の《アッツ島玉砕》（一九四三年）には、それとは異なる側面があるとして一定の評価を与えている。

本論考が掲載された『季刊藝術』は、遠山一行、江藤淳、高階秀爾が編集同人、古山高麗雄が編集長を務めた雑誌で、一九六七年から一九七九年まで計五〇号が刊行された。本論考は、同誌の「戦争という文化」特集のために書かれた文章で、他の論考は、永井陽之助と江藤淳の対談「戦争と戦後」、高坂正尭「技術文明と戦争」、平川祐弘「日本海海戦――ファレールの比較文化論的考察をめぐって」といった、いずれも保守的な論調の文明論であった。

「タブローとパノラマ、二つの視座　市民社会と世界空間の発見」（『遠近法の精神史――人間の眼は空間をどうとらえてきたか』平凡社、一九九二年）

一八世紀末から一九世紀後半にかけてヨーロッパで流行したパノラマを論じた文章。パノラマとは、鑑賞者を取り囲むように周囲三六〇度に風景を描いた大画面の視覚装置である。中原は、技術的には油彩の絵画の拡張であるパノラマが、同時代の絵画といかなる関係を持っていたのかを考察する。パノラマが登場した背景には、一八世紀末から自然科学の発展と呼応しつつ絵画において正確さへの欲求が高まったこと、そして、フランス革命以後、一般の人々が絵画に接するようになったことがあると中原は指摘する。もともと人間には広い視野に立ってものを見たいという欲求があり、ブリューゲル、カミーユ・ピサロ、ギュスターヴ・カイユボット、ロベール・ドローネーなどの作品に見られるように、高いところから広い風景を俯瞰する絵画が描かれてきたが、パノラマは、俯瞰の視点ではなく、左右を広げる方法を採用し、専用の建物で興行して当時はかなりのリアリティを持つものとして知られたと論じる。こうした横長の構図は、ギュスターヴ・クールベの《オルナンの埋葬》（一八四九－五〇年）、ポール・ゴーギャンの《我々はどこから来たのか　我々は何者か　我々はどこへ行くのか》（一八九七－九八年）、フィンセント・ファン・ゴッホの《烏の群れ飛ぶ麦畑》（一八九〇年）などと共通しており、こうした絵画は、パノラマ的な視覚と関係していると主張する。また、絵の中心がなく細部が克明に描かれているアンリ・ルソーの《夢》（一九一〇年）も、パノラマとの共通点があるとする中原は、バルビゾン派など、一九世紀に風景画への関心が高まったことは、パノラマの流行と同様に、時代的な好みが反映していたのではないかと述べる。一九世紀的なパノラマの登場の背景には、フランス革命に象徴される大衆社会、そして、産業革命に象徴される科学技術の発展があったと述べて論を終える。

中原のパノラマへの関心は、本文でも言及されているロンドンのバービカン・アート・ギャラリーで一九八八年から八九年にかけて開催された「パノラマニア！　全てを見渡す眺めの芸術と娯楽」展だと思われる。本文に付されたパノラマの図版は全て同展覧会のカタログから取られている。

この文章は、一九九〇年に東京で行われた六名による六回の連続講座「人間の目は空間をどうとらえてきたか」の講演がもとになっている。中原の他は、佐藤忠良（彫刻家）、小山清男（図学）、中村雄二郎（哲学者）、若桑みどり（イタリア美術史）、神吉敬三（スペイン美術史）が講演した。講座を企画したのは、『広告批評』等を手がける宣伝企画会社のマドラコミュニケーションズであり、この講座の記録は『遠近法の精神史』としてまとめられ、一九九二年に平凡社から刊行された。

ヒトは洞窟の奥に何を見たのか（『草月』一九九九年四月）

中原は一九九六年から一九九九年にかけて『草月』で「ヒトはなぜ絵を描くのか?」と題して、一一名の美術家や学者と一〇回の対談を行った。対談相手は、田淵安一（画家）、河合雅雄（サル学者）、橘秀樹（音響工学者）、中沢新一（宗教学者）、若林奮（彫刻家）、梅棹忠夫（民族学者）、岩田誠（医学者）、片山一道（人類学者）、前田常作（画家）、李禹煥（造形作家）、木村重信（美術史家）であり、理系の研究者が複数含まれている中原らしい選択である。なお、この連載には中原自身による架空の対談四本も含まれている。本連載は『ヒトはなぜ絵を描くのか』（編著、フィルムアート社、二〇〇一年）としてまとめられた。

対談企画は、中原が『草月』編集部の誘いに応じて一九九六年七月にラスコーの洞窟画を見に行った後に始まった。題名にあるように、人間が絵を描く理由を考察する趣旨の連載であったが、話題の中心となったのは洞窟画であった。連載途中の一九九八年一一月に、中原は木村重信とアルタミラの洞窟画も見に行っている。

ここに再録したのは、連載の掉尾を飾る文章である。洞窟画が、洞窟の手前の明るい生活空間ではなく、奥の暗い非生活空間に描かれていること、大人が立てないほど低いところや高い天井など難しい場所に描かれていること、動物のみが描かれていること、洞窟画を描いたクロマニヨン人はすでに言語コミュニケーションを行っていたことなどから、中原は、洞窟画は、動物の創造主である超越的存在へのコミュニケーションのために書かれたのではないかと推察する。それは、ヒトが言葉とは異なるコミュニケーションの手段として絵を発明したことを意味する。洞窟に描かれた絵は創造主の言葉であるため、畏怖を感じさせるものだったのではないかと中原は述べて、本論考を終える。半世紀に亘って現代美術を見続けてきた中原は、晩年に美術の始原である洞窟画に立ち戻って、美術とは、神へのコミュニケーションの手段として発明されたものだと考えた。『大発明物語』（美術出版社、一九七五年、中原佑介美術批評選集第九巻に再録）を著した中原が、絵を「発明」と見なしたのも興味深い。

第二章　観客とコミュニケーション

絵画とコミュニケーション（『Gallery』一九五八年一〇月）［粟田］

雑誌『Gallery』（ギャラリー社）に掲載された文章。イギリスの動物学者ランスロット・ホグベンの『コミュニケーションの歴史』（原題は *From Cave Painting To Comic Strip: A Kaleidoscope of Human Communication*）で「絵画のことが、まったくきれいさっぱりとりあげられていなかった」ことに注視し、「絵画のイメージ」と「コミュニケーション」の関係について述べている。

中原は「芸術の価値をコミュニケーションの受容量の多寡によってのみ割り切ってしまうほどの大胆さをもちあわせない」と前置きしつつ、「創造にあたって、コミュニケーションということを全然視野に入れなければ、描くことが、それ自体で抽象化され自己目的化されてしまう」と述べ、一方で絵画とは対照的に「マンガ」や「サシ絵（イラストレーション）」についても「コミュニケーションの成立という土台の上にたって、イメージを自足的なものにしてしまっている」と批判している。そのうえで「コミュニケーションということばはたんに手段として介在するのでなく、イメージということと、わかちがたくむすびついている」と主張しており、美術の実用性の回復をめぐっても、創造と享受の連関（はしわたし）の上で「コミュニケーションをイメージのひきおこす化学反応の促進ルートとしてとらえること」の重要性を唱えている。

「創造」という問題については、中原はデビュー批評となった「創造のための批評」（本選集第一巻所収）でテーマとしている。同論考が「批評は作家の創造の秘密を説明するにとどまらず、それを変革するためのものでなければならない」というように、「創造と批評」の連関をめぐり批評家の立ち位置を問うていたのに対し、本文では「批評」を「コミュニケーション」へと置き換え、創造という営為をめぐり芸術家（創作者）の立ち位置を問うている。

絵画と大衆との接点（『現代絵画への招待』南北社、一九六〇年）

針生一郎編『現代絵画への招待』に収録されたルポルタージュ。原文は「批評的ルポルタージュ　大衆とタブローとの接点」と題し、無記名で『美術手帖』（一九五八年六月）に発表された（漫画挿絵は久里洋二が担当）。針生と佐々木基一の間でなされたタブローをめぐる論争をきっかけに、中原は「問われなければならないのはタブロー画家の運命ではなく、現代における芸術の状況そのもの」と提起し、当時の絵画の置かれていた状況（具体的な物的証拠）を示している（なお針生による同著「はしがき」には次のように記されている。「最近の映画におこっている《ヌーヴェル・ヴァーグ》、文学での《アンチ・ロマン》、演劇での《アンチ・テアトル》、音楽での《ミュージック・コンクレート》や《電子音楽》――それらの動きだって、二十世紀初頭いらいの絵画の変革をつらぬく精神をつかまえなければ、理解できない」。一方で「絵を描く人、美術館や展覧会や複製で絵をみる人、絵を買う人はぼう大にふくれ上っている。それなのに、多くの人がまだ、近ごろの絵はわからない、自分たちの生活からかけはなれている、と感じていることもじじつ」としたうえで、「みる側が「自分にはわからない」という偏見をすてて、虚心に絵と対話することが必要であるとともに、作る側が「わからないところがいいのだ」という甘えをすてて、画面をとおして観衆と対話することが必要」として、第一線にある画家、批評家、文学者、音楽家などのエッセイをあつめた）。

まず個展・グループ展の増加現象について、東京・大阪の主な画廊約二〇あまりの「最近五年間の個展・グループ展の相対的変動」（原文ではグラフも添付された）を示し、戦後美術界において個展やグループ展の増加が「美術ぜんたいの活力源」になった点を評価しつつも、「タブローと観衆の接触」からみると「画廊は喧騒な都市の盲点みたいな場所に化しつつある」と述べている。またアマチュア画家や日曜画家の急激な増加もその関連と見て取り、「タブロー画が鑑賞されるものから、各自がみずからのために描き、たのしむものに変身しつつある」状況も指摘している。

そのうえで「絵画の社会的機能を通じて大衆との接触を回復しようとする」作品や「マスコミを通じてより多くの観衆を得ようとする」作品として、岡本太郎のタイル壁画、河原温の「印刷絵画」、池田龍雄や真鍋博の漫画を挙げているが、これらを一括して論じる佐々木や針生に対し、「建築のように機能的なものは、その実用性、鑑賞の集団性という要素、一方で、マンガ、挿絵などは、伝達の個別化、細分化という要素から追求すべき」と「ふたつの要素」を区分して検討する必要性を唱えている。なお、本文では「記録芸術の会」（「現在の会」を吸収して一九五七年に発足）の公開討論会での佐々木と安部公房のやりとりに触れているが、中原も後に「記録芸術の会」の会員でおこなった「座談会 ジャンルの綜合化と純粋化」（『季刊現代芸術Ⅲ』一九五九年六月）で「映像・タブロー」をめぐり佐々木と議論を交わしている。

本文のほかに中原は当時「ルポルタージュ」として、「〈ルポルタージュ〉画家でない人たち」（『美術批評』一九五六年三月、本選集第三巻所収）、「科学的糞尿譚 東京の排泄物」（『綜合』一九五七年七月）、「〈ルポルタージュ〉絵では食えない新人」（『藝術新潮』一九五九年七月）、「〈ルポルタージュ〉児童画をめぐる混乱」（『藝術新潮』一九五九年九月）、「〝ほんものの油絵〟批判――国際具象画展」（『藝術新潮』一九六〇年五月）などを記している。こうした「ルポルタージュ」形式や「美術の大衆性」の検討といった内容の選択の背景には、中原が会員に名を連ねていた「現在の会」（安部公房らが発起人となり一九五二年に結成、中原は五六年に入会）や「記録芸術の会」の影響が見られる。

アメリカ版「空想美術館」「ライフ・百万人の名画展」というダイジェスト美術（『藝術新潮』一九六〇年八月）

『藝術新潮』に掲載された複製美術論。中原の文章と合わせ、「百万人の名画「ライフ・イルミネーション」展は大衆に芸術の何をつたえたか」というアンケートに対する回答（宮本三郎の「不安定な「複製」」、荒正人の「もう一つの絵画の未来」、末松正樹の「感動のない「名画展」」、井上長三郎の「美術と大衆」、中山公男の「選択への疑問」）も掲載された。「ライフ・イルミネーション 百万人の世界名画展」（原題は「Illuminations of Fifty Great Paintings」）は一九五六年一一月二一日にメトロポリタン美術館で公開され、全米各地の美術館を巡回したが、日本では六〇年五月から六一年三月まで東京、大阪、京都、横浜の高島屋を巡回した。日本展での開催に際し刊行されたカタログには、LIFE発行人のアンドリュー・ハイスケル（Andrew Heiskell）ならびに嘉門安雄が巻頭言を寄せている。また東芝が照明を担当し、照明状況について紹介した記事が『東芝レビュー』第一五巻第七号に掲載された。

中原は当時見られた「ダイジェスト文化時代」を受けて「絵画の「複製」もまた、絵画の「ダイジェスト」だ」と唱え、ジャン・カスーやルイス・マンフォードの「複製」に対する解釈などに触れつつ、美術書やカラースライド、美術映画も含め、「複製」に見いだされる自律性や大衆性（芸術利用の民主化）を積極的に評価している。そのうえで「イルミネーション展」について「これまでの「複製」とちがった意味で、美術の大衆化の可能性を含んでいる」と評しているが、結局のところ「名画の伝達という機能主義を越えていない」として「複製」を採りあげることの批評性を欠いている点を批判している。中原は「複製」においては「それを採りあげる意図の方法のなかに批評という観点が介在しているかどうかにかかっている」と唱えており、「複製」の集積によって押しだされる「観念的なもの」を重視し（中原はアンドレ・マルローの「空想美術館」に「複製」を採りあげることの批評性を見ている）、「「複製」は「観念の美術館」を大衆のなかに形成するものでなければならない」と結んでいる。

なお河原温の「印刷絵画」にも言及しているが、中原は本文で「複製」と「印刷絵画」を区別している。中原によれば「「複製」は加工してあるにせよ「原画」から出発している」。それに対し「河原の場合、加工される以前の原料といったものは存在しない。量産されたものそれ自体がオリジナルなのである」とし、「印刷絵画」に「一点主義の否定」

を見て取っている。こうした見解には、河原によるテキストの影響が見られる。河原は『美術手帖』(一九五八年四月)に「「原画一点」への疑問」と題した論考を寄せている。また『美術手帖』臨時増刊「特集 絵画の技法と絵画のゆくえ」(一九五九年三月)に「印刷絵画」についての文章を記しており(I.印刷絵画の発想と提案、II.印刷絵画の技術)、「複製」と「印刷絵画」の違いについて、「複製」は「原画と同じにはなれない」のに対し、「印刷絵画」は「一点一点が全部本物であり、芸術作品である」と区分した一覧表も示している。

ハプニング 体験としての芸術(『美術手帖』一九六八年八月)

『美術手帖』「特集 ハプニング」に掲載されたハプニング論。同特集では他に、秋山邦晴の「ハプニングの歴史と世界のハプナーたち」が掲載された。アラン・カプローの言葉(Allan Kaprow, "A Statement," Michael Kirby, ed., *Happenings: An Illustrated Anthology* (New York: E.P. Dutton, 1965))やカプローの著書『アセンブリッジ、エンヴァイラメンツ、ハプニングス』(Allan Kaprow, *Assemblage, Environments & Happenings* (New York: H.N. Abrams, 1966))を踏まえて「ハプニング」の動向について述べているが、同著の配列が「アセンブリッジ、エンヴァイラメント、ハプニング」であることに対し(「カプローのアクション・コラージュにはじまり、部屋全体への拡張、さらにそれに人間の行為が直接加わったハプニングという、かれ自身の思想の発展」)、順序を入れ替えて「アセンブリッジ、ハプニング、エンヴァイラメントとすべき」と唱えている。

中原によれば、カプローの(初期の)ハプニングは「観客の参加ということを想定しているとしても、あくまで芸術家が中心であり、芸術家の肉体と行為が中心となっている」。また、(アントナン・アルトーの「残酷演劇」とハプニングを結びつけた)スーザン・ソンタグの「ハプニング——ラディカルな併置の芸術」(Susan Sontag, "Happenings: An Art of Radical Juxtaposition (1962)," *Against Interpretation and other Essays* (New York: Farrar, Strauss & Giroux, 1966))を参照しつつ、「演ずるものと見るものという演劇の構造」も見られるという(なお、秋山邦晴は「アラン・カプロー——行為の芸術学か、行為の政治学か」(『美術手帖』「明日をひらく芸術家・6」一九六九年七月)の中で、ヘンリー・ゲルツァーラーの「ハプニングス 画家たちによる演劇」(Henry Geldzahler, "Happenings: Theatre by Painters," *The Hudson Review*, Vol. 18, No. 4 (Winter 1966)に言及しているが、中原もまた直接の言及はないもののゲルツァーラーの論考を踏まえていると見られる)。

一方、一九六〇年代後半のハプニングになると「ハプナーと観客をより同じ次元に置こうとする傾向が見られる」が、中原は「プライマリー・ストラクチャーズ」展(一九六六年)を企画したキナストン・マクシャインのテキストを引用しつつ、ジェフリー・ヘンドリックスの《青空》(一九六八年)

やロバート・ホイットマンの《Wavy Red Line》（一九六七年）、チェベ・ファン・タイエン（Tjebbe van Tijen）の《シグマ計画（Sigma Projects）》（一九六七年）、さらにクレス・オルデンバーグの「計画されたモニュメント」にその傾向を見ている（オルデンバーグの「計画されたモニュメント」については、中原は『SD』（一九六八年七月）に寄稿した「アイディアの自立」でも述べている）。加えて、視覚芸術探求グループ（Groupe de Recherche d'Art Visuel）やE.A.T.（Experiments in Art & Technology）も含め「プライマリー・ストラクチャーにしても、光の芸術にしても、その他、観客の存在をまるごと意識した動向は、ハプニングによってクローズ・アップされたアクションが土台のひとつになっているだろう」と見て取り、「ハプニングが生まれることによって、われわれはエンヴァイラメントという思考に達したといえる」と結んでいる。なお「ハプニングの立役者はアクションだったが、そこにコミュニケーションというもうひとつの大問題が加わることによって、人間と物質の関係はあたらしく組み直されなければならなくなった」と述べられているように、中原は新たにコミュニケーションの問題が付け加わっていることに注視している。こうした本文での視点は「人間と物質」展のテキスト（本選集第五巻所収）にも通じている。

中原は、一九六八年四月に草月会館ホールで五日間にわたって行われたシンポジウム「なにかいってくれ、いまさがす」の企画構成に携わり、第一日目の討論に参加している（企画構成には他に、松本俊夫、針生一郎、東野芳明、川添登、粟津潔（代表）が名を連ねた。同シンポジウムの記録は『デザイン批評』第六号「特集 万博と安保・ＥＸＰＯＳＥ・１９６８全記録収録」（一九六八年七月）に掲載され、中原は「第一日報告　変わった？　何が」と題した文章を寄稿している）。また新宿の街頭で中継されたテレビの「ハプニング・ショー」は、一九六八年五月一八日に放映された「木島則夫ハプニングショー」と見られる。

大衆を包みこむ芸術（『週刊サンケイ』一九七〇年四月）

『週刊サンケイ』「特集　ＥＸＰＯ'70の記録」に掲載された大阪万博に対するエッセイ。同特集では「手を結ぶ科学と芸術」という枠で、ほかに「未来を予言する現代の科学〈対談〉加藤秀俊・立石一真」、「サイエンス芸術のあけぼの〈対談〉磯崎新・一柳慧」、浜口隆一の「未来都市のパノラマ」が掲載された。中原は、大阪万博に「環境芸術」あるいは「集団主義」のあらわれが見られる点について記している。

具体的に「みどり館」のアストロラマ（アストロ（天体）とドラマ（劇）の合成語で、谷川俊太郎の脚本、黛敏郎の作曲による「誕生」と「前進」が上映）をはじめ、お祭り広場や曜日広場に置かれた彫刻（高松次郎《遠近法による広場》（日曜広場）、伊原通夫《PASSAGE》（月曜広場）、山口勝弘《フレーム構造と光りの立体》（火曜広場)、榎本健規《東西南北》(水曜広場)、福島敬恭《BLUE》(木曜広場)、三木富雄《耳》(金曜広場)、井上武吉《おさら》(土曜広場))、さらにエキスポランドに触れ、「万国博全体が、ひとつの途方もなく大きな「環境芸術」といえなくもない」と述べている。なお中原は、曜日広場と水ましの池に設置する彫刻の選定にあたって、丹下健三、佐藤昌、今泉篤、乾由明、東野芳明らと選考審査を務めた。また池周辺には「国際鉄彫刻シンポジウム」(日本鉄鋼連盟、毎日新聞社)の参加作家一三名による鉄彫刻が設置されたが、中原は同シンポジウムの諮問委員も務めている(曜日広場の彫刻などについては『日本万国博覧会公式記録 第3巻』(日本万国博覧会記念協会、一九七二年)を参照。「国際鉄彫刻シンポジウム」については『国際鉄彫刻シンポジウム 一九六九—七〇』(毎日新聞社、一九六九年)に詳しい。同カタログには本選集第六巻所収「鉄彫刻の意味」が掲載された)。

他方、ルーチョ・フォンタナや視覚芸術探求グループの動向にも触れているが、彼らについては「芸術の環境化と環境の芸術化」(本選集第五巻所収)などで言及しているほか、『美術手帖』臨時増刊「手帖小事典・現代美術家事典」(一九六九年一二月)でも解説文を担当している(同号の事典作成にあたり、中原は針生一郎、東野芳明、藤枝晃雄とともに編集委員として参画した。また「視覚芸術探求グループ」については「パプニング体験としての芸術」(本章所収)でも結成マニフェストを引用している)。加えて「ゴーゴーで一躍有名になったディスコテーク」にも言及しているが、中原は当時「電気的環境」と称された動向について「サイケデリック・デザイン——その流行と本質の解明」(『季刊クリエティビティ』一九六八年四月)と題した文章を記している。同文ではサイケデリック・アートの動向としてグループ「USCO」「USCO(US company)」の活動や宣言文を取りあげ、「USCOの「電気的環境のなかで部族的太鼓を打ち鳴らす」、あるいは「サイケデリック・デザイン」におけるグーテンベルグの活字の無視といった言いかたから、直ちに連想されるのは、かのマクルーハンであろう」というようにマーシャル・マクルーハンとの関係に言及している。

本文での「集団主義」という言辞には、中井正一の影響も見られる。中原は一九六〇年一月一一日付の『日本読書新聞』に寄せた中井正一の『美学的空間——機能と実存と組織の美学』(鈴木正編、弘文堂、一九五九年)の書評で、「著者がもっとも力をつくして説いているのは、「個人主義」美学から、「集団主義」美学への転換ということにある」と記している。また、本文にある「環境とはただ人間をとりかこむ空間というだけでなく、人間とさまざまなものの千差万別の相互作用の全体である」といった見立ては、中原による企画構成のもとで、大阪万博開催期間中の一九七〇年五~八月に開催された「人間と物質」展のテキスト(本選集第五巻所収)に通じている。

第三章　展覧会の時代［加治屋］

「展覧会の時代」とは何か?」（『手帖小事典・現代美術家事典』（『美術手帖』一九六九年一二月増刊））

『手帖小事典・現代美術家事典』のために書かれた文章。同書は、一九六〇年代の美術の動向を紹介する『美術手帖』の増刊号で、中原、針生一郎、東野芳明、藤枝晃雄が編集委員を務めている。大項目として、「アセンブリッジ」「ハプニング」「ニュー・リアリスト」「ニュー・アブストラクション」「オプティカル・アート」「プライマリー・ストラクチュア」「ミニマル以後」「芸術とテクノロジー」「イメージとことば」「コンテスタシオン」などを取り上げ、項目ごとに主要な展覧会を挙げて重要なものに解説を付し、さらに参加作家を紹介している。

中原は、展覧会が、単に作品を集めて展示することだけでなく、何をどのように展示するかという企画の観点が重要になったと述べ、今は「展覧会の時代」であると記す。実際、プライマリー・ストラクチャーなどの美術動向の名称が展覧会をきっかけに生まれており、また、動く芸術など美術分野の歴史化作業も展覧会が担うようになったと述べる。中原は、美術館の役割の変化を肯定的に捉えつつも、他方で、美術がもっぱら美術館によって決定されることに対する疑問も提示しており、美術は展覧会と不可分なのか、展覧会の限界とは何か、展覧会と不可分に結びついた美術の限界とは何かについて考察する必要性を指摘している。

中原が論じているのは、今日の言葉で言えば「キュレーション」の問題である。ただし、美術館のもつ「一種のプロモーターとしての機能」という表現に表れているように、中原が関心を持ったのは主に展示内容であって、作品の配置など展示構成には言及がないことにも注意する必要がある。「展覧会の時代」については、後に針生一郎、峯村敏明との座談会でも考察している（中原佑介・針生一郎・峯村敏明「「展覧会の時代」以後の展覧会と美術」『美術手帖』一九七六年二月）。

「新しいものの歴史　苦悩するアメリカ絵画」（『藝術新潮』一九七〇年三月）

一九六九年一〇月から一九七〇年二月にかけてニューヨークのメトロポリタン美術館で開催された展覧会「ニューヨークの絵画・彫刻、一九四〇―七〇」に関する文章。一九六九年秋に展覧会を見た中原は、同展が現代美術を歴史にした点で決定的な意義があると述べる。なかでもアメリカの現代美術は「新しさ」によって特徴づけられているが、「新しいもの」を「歴史」として意識している点が画期的であるとする。こうした試みの背景として、アメリカ美術史を打ち立てようとする動きや、アメリカ現代美術に対する国際的評価が確立しつつある状況を指摘しつつ、中原は、アメリカ美術史には独自のリアリズムとプリミティヴィズムがあり、それらが戦後の美術にも表れていると論じる。ただし、中原は、こうしたアメリカ美術の独自性（中原は「描くことへのオプティミズム」とも呼ぶ）は抽象表現主義の絵画において無効となっており、だからこそ、それを歴史の中に見出そうとしているのではないかと述べる。同展は、一九七〇年までのアメリカ美術を「歴史」として捉えて一区切りを付けるものであるが、現在起こっている様々な問題を全て歴史化することはできないだろうと述べて本論を終えている。

「ニューヨークの絵画・彫刻、一九四〇―七〇」展は、メトロポリタン美術館開館一〇〇周年を記念して、同館初の現代美術部門のキュレーターであるヘンリー・ゲルツァーラーが企画したもので、アメリカ現代美術を回顧する本格的な展覧会として大きな話題を呼んだ。『藝術新潮』が多くの写真とともに中原の長文を載せたのに対して、『美術手帖』は、一九七〇年一月号で「ニューヨーク　芸術とその環境」という特集を組むものの、展覧会が扱っていないニューヨークのアンダーグラウンド文化を中心に紹介しており、同展については、同号の「世界の動向」欄で東野芳明が短文を寄せているだけで（東野芳明「四十二作家の現代美術一堂に」『美術手帖』一九七〇年一月）、その扱いは小さかった。当時の『美術手帖』編集部の反骨精神をうかがわせる選択である。

「再生と方向　報告　ヴェネツィア・ビエンナーレ一九七六」（『美術手帖』一九七六年一〇月）

一九七六年のヴェネチア（ヴェネツィア）・ビエンナーレの報告。一九六八年に開催された第三四回ヴェネチア・ビエンナーレは、学生運動が世界的に高まるなか、学生から保守的な制度だと批判や攻撃を受け、また参加作家の一部もそれに同調して出品を辞退するなどして紛糾した。それを受けて、一九七〇年と一九七二年は賞制度を撤廃して開催したが、一九七四年は抜本的な改革を目指して開催が見送られた。ビエンナーレの運営委員会は四年単位の活動とする案を採択し、一九七四年から一九七七年までを最初の四年間として、各種の催し、シンポジウム、討論会などを開くことにした。ビエンナーレの基本的な性格として、①観客を主役とすること、②反ファシズムの立場に立つこと、③祝祭的・観光的な催しをやめて継続的活動を中心とすること、④ヴェネチアに限定せずヴェネト州全域で行うことを定め、内容として、①絵画、彫刻、写真、グラフィックその他、②建築、都市計画その他、③情報、マス・メディアその他、④映画、テレビ、⑤演劇、⑥バレエ、コンサートその他を扱うことにした。分野ごとに専門委員会をつくり、委員会がその分野の催しを決定することになったが、ジャルディーニ(カステッロ公園)には各国のパヴィリオンがあるためコミッショナーによる国別参加も継続して行うことになり、委員会企画と国別参加の二本立てとなった。一九七六年は視覚芸術部門と建築部門をあわせて「環境」というテーマのもとに開催されることになり、最終的に「環境・参加・文化構造」になった。そのなかには一三の企画があった。ジャルディーニの各国のパヴィリオンの展示は「環境と参加」と呼ばれ、中央展示館(旧イタリア館)では「環境／芸術、一九一五―七六」、「社会としての環境」、「スペイン、芸術の前衛と社会的現実、一九三六―七六」の三つの展覧会が開かれた。とりわけ「環境／芸術、一九一五―七六」はジェルマーノ・チェラントが企画し、室内環境と結びついた作品を歴史的に考察する展覧会で、作品の再制作も含む興味深い企画であった。「スペイン、芸術の前衛と社会的現実、一九三六―七六」は、反フランコの立場に立ったスペインの現代美術展であった。旧ジュデッカ造船所で開かれた「国際的動向、一九七二―七四」は前回のビエンナーレ以後の国際的な美術動向を浮かび上がらせるものであった。

中原は、ビエンナーレの新構想について、ヴェネチアという場所の現実を離れて国際的に展開してきたこれまでの活動を反省して、ヴェネト州全域に広げる点で「一種の土着化の方向」があるとした上で、国際性を「反ファシズムの立場での連帯」という形で盛り込んでいると述べる。また、それまでイタリアとパヴィリオンを持たない国々の作品を展示していた中央展示館が企画展の会場となったことで、パヴィリオンを持たない国々が国別参加に加われなかったことに疑問を呈している。

中原はこのときのビエンナーレの日本館のコミッショナーを務め、篠山紀信の写真《家》のパネルを一三二枚展示した。会場構成は磯崎新によるものである。中原は本論考の中で、アメリカ、オランダ、イギリス、ドイツ、デンマークなど各国のパヴィリオンの展示について寸評を寄せている。中原は「環境」というテーマは広すぎて展示が多種多様なものとなり、観客は戸惑いを感じるのではないかと述べ、もう少し限定度の強いテーマがよかったのではないかと主張する。

中原が最も紙幅を割いて論じたのが「環境／芸術、一九一五―七六」である。この展覧会は、①一九一五年から一九四五年まで、②一九四五年から一九六〇年代後半まで、③一九六〇年代後半から現代までの三つの時期に分けているが、③の展示は、一三人の美術家による新作である。歴史的に振り返るだけでなく、環境に取り組む現在の実験的な芸術が登場した文脈を示す展示であり、中原は「いろいろな考察を誘発する好企画」であると評価している。

ビエンナーレは、四年に一度の継続的活動とされたが、実際は二年後の一九七八年に開かれて従来通りの間隔に戻り、一九八六年には賞制度も復活した。ただし、中央展示館での企画展は継続されるなど、このときの改革の成果で今も続いているものがある。本論考は、一九六八年のビエンナーレの紛糾を経て改革を試みたときの報告として貴重である。中原は、一九七五年一月の『美術手帖』にビエンナーレ改革の途中報告を書いている（「ヴェネチア・ビエンナーレ再生への課題」『美術手帖』三八九号（一九七五年一月）、一一八－一一九頁）。なお、中原は、一九七八年にも日本館のコミッショナーを務め、榎倉康二と菅木志雄を選んでいる。

「西の文化の現在」（『読売新聞』（大阪）一九八二年一〇月二三日夕刊）

読売新聞大阪本社版の文化欄に掲載された文章で、関西や西日本の美術について論じたもの。神戸市で生まれ育った中原は、美術出版社の美術評論募集（現芸術評論募集）で一席になった後、一九五六年春に上京し、東京に居を構えた。一九七九年に京都精華大学教授となって一九八〇年には学長に就任し一九八三年まで務めたが、その間、東京や神奈川に住んだ。

本論考の冒頭で中原は、「西」の美術家として北山善夫を高く評価する。竹を用いた北山の仕事は「西」的であり「日本的」とも言えるが、中原の興味は「西」を超えたところにあると述べる。北山については、中原は、一九八一年に『読売新聞』や『芸術新潮』で高く評価し（「北山善夫展」『読売新聞』（大阪）一九八一年六月三〇日夕刊、一一面、「紙、竹、木のレリーフ　北山善夫」（『芸術新潮』三八〇号（一九八一年八月）、一二頁）、草月ギャラリーの個展（一九八三年五月）やカサハラ画廊の個展（一九八九年二月）の小冊子にも文章を書いている。北山は、谷新コミッショナーのもと、彦坂尚嘉、川俣正とともに、一九八二年の第四〇回ヴェネチア・ビエンナーレの日本代表を務めたが、北山を選んだのは事実上中原だったと北山自身が述べている（北山善夫オーラル・ヒストリー、青木正弘と坂上しのぶによるインタヴュー、二〇一二年三月二〇日、日本美術オーラル・ヒストリー・アーカイヴ（URL: www.oralarthistory.org））。

中原は、現代美術の新人は「西」よりも東京のほうが多いが、新聞で採り上げられる現代美術の個展は、「西」のほうが多いのではないかと述べる。しかし、それが東京にもたらされないことに不満を述べる。かつて「西」は、具体美術協会や走泥社、パンリアルなど様々な美術団体が活発に活動していたが、現在は東京よりも沈滞していると指摘する。「西」だけに閉じない活動が重要であり、そのために大阪に「「西」を超えた「西」のための現代美術館の設立」が不可欠であると論じる。

　当時の読売新聞大阪本社は美術欄が充実していた。建畠晢、中村敬治、中島徳博、山脇一夫、少し遅れて篠原資明などが健筆を振るい、関西の美術の振興に貢献した。実際、一九八二年頃から関西の若手作家の活躍が目立ち始め、一九八〇年代は、関西のほうが関東よりも現代美術が活発となり、「関西ニューウェーブ」といった呼称も生まれた。中原の文章はその直前の関西の美術界の雰囲気を伝えるものとして興味深い。

　なお、現代美術館の設立に関して、中原が特定の美術館の構想や計画を念頭に置いていたかどうかは不明である。一九七九年に新潟県長岡市の長岡現代美術館が閉館したため、東京以外の地域に現代美術の美術館が設立されることを望んでいた可能性はある。また、一九七〇年の日本万国博覧会（大阪万博）のときに作られた万国博美術館を大阪府立または国立の現代美術館にしようという動きが関西の美術家の間にあり、一九七七年に国立国際美術館が設立されたが、同館は設置目的上、現代美術を専門とする美術館ではなかったことも背景にあったかもしれない。

「現代美術の位置」（水戸芸術館現代美術ギャラリー編『作法の遊戯—'90春・美術の現在 vol. 1』水戸芸術館、一九九〇年）

　一九九〇年に水戸芸術館の開館記念展として水戸芸術館現代美術ギャラリーで開催された展覧会のカタログに書いた文章。

　同展は、一九八〇年代に注目され一九九〇年代も展開が期待される二三名の美術家の作品を展示した展覧会である。二期に分かれ、第Ⅰ期は三月二二日から五月六日まで開かれ、青木野枝、大竹伸朗、川島慶樹、川俣正、関口敦仁、戸谷成雄、中原浩大、平林薫、福田美蘭、宮島達男、矢野美智子が出品した。第Ⅱ期は五月一九日から七月一日まで開かれ、秋山陽、荒敦子、上野慶一、神山明、國安孝昌、坂口正之、千崎千恵夫、仁科茂、西村陽平、橋本真之、増田聡子、吉澤美香が出品した。

　中原は、本展は作品の「位置」の多様性に焦点を当てた企画であると述べる。中原によれば、作品の「位置」とは、「日常的な生活感覚」との距離のことである。この距離に対しては、それを飛び越える態度とその距離に固執する態度の二つがありうるとする。前者は生活から美術を切り離して美術だけを見る態度であり、そこで議論されるのはもっぱら作品の形態と様式の多様性である。後者は、生活感覚とそれに由来する美術への相対的な視点とを持ちながら美術を考察する態度であり、中原はこちらの態度を選ぶ。それぞれの美術作品が生活に対して持つ距離が多様であることを認識することになる。中原によれば、現在の美術作品はこうした位置の多様性を感じさせるが、作品が過去のものとなるにつれて、この多様性は見えにくくなり、もっぱら文化遺産として位置づけられるという。中原は、この展覧会は文化遺産としての美術を見せるものではなく、現代美術の「位置の多様性」を感知させて「美術の現在」を示すものだと述べる。

最後に触れられている「写真やテレビなどの映像を用いた作品」の展覧会とはおそらく、一九九〇年七月一四日から八月二六日まで開催された「脱走する写真――一一の新しい表現」展を指している。同展には、森村泰昌、コンプレッソ・プラスティスコ、アイデアル・コピー、ソフィ・カルなどの作品が展示された。

当時中原は水戸芸術館の美術部門の芸術総監督を務めていた。水戸芸術館は、美術、音楽、演劇の三部門があり、音楽部門は音楽評論家の吉田秀和が、演劇部門は演出家の鈴木忠志が芸術総監督を務めており、吉田は館長も兼任していた。開館後まもなく中原は吉田と対立し同年九月半ばに辞任したため、わずか半年で芸術館を去ることになった。

「展示とのたたかい」（宇都宮美術館編『モダニズムの至福のとき――いわき市立美術館名品展』宇都宮美術館、二〇〇二年）

二〇〇二年九月一五日から一一月四日にかけて宇都宮美術館で開かれた「モダニズムの至福のとき――いわき市立美術館名品展」のカタログに発表された文章。

中原は、一九六〇年代は美術館の時代と言われたことがあると述べる。美術館が同時代の美術を取り上げて、ひとつの動向として提示したからである。それによって、一九六〇年代の動向は整理されて各動向の特徴が際立つようになったと指摘する。それと同時に、一九六〇年代は美術館での展示が問われ始めた時代でもあったと中原は述べる。美術館での展示とは、近代美術を成立させる根本的要素であったが、一九六〇年代は、自己破壊するティンゲリーの作品、建物などを梱包するクリストの発想、印刷メディアでの発表に適した概念芸術など、美術館での展示から作品を解放するような動きが出てきたからである。今では、展示とは美術作品が独占するものではなく、人々にものを見せる一般的な形式であるという認識が定着しつつあると論じる。

また、アート・フェアは展示が重要な役割を担っているが、ヴェネチア・ビエンナーレやドクメンタなどの国際展は、一過性の催しで、展示に適さないものも展示されており、展示からの離脱の方向を示していると中原は指摘する。オクウィ・エンヴェゾーがコミッショナーを務めた第一一回ドクメンタは写真や映像が多く、複製可能で展示しなくてもよいものも集めており、中原は「一品制作という神話」

を壊して「美術の展示性」を否定している展覧会として注目する。中原は、展示を前提としない美術作品が増えてきた現在、美術館は展示をどのように考えるべきかと問題提起する。

中原は、一九六〇年代から七〇年代にかけて、「「展覧会の時代」とは何か?」（一九六九年、本巻所収）や針生一郎・峯村敏明との座談会「「展覧会の時代」以後の展覧会と美術」（本巻所収「「展覧会の時代」とは何か?」解題を参照）で、「展覧会の時代」という表現を用いている。「美術館の時代」という言葉は、一般に、一九六〇年代よりも一九七〇年代から一九八〇年代半ばにかけての時代を指すことが多く、美術館の建設が相次いだことに関してしばしば使われている。中原は、「美術館の時代」という言葉を用いながら、美術館の建設などではなく、もっぱら美術館の企画や展示について考察しており興味深い。

いわき市立美術館は一九八四年開館。国内外の戦後美術を概観できる良質なコレクションで知られる。

第四章　都市空間と芸術［粟田］

反恒久的なものを　建築と美術の関連について（『建築年鑑 一九六八年版』建築ジャーナリズム研究所、一九六八年）

宮内嘉久編『建築年鑑1968年版　新しい時間のなかへ』（建築ジャーナリズム研究所、一九六八年）に収録された文章。「建築と美術の総合」が提唱されて久しく、また美術家が何らかのかたちで建築に参加する事例が圧倒的に増加した中で、そのあり方について問い直している。『建築年鑑』は美術出版社のもとで一九六〇〜六五年の間に計六号が刊行されたが（一九六六年版、一九六七年版は休刊）、その後に宮内嘉久が代表を務める建築ジャーナリズム研究所が商標と発行権を譲り受けるかたちで一九六八年版を刊行した。

中原は「建築と美術の総合」というテーゼ自体は非難する余地はないとしつつも、「建築」や「美術」に「漠然たる一般概念が適用されている」点を問題視し、「古い美術形式を建築に適用するのは、建築を広い意味での美術館にしてしまうということであって、そういう総合には、はたして意味があるのだろうか」と問うている。そのうえで「現代美術そのものが、美術を一種の過程的なもの、ひらかれたものとしてとらえつつある」当時の状況を踏まえ、美術との総合とは、不変的である建築に対して「可変的要素をつくりだすこと」、言うなれば「このモメンタリーという性格こそ、建築と美術の総合ということにふさわしい」との見方を示している。

なお中原は「過程的なもの」の一例として一九六七年一〇月にニューヨークで開催されたドリス・フリードマンの企

画による「環境のなかの彫刻（Sculpture in Environment）」にも言及し、「モニュメンタルというよりモメンタリーなもの」としての一面を見て取っている。また当時の「美術の環境化」の動向に鑑み、ロバート・ホイットマンの個展（Robert Whitman, Dark, The Pace Gallery, New York, 1967）や高松次郎と倉俣史朗の合作空間「サパークラブ・カッサドール」（一九六七年）、さらにプライマリー・ストラクチャーの動向を挙げ、これらにもモメンタリー（反恒常的）な性格を見いだしている（原文ではアンソニー・スミスの《スネーク（Sneak）》、バーネット・ニューマンの《ブロークン・オブリスク（Broken Obelisk）》、フォレスト・マイヤーズの《サーチライト（Searchlight）》、セントラル・パークに掘られたクレス・オルデンバーグの《穏やかな市民のモニュメント（Placid Civic Monument）》のほか「サパークラブ・カッサドール」の制作風景の写真などが掲載された）。ホイットマンの個展については、中原は「暗闇幻想について」（『三彩』一九六八年六月、『見ることの神話』に再録）で言及している。また都市空間での彫刻におけるモメンタリーな側面については、本章の「彫刻は都市に住めるか」でも述べている。

「建築と美術の総合」の問題をめぐっては、中原は先に「建築と美術――レジェをめぐって」（『世界』一九六四年三月）で提起している。また美術家の建築への参加については、本章の「建築への美術家の寄与」でも論じている。加えて本文の最後で、クレス・オルデンバーグの「空想のモニュメント」に言及しているが、オルデンバーグについては、中原は翌年に『美術手帖』に掲載された「明日をひらく芸術家・9　クレス・オルデンバーグ――巨大化への願望」（『美術手帖』一九六九年一一月）で論じ、同文を収録した『ナンセンス芸術論』（フィルムアート社、一九七二年）では、一九六七年四月のシドニー・ジャニス画廊での個展の際に資料として印刷されたオルデンバーグによる「モニュメントについての覚え書き」も訳出している。

ロケイションの思想（『三彩』一九七〇年九月）

『三彩』「連載　人間と物質の間」の第一回に掲載されたコンセプチュアル・アート論（連載は第一回で終了）。ドイツ・デュッセルドルフにクラウス・リンケを訪ねた際に説明を受けたプロジェクト《Zwölf Faß geschöpftes Rheinwasser》（一九六九年）をめぐり、リンケの行為に「ロケイション」というべき思想を見いだしている。なお原文の巻頭ページには、ダグラス・ヒューブラーの《Location Piece No.11》（一九六九年）の地図、写真、ドキュメントが掲載された。

中原によれば、「ロケイション」という言葉には「局所的な場所ということだけにとどめず、時間を包含したニュアンス」がある（「日付け、時間、年代」の表記については、中原は「笑いの商人――マルセル・デュシャン」（『ナンセンスの美学』所収、現代思潮社、一九六二年）でレディメイドにその指向を見ており、レディメイドに対しても「証拠物件」という言葉をあてている）。そのうえで、スタンリー・ブラウンの《This Way Brouwn》、河原温の「デイト・ペインティング」「I Got Up」シリーズ、ヒューブラーの「Location Piece」シリーズ、稲憲一郎の《風化（time and distance）》、マーク・ボイルの「Journey to the Surface of the Earth（地球の表面の旅）」に「ロケイションの思想」への底流を見て取っている。また「人間と物質」展（本選集第五巻所収）で掲げた「臨場主義」と関連づけ、同展に参加したリチャード・セラの「杉の木」やヤニス・クネリスの「石積み」にも「ロケイションの思想」への関連を見いだしている（同展には河原温も「デイト・ペインティング」を出品した。また同展のチラシには海の水を汲むクラウス・リンケのパフォーマンス写真が掲載された）。

なお本文で中原は河原の作品と関連し、ドナルド・カーシャンが企画した「Conceptual Art and Conceptual Aspects」展（ニューヨーク文化センター、一九七〇年）に言及しているが、「インフォメーション」という言辞ついては、ハラルド・ゼーマンの企画による「態度が形になるとき 作品—概念—過程—状況—情報（Live in Your Head: When Attitudes Become Form. Works – Concepts – Processes – Situations – Information）」展（クンストハレ・ベルン、一九六九年）や、キナストン・マクシャインの企画による「インフォメーション」展（ニューヨーク近代美術館、一九七〇年）展を念頭に置いていると見られる（前者にはダグラス・ヒューブラー、ヤニス・クネリス、リチャード・セラらが出品、後者にはスタンリー・ブラウン、ダグラス・ヒューブラー、河原温、クラウス・リンケらが出品した）。

また、稲の《風化（time and distance）》は「第三回精神生理学研究所」（一九七〇年二月八日一二時〇〇分）で実施されたが、稲の活動については当時、峯村敏明が『記録帯』第四号（一九七二年五月）に寄せた「記録魔の魔——稲憲一郎について」で述べている。峯村は同文で「センチメントの表出を潔しとしない点では定評のある中原佑介が、稲を含めて論じた『ロケーションの思想』という文章で、この記録魔の背後にあるものを「生の流離感」と呼んでいたことが思い出される」と記している。

彫刻は都市に住めるか（『ＳＤ』一九七二年一一月）

『ＳＤ』「特集　場所と彫刻」に掲載された都市彫刻論。同特集では他に、岡田隆彦の「都市空間と彫刻の蘇生」、有馬宏明の「大地の肉体感覚を把えさせる——三田村畯右の環境造形」、第三回神戸須磨離宮公園現代彫刻展受賞作品と都市の風景写真をモンタージュした山田脩二＋編集部による「グラフ構成：場所⇅彫刻——第3回須磨離宮公園現代彫刻展より」が掲載された（関連資料として「第三回須磨離宮公園現代彫刻展受賞作品一覧」に加え、「第一・二回須磨離宮公園現代彫刻展」ならびに「第三・四回宇部市現代日本彫刻展」「第一・二回彫刻の森現代国際彫刻展」の受賞作品の会期終了後の行方を各作家に問うアンケート「あの作品は、いまどこにあるか」の回答が付された)。

冒頭、ヨーロッパの都市と日本の都市を比較して「日本の都市に屋外彫刻が少ない理由」について述べているが、日本では「建築」が「巨大な彫刻」としてモニュメントやシンボルの機能を果たしている点を指摘している(例として「帝国ホテル」を挙げているが、中原はその記念碑性について「帝国ホテル——実用と芸術」(『三彩』一九六八年一月)で述べている)。それに対し、中原はヴァルター・ベンヤミンのテキストを参照しつつ、むしろ現代の都市における屋外彫刻に「モメンタリー(momentary)な」傾向を見ているが、「「都市と彫刻」という問題の新しい様相は、日本にはヨーロッパのように屋外彫刻がないという次元ではなく、こうしたモメンタリーなものとしての彫刻をどのように都市に適応させるかということにある」と唱えている。なお本文でのベンヤミンの引用は、佐々木基一編『ヴァルター・ベンヤミン著作集2 複製技術時代の芸術』(高木久雄、高原宏平訳、晶文社、一九七〇年)に収録された複製技術論「第三稿」の訳文によっているが、「実際型」と「視覚型」という訳語については、原文では「taktil(触覚的)」「optisch(視覚的)」となっている。

そのうえで中原は本文で注目すべき試みとして、一九七二年に「都市空間のなかに」をテーマに開催された「第3回神戸須磨離宮公園現代彫刻展」に着目し、伊藤隆道、多田美波、保田春彦、小清水漸の作品をはじめ、都市空間における彫刻の置かれるべき「場所」の可能性を見て取っている。なかでも関心を寄せているのが、井上武吉の《The Outer Space Test Box 1972・4/20–1973・4/19》や村岡三郎の《STOR...ING(貯蔵していくこと)》であるが、中原によれば、今日の屋外彫刻のもつ存在意義は「都市のなかにテンポラリーな異化された「場所」をつくりだすこと——あらゆるプラクティカルな性質から解放された特異点をもたらすこと」、さらに言えば「形態よりも「場所」を本質的」とすることにある。

なお中原は一定期間(モメンタリー)に「都市そのものを会場としておこなう彫刻展」の先例として、一九六七年一〇月にニューヨーク市で開催された「環境のなかの彫刻(Sculpture in Environment)」や一九七二年にイングランドとウェールズの八つの都市で開催された「City Sculpture Project」(オーガナイザーは英アルノルフィーニ現代美術センターの創設者でディレクターのジェレミー・リース。また二〇一六年にヘンリー・ムーア・インスティテュートが同プロジェクトに関する展覧会を開催)を挙げている。一方で現代の都市における「パブリック・アート(公共空間での芸術作品の設置)」の普及には、一九五〇年にフランスで制定された「パーセント・プログラム」をはじめ各国政府や地方自治体による公共政策の影響が見られるが、日本では「集団58野外彫刻展」（神奈川県立近代美術館）以降、一九六一年の「宇部市野外彫刻展」を皮切りに「彫刻のあるまちづくり事業」の取り組みが見られる。

都市の言語　劇団天井桟敷「地球空洞説」（『海』一九七三年一〇月）

『海』「イメージの狩猟」欄に掲載された劇団天井桟敷の演劇「地球空洞説」（一九七三年八月一―四日に高円寺東公園で上演）の劇評。ギヨーム・アポリネールの小説『贋救世主アンフィオン』に記された新芸術「アンフィオニイ」（ギリシャ神話に登場するアンフィオンが、都会を形成する切石やさまざまの材料を音楽の不思議な力で動かした、その記念のためにつけた名）に倣い、当時の「街頭演劇」の隆盛に対して「紙上の「アンフィオニイ」」ではない「じっさいの「アンフィオニイ」」を生み出す可能性を見ている。

中原によれば「地球空洞説」で試みられているのは、たんなる「演劇の街頭化」ではない。そうではなく「想像によって街頭の空間を占有する」、あるいは「街頭を限定された機能から一時的に解放し、いわば公園を別の空間に変貌させてしまう」といった都市への「別の言語」への試みがなされている。また「この俗な非現実的なるドラマにおいては中心は存在しない」というように、「都市の一画で拡散的に演じられた」点についても評している。なお本文で触れられているハプニングについて、中原は「ハプニング　体験としての芸術」（本巻第二章所収）で論じている。

本文の一部は、寺山修司の『地球空洞説』（新書館、一九七五年）の解説にも収録された。寺山は同著で「地球空洞説」について次のように述べている。「市街劇が無限に拡散してゆく過程で、私たちは、一度、見世物的な街頭劇とやってみよう、と思い立った。杉並区高円寺の、ごくありふれた児童公園を用いて、実在の町内会の、実在のアパートの中から一つの青年があふれ出した、という設定である。（中略）私たちは、杉並区高円寺南の五丁目町内会に突如として降って湧いた銭湯帰りの男を設定し、その男の存在証明とのコレスポンダンスとして、地球の中心の空洞を持ち出した。地球の中味は熔解金属も熔岩もなく、空っぽのがらんどうだというマーシャル・ガードナーの学説、無の引力の法則は、そのまま現代人の日常の現実のアレゴリーとして、うつったからである」。また上演状況についても、「同時多発的に、一新荘アパートや、内藤一水社の社長宅、第六香藤湯、公衆便所などでもくりひろげられ、客によってそうした部分のみ立ち合って、べつの観劇体験をしたものもいる筈である。（中略）二日目以降、周辺部を劇の中にたぐりこんでから、劇はアパート生活者の私事にまでおよび、同時多発のドラマが互いに誘発しあって、効果をあげ、二日間続演し、そのあとも続演を切望されながら、打ち上げたのであった」と記している。なお「地球空洞説」が上演された一九七三年には、寺山は中原の『ナンセンス芸術論』（フィルムアート社、一九七二年）への書評も寄せている（寺山修司「もう一つの現実」『美術手帖』一九七三年二月。「ナンセンスは、次第に「もう一つの世界状態」のために、日常の法則と向きあい、そこで暴力的なまでの抑圧から解放行為を誘発する。センスによって維持されてきた支配階級のモラルと「人間を労働の道具」化してきた文明社会にたいして、ナンセンスが生成するもう一つのモラル、「想像力が権力を奪う」エネルギーが、どのような効用をもつか、本書はきわめて遠まわりをしながら語ってゆく」）。

建築への美術家の寄与　高松次郎と多田美波の場合

（『SD』一九七四年四月）

『SD』「特集　ある〈建築〉外思考」に掲載された文章。同特集では「一―影の居る部屋　福岡相互銀行本店（設計／磯崎新）における高松次郎　撮影／山田脩二」「二―昼と夜の顔　銀座Leeビル（設計／KMG）における多田美波　撮影／村井修」「三―寡黙かつ饒舌の部屋　四季ファブリックテキスタイルショールームにおける倉俣史朗　撮影／小川隆之」といったグラビアページが掲載され、中原は高松次郎と多田美波の作品について記している（倉俣のショールームについては、長谷川堯が「クラさんのアキカンに寄せて」を記している）。

中原は「建築にたいする美術家の協力」について「ひろい意味でのインテリア（もしくはエクステリア）・デザインの一環としてに他ならない」としながらも、「もう少し違った意味での協力、あるいは寄与の仕方はないだろうか」と問うている。そのうえで、福岡相互銀行（現・西日本シティ銀行）本店の応接室を手がけた高松次郎の《影の部屋》について「インテリア・デザインの一環として建築に同化しているのではなく、建築のなかで小空間としての「作品」を展示しているように感じられる」と見て取り、建築やインテリア・デザインがつくり出すフィクシャス（fictitious）な虚構性に加えて、「機能という概念に還元し難い」イマジナリー（imaginary）な虚構性が付与されている点を評している。一方、多田美波の銀座Leeビルのファサード（S字状のハーフミラー）についても同じく二重の虚構性を見ているが、「高松次郎の仕事が建築のなかへ設置された小空間としてのそれであったのにたいし、多田美波の建築への寄与は、建築全体を拡張された「作品」の展示という概念に従わせようとしている」と評している。

《影の部屋》については、中原は『Σ M.H.I.』第五号（三菱重工業、一九七四年六月）に掲載された「高松次郎の影の絵画」でも言及しているが、同文では作品タイトルを《影の居る部屋》として紹介している。高松の「影」の作品についでは、中原はほかに「幻の影を慕いて（一）（二）」（『眼』一九六五年一二月、一九六六年一月、本選集第三巻所収）、「探索の絵画」（『高松次郎 アイデンティフィケーション』リーフレット、一九六六年七月）、「〈影〉と骨折り損 高松次郎が板囲いに描いた〈影〉をめぐって」（『SD』一九七一年三月）などで述べており、「反恒久的なものを——建築と美術の関連について」（本章所収）でも、倉俣史朗と高松次郎による合作空間「サパークラブ・カッサドール」の「影の壁画」に言及している。

一方で多田美波については、中原は当時「現代のおんなその四・美術」（『小説新潮』一九六六年四月）の中で取り上げたほか、「多田美波の世界」（『デザイン』一九六九年六月）や「座談会 都市空間と彫刻 多田美波・中原佑介・小田襄・関根伸夫」（『日本美術』一九七六年六月）で対談・座談会を共にしている。

なお本文では「美術の社会的機能の回復という大義名分」を掲げる傾向に疑義を呈しているが、中原は過去に記したテキスト「建築と美術——レジェをめぐって」（『世界』一九六四年三月）でもこの点に言及している。同文では「壁面への復帰」を「絵画の社会化」と見なす視点を「少々単純」だと断じ、モンドリアンやドゥースブルフらデ・スティルによる「絵画、装飾、建築を「新造型」というひとつの視点で統一しようとした」志向に対し、むしろ建築と美術、絵画と壁画との分化を根底としたレジェの仕事に（簡単な調和ではない）「異質なものの有機的な総合化」を見ている。

美術と機能のあいだ（『別冊太陽 パブリアートの世界』平凡社、一九九五年）

『別冊太陽 パブリアートの世界』（北川フラム監修、平凡社）に掲載された「ファーレ立川」評。北川フラムのディレクションのもと三六ヶ国九二人のアーティストによる一〇九点の作品が設置された「ファーレ立川」について、「欧米の美術に偏重している美術界の現状を是正する」とともに「都市と美術の結びつきに関してあまり前例のない実験的な試み」と評し、「街なかに設置される彫刻の多くが記念碑性を失ってしまったとはいえ、まだどこかに聖なる性質を温存しているように感じられるのにたいし、ここにある作品群を見ると、それをほとんど感じさせない」と「聖性の消滅」がなされている点に着目している。また「屋内外を問わず、公共的美術（パブリックアートの名で通用しているもの）が増える程、それに対する批評の必要性が増大して当然だ」として、パブリック・アートに対する批評の必要性も提起している。

中原によれば「ファーレ立川」の作品群は、機能を負っている作品、視覚デザイン的な作品、機能を持たない作品の三つのタイプに大別できるが、これら三つのタイプの混在によって「美術作品と機能の関係」といった別種の問題が生じているという。具体的にロバート・ラウシェンバーグの《自転車もどきVI》に対し、「サイン・ボードでもあるし、サイン・ボードという機能から自由になった作品としても成立している」として、美術と機能の両義性を見て取っている。一方、ベンチとしての機能を持ったアレシュ・ヴェゼリーの《ダブルベンチ》や藤本由紀夫の《耳の椅子》が、機能を持たないアニッシュ・カプーアやウルリッヒ・リュックリームの彫刻と並べられた状況に対し、「作品の両義的ともいえる性格が、タイプの混在によって助長されている」と述べている。さらに「作品と場所との関係」の観点から「車止め」「換気塔」「換気口」「階段の看板」「機械搬入口」「散水栓のカバー」「照明サイン」「送水管のカバー」「街灯」など機能性を担わされた作品に対しても、それらの中にむしろ機能を意識させない「自立した作品」が存在している点に目を向けている。

こうした都市における芸術作品の設置については、中原は本章所収の「反恒久的なものを――建築と美術の関連について」や「彫刻は都市に住めるか」でも論じている。また「機能と自立化（あるいは脱機能）」をめぐっては、中原は一九六〇年代以降、ポスターやイラストレーションなどを対象に継続的に論じている（本選集第四巻第三章または第七巻第三章を参照）。

「ファーレ立川」については「立川基地跡地関連地区第一種市街地再開発事業のアート計画」の記録集として、『〈都市・パブリックアートの新世紀〉ファーレ立川アートプロジェクト』（木村光宏・北川フラム監修、現代企画室、一九九五年）が刊行された。一九九五年にはまた、愛知県文化情報センターで「都市景観と彫刻」展が開催されており、北川フラムはシリーズ・レクチャーに登壇し、「ファーレ立川の計画」と題したレクチャーを行なっている（『都市景観と彫刻　パブリック・アート・レクチャーシリーズ'95』愛知県文化情報センター、一九九五年）。さらに二〇一七年には「再開発からまちづくりへ」と焦点を当てた、『ファーレ立川パブリックアートプロジェクト　基地の街をアートが変えた』（ファーレ立川管理委員会企画、現代企画室、二〇一七年）が刊行されている。

第五章　地域と芸術［加治屋］

本章には、「大地の芸術祭　越後妻有アートトリエンナーレ」に関する四本の文章を再録した。大地の芸術祭とは、新潟県越後妻有地域で三年に一度開かれる大規模な国際芸術祭である。二〇〇〇年に始まり、総合ディレクターを北川フラムが務めている。中原は、二〇〇〇年から二〇〇九年まで四回連続して記録集に文章を寄せている。二〇一一年に亡くなった中原が最後に取り組んだ芸術論であると言える。回を経るごとに、中原が、大地の芸術祭に対する考えだけでなく、芸術そのものの見方を変えていったことが分かり、最晩年の中原にとって大地の芸術祭が持っていた意味の大きさをよく伝える文章である。

脱都会の美術の活力（『大地の芸術祭――越後妻有アートトリエンナーレ二〇〇〇』越後妻有大地の芸術祭実行委員会、二〇〇一年）

「大地の芸術祭　越後妻有アートトリエンナーレ二〇〇〇」の記録集のために書かれた文章である。同展の会期は二〇〇〇年七月二〇日―九月一〇日、会場は越後妻有六市町村（新潟県十日町市・川西町・津南町・中里村・松代町・松之山町）であり、参加作家は三二の国と地域から一四八組、作品数は一五三点、来場者数は一六万二八〇〇人を数えた。中原は、ジャン・ド・ロワジー、オクウィ・エンウェゾー、アピナン・ポーサヤーナン、ウルリッヒ・シュナイダー、ナンシー・スペクターとともに本展のアートアドバイザーを務めた。

冒頭で中原は、大地の芸術祭は「現代の美術についての壮大な実験」であり、以下の五点で「画期的」だったと述べている。

(一)地域振興事業の一環として企画されたこと
(二)六市町村というきわめて広範囲にわたる地域を対象としたこと
(三)都会美術として推進されてきた現代美術に非都会美術の可能性を開いたこと
(四)美術展という形式の再検討を示唆したこと
(五)この企画によって地域住民だけでなく、参加した美術家自身もまた意識の変化を受けたこと

中原は、ビエンナーレやトリエンナーレが一般に、現代美術の振興と国際交流を目指して開催されるのに対し、大地の芸術祭は地域振興事業として行っている点に注目している。また、広範囲にわたる地域を展示場所としたため、作品の設置場所が景観、環境、起伏の多様性に富んでおり、都会美術にはない観賞経験をもたらしていると指摘している。中原は、「私はおおげさな評言を好まないタイプの人間だが」と断りを入れた上で、「これはすばらしいと言いたい」と絶賛している。

中原は、今の絵画や彫刻は移動可能なものであり、だからこそ美術館での展示が可能となっているが、美術作品とはもともと場所と不可分なものであり、地域住民と密接な関連を持っていたと述べる。その意味で、大地の芸術祭は、美術展や美術館について再考する機会を与えるとしている。また、中原は、美術家にも新しい経験を与えたことが大地

の芸術祭の最大の功績だとした上で、大地の芸術祭は「二一世紀の美術の動向に指標をあたえ得るものだ」と高く評価している。

中原は、一九六七年のパリ青年ビエンナーレで日本のコミッショナーを務めた後、サンパウロ・ビエンナーレ（一九七三年、一九七五年）とヴェネツィア・ビエンナーレ（一九七六年、一九七八年）で日本館コミッショナーを歴任しており、都会で行われる国際芸術祭を長らく見てきた。また、一九七七年から二〇一一年まで、宇部市の現代日本彫刻展で選考委員、運営委員長、選考委員長を務め、一九九九年から二〇〇九年まで公募展「代官山インスタレーション」の審査員を務めるなど、国内の野外美術展にも関わってきた。里山、棚田、森林、河川、畑といった自然の風景の中で展開する大地の芸術祭は、それらとは大きく異なる芸術祭として中原に衝撃を与えた様子がうかがえる文章である。

芸術の復権の予兆（『大地の芸術祭――越後妻有アートトリエンナーレ二〇〇三』現代企画室、二〇〇四年）

「大地の芸術祭　越後妻有アートトリエンナーレ二〇〇三」の記録集のために書かれた文章である。二回目は、会期が二〇〇三年七月二〇日－九月七日、会場は一回目と同じく越後妻有六市町村、参加作家は二三の国と地域から一五七組、作品数は二二〇点（うち恒久設置作品は六七点）、来場者数は二〇万五一〇〇人であった。中原は、本展覧会でも、ホウ・ハンルゥ、ローザ・マルティネス、トム・フィンケルパールとともにアートアドバイザーを務めた。

二回目の芸術祭は、初回の特徴を受け継ぎつつ、それを倍増、強調することになったと中原は述べる。大地の芸術祭は、「場所を問わず世界中に通用し得るような作品」を生み出す「芸術作品のグローバリゼーション」への懐疑を明確に示しているという。その際、中原は、大地の芸術祭の作品を「上から降ってくるのではなく、特定の地面から湧き出す作品」と、巧みな比喩を用いて説明している。中原は、今回の芸術祭の特徴として以下の三つを指摘している。

（一）作品形式の多様化
（二）創造という行為と観賞という行為の二極化の解体
（三）芸術と教育の統合

（一）については、美術家が未知の空間と環境に触発されて発想し、それに対応した作品を作り出しており、それが徹底していると述べている。

（二）については、コラボレーションによる作品が増えており、美術家・作品・観客の三者がリニア（線的）に並ばない「非線形的構造」をもっているとしている（この数学用語は、理論物理学出身の中原らしい比喩表現である）。たとえばクリスチャン・バスティアンス演出の《越後妻有版・真実のリア王》では、地元の老人が出演者であり、同じく地元住民である鑑賞者と交換可能であった。この可換性に、現在希薄になりつつある「芸術のコミュニケーションの根本」があると中原は述べている。

（三）については、芸術を教育する「芸術教育」ではなく、教育を芸術として位置づける「教育芸術」という考え方を示している。

最後に中原は、大地の芸術祭は、現代の美術のあり方に多くの問題を提起しており、創造のあり方を変えていく可能性があると述べている。

この文章の題名「芸術の復権の予兆」は、「芸術は終わったという声」に対する反論の意味を込めて付けたものであるが、芸術至上主義的な発想に基づくものではないことに注意したい。磯辺行久、彦坂尚嘉、ジャネット・ローレンスの作品について「そもそもこれらは美術作品というカテゴリーに収めることができるのかどうか」と問うているように、大地の芸術祭の作品はむしろ芸術や美術の範疇を揺るがせると中原は考えている。この論点は、後の文章で展開することになる。

また、前回の文章がおおむね、大地の芸術祭の環境・設定が、新しい美術を生み出したとしているのに対し、今回の文章は、美術家の自由な取組がもたらす美術作品の変化について述べていることにも注目したい。その背後には、それらを可能にするディレクションやキュレーションの力があることは言うまでもないが、中原がそこにあえて触れないのは、総合ディレクターである北川に対する信頼の厚さによるものだろうか。

「前芸術」の祭典（『大地の芸術祭——越後妻有アートトリエンナーレ二〇〇六』現代企画室、二〇〇七年）

「大地の芸術祭　越後妻有アートトリエンナーレ二〇〇六」の記録集のために書かれた文章である。三回目は、会期が二〇〇六年七月二三日—九月一〇日であり、二〇〇五年に川西町、中里村、松代町、松之山町が十日町市に合併したため、会場は越後妻有二市町（新潟県十日町市、津南町）となったが、実質的な変化はない。参加作家は四〇の国と地域から二二五組、作品数は三三四点（うち恒久設置作品は一三一点）、来場者数は三四万八九九七人であった。中原は、本展覧会でも、トム・フィンケルパール、ホウ・ハンルゥ、ヤン・チェル・リー、オル・オギュイベ、ジェームズ・パットナム、ウルリッヒ・シュナイダーとともにアートアドバイザーを務めた。

この文章で、中原は、「前芸術（プレ・アート）」という言葉で大地の芸術祭の作品を説明している。それは、芸術として位置づけられる一歩前の作品であり、美術館や美術展で見られる「既成芸術」では形式の純化のために排除されてしまう、さまざまな未分化なものが色濃く混在しているものだという。中原は、過去二回の催しでも感じていたが、うまく言葉にできなかったとしている。

　中原によれば、美術館や美術展は、展示品が美術作品であることを保証するが、非都市環境である大地の芸術祭の空間は、作品が美術であることを保証する特権性を持っていない。多くの作品に未分化なものが入っているために、地域の人々とのコラボレーションが成立しているともいう。「前芸術」は、やがて形式を純化することによって「既成芸術」の仲間入りをすることになる。中原は、大地の芸術祭は、単なる新しい野外美術展ではなく、「前芸術」による作品と人間の関係の再構築の場であると述べている。

　中原はこれまで、芸術のナンセンスな側面に注目したり、機械や発明、現実などとの関係で芸術を論じたりしてきたが、作品における「非芸術的要素」をここまで高く評価することはなかった。この議論は、次の第四回の記録集に寄せた文章で、「脱芸術」として展開されることになる。


越後妻有アートトリエンナーレのもたらしたもの（『大地の芸術祭——越後妻有アートトリエンナーレ二〇〇九』越後妻有里山協働機構、二〇一〇年）

「大地の芸術祭　越後妻有アートトリエンナーレ二〇〇九」の記録集のために書かれた文章で、中原が大地の芸術祭について書いた最後の文章となる。四回目は、会期が二〇〇九年七月二六日－九月一三日、会場は前回と同じく越後妻有二市町、参加作家は四〇の国と地域から三五三組、作品数は三六五点（うち恒久設置作品は一四九点）、来場者数は三七万五三一一人であった。中原は、本展覧会でも、トニー・ボンド、トム・フィンケルパール、ウルリッヒ・シュナイダー、入澤美時、入澤ユカとともに、アートアドバイザーを務めた。

　中原は、回ごとに大地の芸術祭を見る視点が変化していると述べる。一回目は非都市環境で開かれたことに注目し、二回目でコラボレーションに創作者と鑑賞者の区別の解体を見出し、三回目で大地の芸術祭の作品の多くは「前芸術」であると指摘した。四回目となる今回の展示に際しては、前に戻るというニュアンスがある「前芸術」に代えて、「脱芸術」という言葉を提示している。中原によれば、芸術とは一種の呪縛であり、その呪縛から自由にするのが脱芸術である。したがって、大地の芸術祭の作品のもつ開放感とは、芸術からの開放感であるという。脱芸術は、既成の絵画や彫刻の形式への反抗としての「反芸術」とは異なり、「できるだけ既成の芸術についての価値観、展示のあり方、

中原佑介美術批評選集　第十巻

社会のなかの美術――拡張する展示空間

発行日　二〇二二年八月二〇日　初版第一刷
定価　二五〇〇円＋税
著者　中原佑介
編集　中原佑介美術批評選集編集委員会
代表：北川フラム／池田修
委員：加治屋健司／粟田大輔／永峰美佳
月報：福住廉　アーカイブ：鏑木あづさ
装丁　浅葉克己
本文デザイン　北風総貴
発行　現代企画室＋BankART 出版
発売　現代企画室
東京都渋谷区桜丘町一五―八―二〇四
TEL　〇三―三四六一―五〇八二
FAX　〇三―三四六一―五〇八三
E-mail　gendai@jca.apc.org
印刷製本　シナノ印刷株式会社
ISBN 978-4-7738-2208-3　C0070　Y2500E